Les Histoires du Pays de Santerre

L'Eldnade

3. Eldwen la Désignée

Données de catalogage avant publication (Canada)

Saint-Hilaire, Luc

L'Eldnade
Édition revue et augmentée
(Les Histoires du Pays de Santerre)
L'ouvrage complet comprendra 4 volumes.
Les 2 premiers volumes de cette série ont été publiés antérieurement sous le pseudonyme Gouand sous le titre : Le Santerrian. 2005.
Sommaire : v. 1. Ardahel le Santerrian -- v. 2. Loruel l'Héritier -- v. 3. Eldwen la Désignée -- v. 4. Vorgrar l'Esprit Mauvais.

ISBN 978-2-89074-741-8 (v. 1) ISBN 978-2-89074-742-5 (v. 2)
ISBN 978-2-89074-743-2 (v. 3) ISBN 978-2-89074-744-9 (v. 4)

I. Gouand. Santerrian. II. Titre. III. Titre : Ardahel le Santerrian. IV. Titre : Loruel l'Héritier. V. Titre : Eldwen la Désignée. VI. Titre : Vorgrar l'Esprit Mauvais.

PS8613.O79E422 2007 C843'.6 C2007-941228-9
PS9613.O79E422 2007

Édition
Les Éditions de Mortagne
Case postale 116
Boucherville (Québec)
J4B 5E6

Distribution
Tél. : 450 641-2387
Téléc. : 450 655-6092
Courriel : edm@editionsdemortagne.com

Aspects visuels
Conception de l'auteur
Illustration de couverture : Carl Pelletier
Cartes : dessin de François St-Hilaire, graphisme de Roger Camirand

Dépôt légal
Bibliothèque nationale du Canada
Bibliothèque nationale du Québec
Bibliothèque Nationale de France
4e trimestre 2007

ISBN : 978-2-89074-743-2

1 2 3 4 5 – 07 – 11 10 09 08 07

Imprimé au Canada

Nous reconnaissons l'aide financière du gouvernement du Canada par l'entremise du Programme d'aide au développement de l'industrie de l'édition (PADIÉ) et celle du gouvernement du Québec par l'entremise de la Société de développement des entreprises culturelles (SODEC) pour nos activités d'édition. Gouvernement du Québec – Programme de crédit d'impôt pour l'édition de livres – Gestion SODEC.

Luc Saint-Hilaire

Les Histoires du Pays de Santerre

L'Eldnade

3. Eldwen la Désignée

ÉDITIONS DE MORTAGNE

Remerciements

Je veux remercier tellement de gens que j'ai peur d'en oublier. Voici donc, de façon bien incomplète assurément, quelques personnes dont l'apport a été précieux.

Mon épouse Hélène, qui facilite à sa manière mes incessants voyages en Monde d'Ici. Mon fils François, qui a fait les magnifiques finaux de mes cartes du Monde d'Ici. Mon chum Roger, à qui je dois de voir tant de mes brouillons devenir si beaux. Paul Bordeleau, illustrateur du manuscrit original dont le génie visuel demeure toujours présent. L'équipe des Éditions de Mortagne – Alexandra, Caroline, Carolyn, Marie-Claire, Mathilde, Max, Sandy –, chacune et chacun m'étant si précieux par leur enthousiasme et leur complicité.

Je tiens surtout à remercier tous les lecteurs qui me font l'honneur de m'accompagner en Pays de Santerre. Vos impressions de voyage sont chaque fois une récompense inestimable.

À Charles

À tous ceux qui savent s'émerveiller

... Je fus vraiment émerveillé de découvrir les routes empruntées par la Sagesse en Monde d'Ici. Si les Races Premières osaient la questionner et parfois la défier, les Races Anciennes savaient y accéder de belle manière, avec une grande simplicité et, surtout, par le chemin de leur cœur.

Quant aux Gens du Moyen Peuple, je crois bien qu'ils étaient des ignorants qui, fort heureusement, le savaient. Ainsi, ils approchaient de la Sagesse.

Car il y avait en eux un désir sincère
de reconnaître les justes enseignements parmi eux,
de trouver l'harmonie avec la Vie autour d'eux,
de se définir parmi tout ce qui existe avec eux,
de respecter ce qui est plus éclairé qu'eux,
de fêter les richesses réparties entre eux,
de cultiver ce qu'il y a de meilleur en eux,
de partager la Beauté au sein d'eux.

Car le Dieu de tous les Mondes de l'Univers leur donnait son Esprit Bienveillant...

Gouand

Les Histoires du Pays de Santerre

L'Eldnade

Tome 3 : Eldwen la Désignée

Avant-propos

Ainsi qu'il fut raconté dans les deux premiers tomes, Ardahel le Santerrian, et son ami Loruel l'Héritier, furent confrontés à leurs origines et à leur destin. Delbon, le puissant Sage, organisa leur départ à la tête d'une Compagnie de guerriers Fretts vers le Pays de Gueld. En cours de route, Ardahel rencontra Eldwen, une jeune aveugle dont il s'éprit. Ils firent aussi la rencontre d'une famille de Autegens. Alors que leur compagnon Tocsand devenait amoureux de MeilThimas de Haute-Voix, un conflit commença à dresser Ardahel contre sa mère, JadThimas la Resplendissante. Expulsé de chez les Autegens, le Prince se rendit chez l'Ancêtre qu'il délivra de son trouble causé par un serviteur de l'Esprit Mauvais. En signe de reconnaissance, le membre de la Race Ancestrale lui remit la suzeraineté du domaine de Nalahir, l'un des derniers domaines cachés en Monde d'Ici ayant échappé à la Pensée de Vorgrar.

Enfin, les Saymails et la Compagnie Frett formèrent la Troupe qui traversa le Plateau des Alisans. Après des mois de voyage, la Troupe arriva en Kalar Dhun, l'un des Pays du Levant asservis par les Sorvaks. Ardahel, Loruel et Tocsand, les Cavaliers de Lumière, rallièrent les Rebelles et leur redonnèrent espoir. Loruel fut reconnu par les siens en tant qu'Héritier du Trône Argenté et il prit la direction des combats. Les Gueldans infligèrent une première défaite aux troupes Sorvaks et leur Grand Capitaine Pétrud fut fait prisonnier. Les discussions avec Pétrud mirent en lumière la grande complexité du conflit entre les Sorvaks et les Peuples du Levant. Cela décida Ardahel à frapper directement au cœur de l'ennemi en se rendant par ruse en Aklarama pour abattre le Maître Sorvak et défier Vorgrar. Ce dernier avait fui lorsque le Prince y arriva. Ardahel eut toutefois l'occasion de vaincre le Maître Sorvak.

Malgré tout, la dernière grande armée Sorvak quitta les Terres Mortes pour pénétrer en Pays du Levant. Cependant, Loruel avait réussi à raviver l'Alliance des Pays du Levant et à reprendre l'avantage stratégique. Bientôt, les derniers guerriers Sorvaks durent se réfugier dans la forteresse de Vorka, assiégée par Loruel et ses armées. Or, leur position étant solide, personne ne voyait la fin du conflit. L'intervention d'un Alisan, Mitor Dahant, permit enfin de mettre un terme à la guerre en Pays du Levant. Conscient de son véritable rôle, Loruel s'affaira dès lors à reconstruire la Paix dans son pays en accordant aux Sorvaks une place d'égaux et non de vaincus.

Après son Union Sacrée avec MeilThimas, Tocsand retourna en Santerre où il fut appelé à devenir le nouveau Roi. Sa nomination par le Roi Thadé et son union avec une étrangère constituaient des précédents exceptionnels dans la tradition du Pays de Santerre, ce qui fit naître chez le peuple le sentiment que Tocsand devait impérativement jouer un rôle spectaculaire à la tête du pays.

Ardahel et Eldwen se retirèrent en leur domaine de Nalahir pour se préparer à la suite du combat contre Vorgrar. Ils y étudiaient les Paroles Oubliées en espérant la venue d'un émissaire envoyé par Ogi. L'identité de ce mystérieux guide d'Eldwen demeurait impénétrable, même pour les membres de la Race Ancestrale. À cela s'ajoutaient les inquiétudes soulevées par les paroles d'AuruSildon concernant un Prince de Santerre cherchant vengeance.

Vingt années s'écoulèrent dans l'attente. Pendant ce temps, les jumeaux Noakel et Eldguin, les premiers de la Nouvelle Lignée, progressaient en âge.

Au moment de reprendre la lecture de L'Eldnade, il convient de rappeler que Gouand, le troubadour qui nous a rapporté ce récit depuis le Monde d'Ici, utilise une formule bien connue de nous : *Il était une fois...* L'expression n'est pas toujours reprise dans cette version de ses récits, mais il aurait été dommage de passer ce détail sous silence. En effet, cela prouve que dans tous les Mondes de l'Univers, les récits merveilleux demeurent les mêmes, c'est-à-dire des moments privilégiés où l'esprit oublie la raison pour rêver à des histoires peut-être plus vraies que la réalité perçue par nos sens. Sait-on jamais...

Alors donc : *Il était une fois en Monde d'Ici...*

Chapitre premier
Vingt ans d'attente

– Ma tâche est de créer des races. Alors, je crée des races. Si cela ne te convient pas, je n'y peux rien, mon très cher frœur Hunil Ahos Nuhel.

Le ton employé par l'Ancêtre ne révélait pas vraiment de colère, mais plutôt un mélange d'impatience et d'insouciance. Jeim Mier Pehar, membre de la Race Ancestrale, se contentait de s'acquitter de sa tâche bien particulière et il se désintéressait de plus en plus de la lutte contre leur frœur Vorgrar. Il consentait à participer aux réunions des siens et à donner son avis uniquement parce qu'ils n'étaient plus que trois pour guider les Basses Races selon la voie tracée par le Dieu créateur Elhuï.

Des six membres de la Race Ancestrale à qui le Monde d'Ici avait été confié, celui qui devait être le premier guide s'était détourné de sa mission. Orvak Shen Komi avait voulu imposer une pensée nouvelle qu'il croyait supérieure à celle du créateur Elhuï. Il était alors devenu Vorgrar, *Celui-dont-la-pensée-est-différente*, l'Esprit Mauvais. Le conflit entre les membres de la Race Ancestrale avait autrefois fait une première victime, Shan Tair Cahal, que le Moyen Peuple avait connu notamment sous son identité de Roi Alahid du Pays de Santerre. Puis, au cours de ses tentatives pour dominer le Monde d'Ici, Vorgrar avait séduit son frœur Shar Mohos Varkur, connu surtout comme Maître du peuple Sorvak, et qui avait succombé dans son repaire d'Aklarama en affrontant le Santerrian.

Il ne restait donc plus, face à l'Esprit Mauvais, que trois frœurs : Jeim Mier Pehar dit l'Ancêtre, Jein Dhar Thaar dit Delbon, et Hunil Ahos Nuhel dit Maître Alios. Ils s'étaient réunis à la demande de ce dernier sur l'un des sommets du

Nalahir, ce domaine caché dont l'Ancêtre avait fait cadeau à Ardahel pour le remercier de l'avoir délivré du trouble semé en son esprit par leur ennemi. S'il avait toujours agi en retrait, dans le plus grand secret, Maître Alios considérait désormais qu'il était temps de se dévoiler au Santerrian et à ses compagnons, particulièrement à Eldwen. C'était ce sujet qu'il désirait aborder, mais l'indifférence qu'il percevait chez l'Ancêtre le rendait furieux. Cela ne s'exprimait pas en gestes brusques ni en éclats sonores. Il s'agissait plutôt d'une évidence malgré l'habituelle apparence de sérénité et de courtoisie qui caractérisait les discussions entre les membres de la Race Ancestrale.

– La lutte contre Vorgrar impose d'accepter de nouvelles responsabilités, affirma Maître Alios. Depuis sa défaite devant le Santerrian, vingt années se sont écoulées. Durant ce temps, il a refait ses forces et il est prêt à passer à l'action. Cette fois, c'est tout le Monde d'Ici qui subira le feu et le fer des combats. Même tes plus chères *créations* en pâtiront...

Le frœur avait prononcé ce mot avec presque du mépris, espérant probablement que l'Ancêtre prenne la défense de ses créations, c'est-à-dire des différentes races qui peuplent le Monde d'Ici. Toutefois, cela n'eut pas l'effet escompté. L'Ancêtre se contenta d'un vague haussement des épaules.

– Je n'ai aucune prétention ni ambition de déterminer le destin des Races que je crée !

– Quelle belle façon de se laver les mains de leur sort, railla Maître Alios. Tu évoques un beau principe pour te justifier de ne pas t'engager.

– Parce qu'à ton avis, ironisa l'Ancêtre, notre implication en Monde d'Ici a été couronnée de succès ? C'est peut-être une réussite dont nous devrions être fiers ? Permets-moi d'avouer qu'à ce jour, aucun de mes frœurs ne m'a convaincu par ses résultats !

Un silence inconfortable s'installa que Delbon finit par briser avec l'intention manifeste de mettre fin à l'affrontement.

– Mes frœurs, la situation est trop grave pour que la moindre mésentente existe entre nous. Si l'Ancêtre désire se tenir en retrait, c'est son droit. Cependant, nous savons tous les trois qu'il sera toujours avec nous et de bon conseil en toute circonstance. Il faut respecter la douleur qu'il ressent de voir ses enfants s'élever les uns contre les autres à cause de Vorgrar.

L'équilibre des forces se précisait entre les trois membres de la Race Ancestrale. L'Ancêtre cherchait à laisser les choses aller selon leur destin, Alios voulait au contraire prendre l'initiative et Delbon recherchait le compromis pour conserver sa marge de manœuvre habituelle. En effet, la collaboration plus active de Maître Alios dans le combat contre l'Esprit Mauvais ne réjouissait guère celui qui se faisait connaître sous l'apparence du Sage Delbon et qui avait l'habitude de décider des actions contre Vorgrar sans vraiment rendre de comptes à ses frœurs. Pour la première fois, il ressentait à ce sujet la forte autorité dont Alios faisait montre pour les autres affaires du Monde d'Ici.

– Je crois que tout est dit pour maintenant, conclut Alios. Le Santerrian et ses compagnons seront bientôt réunis de nouveau et nous leur enseignerons alors les actions à entreprendre.

Sur ces paroles, les membres de la Race Ancestrale se retirèrent en se souriant, mais un malaise demeura perceptible.

Une grande agitation régnait ce jour-là dans les rues de Guelargas, le grand port du Pays de Gueld où s'élevait la Demeure du Roi Loruel et de la Reine Lowen. Les plus jeunes surtout se préparaient avec enthousiasme à célébrer la Fête de la Réconciliation, car elle promettait d'être bien spéciale en cette année où les Gueldans commémoraient la vingtième année de paix en leur pays. Bien sûr, le goût en était différent pour les plus âgés qui se souvenaient des luttes, des privations et surtout des horreurs du temps de l'occupation des Sorvaks. Le Roi Loruel avait eu fort à faire pour que la fin de cette guerre ne soit pas considérée comme la victoire d'un peuple écrasant l'autre, mais plutôt comme la fin d'un conflit où chacun avait eu ses torts.

Dès les premiers jours de son règne, le Roi Loruel n'avait ménagé aucun effort pour que Gens de Gueld et Sorvaks ne forment qu'un seul peuple qui oublierait rancunes et griefs. Dans cet esprit, jamais il ne parlait de la victoire ; il préférait utiliser des expressions comme « fin de la haine », « réconciliation des frères » ou « début d'une nouvelle époque ». Certes, les premières années avaient été marquées par les tensions et les gens d'origine Sorvak ne se sentaient pas très bien admis. Toutefois, la vie avait repris son cours et de nombreuses Unions Sacrées entre les anciens adversaires avaient largement contribué à rétablir un climat de calme en Pays de Gueld.

Un autre facteur jouait en faveur des espoirs du Roi Loruel. En effet, alors que les gens de Gueld préféraient de loin le travail de la terre et la chasse, les Sorvaks se montraient de hardis navigateurs et des pêcheurs amoureux de la mer. Grâce aux échanges profitables aux deux groupes, le nom Sorvak prit lentement un sens nouveau, celui de Gueldans vivant de la pêche. En cette vingtième année du règne de Loruel, le pays se forgeait une solide identité qui accordait une place à peu près égale aux Sorvaks pêcheurs, aux Montagnards des Montagnes de la Croisée, aux Sylguels vivant de la chasse dans les riches forêts à la Mi-Nuit du pays et les Guelters établis dans la Grande Plaine.

Parmi toutes ses réalisations, le Roi Loruel se plaisait à souligner sa fierté d'avoir créé un esprit nouveau parmi la Noblesse de Gueld. S'inspirant largement des institutions du Pays de Santerre, il avait modifié considérablement l'administration du pays. Il n'était plus nécessaire, et surtout plus suffisant, d'être de Famille Noble pour avoir le droit de parole. Agissant avec tact et diplomatie, le jeune roi s'était efforcé de réduire les privilèges de la Noblesse tout en préservant le respect envers les grandes familles. Soucieux de ne pas bousculer de fond en comble les traditions de son

Peuple, Loruel utilisait son titre de Roi avec plus d'autorité qu'un Roi de Santerre et de nombreuses coutumes étaient maintenues. Cependant, son successeur serait un « Élu » de l'Assemblée de Gueld, et non pas obligatoirement l'aîné des cinq enfants du couple Royal, trois fils et deux filles maintenant âgés de douze à dix-huit ans qui comblaient leurs parents. Si le Roi faisait montre d'une grande fermeté pour diriger les affaires du Pays de Gueld, il était prêt à passer tous leurs caprices à ses enfants et Lowen devait intervenir fréquemment pour éviter les exagérations.

Nommée Lowen l'Aimée parmi son Clan, puis Lowen la Guérisseuse par tout le Kalar Dhun, la Reine du Pays de Gueld méritait maintenant le nom de Lowen la Juste. Au fil des ans, les Gens de Gueld avaient pris l'habitude de s'adresser à elle pour trancher les litiges et rendre les jugements, tandis que son époux, surnommé « le Bâtisseur », s'affairait à établir des contacts avec les autres peuples. Petit à petit, du couple Royal, ce fut Lowen qui devint la plus occupée par les affaires quotidiennes du pays. Après vingt ans de règne, Loruel avait si bien organisé le partage des responsabilités qu'il commençait à s'effacer derrière son épouse. Il consacrait de plus en plus de temps à ses enfants, les amenant en voyage avec lui et passant de longues semaines à chasser en montagne ou dans la forêt.

Les années n'avaient pas tellement changé Loruel. La quarantaine maintenant entamée, il demeurait bien droit, imposant par sa grandeur et sa carrure massive. Ses yeux, qui passaient du bleu au vert selon son humeur, étaient toujours aussi vifs. Ses longs cheveux châtains et sa barbe aux reflets roux laissaient à peine voir un peu de gris. Il n'avait pas perdu non plus son habitude de laisser-aller, se peignant soigneusement et s'habillant avec luxe uniquement lorsqu'il devait occuper ses fonctions royales. En d'autres temps, il avait l'allure simple des gens du peuple auxquels il aimait se mêler pour contribuer aux tâches journalières. Personne ne se surprenait plus de le voir partir en mer avec des pêcheurs ou passer plusieurs jours sur un chantier de construction.

De cinq années plus jeune que son compagnon, Lowen était de ces femmes dont la beauté surgit d'abord de l'intérieur pour éclater en toute simplicité, sans besoin de fard, de coiffure recherchée ou d'habits fins. Grande et mince, le corps bien ferme, elle pouvait rivaliser sans peine avec Loruel dans toutes les activités qui exigent bonne forme et endurance. Sa longue chevelure chatoyait de reflets sans cesse changeants, en riches teintes de roux et de châtain. Elle gardait les cheveux bien lisses, attachés derrière la tête ou retenus par un bandeau de tête gris, la couleur royale en Pays de Gueld. Dans son visage ovale, tout en rondeurs harmonieuses, brillaient de grands yeux bleu clair, pleins de douceur et de joie de vivre.

En ce matin de la Fête de la Réconciliation, Loruel se tenait à la fenêtre de sa chambre et il regardait l'horizon sans vraiment le voir. Ses pensées étaient revenues vingt ans auparavant ; il se rappelait Ardahel et Tocsand chevauchant avec lui, tous trois sur des chevaux du Nalahir qui filaient comme le vent. Puis vinrent des images du Pays de Santerre où il avait vécu durant dix-sept années. Loruel revit cette scène alors qu'il se tenait avec Ardahel près d'un champ de blé en méditant les paroles du Sage Golbur les pressant de quitter Santerre pour aller combattre les Sorvaks. Alors qu'il était perdu dans ses rêveries, il sentit deux bras l'enlacer par-derrière, puis la tête de Lowen qui s'appuyait sur son épaule. Son épouse l'interrogea avec douceur.

– Tu songes à Ardahel et au Pays de Santerre, n'est-ce pas ? Tu aimerais bien y retourner, revoir tes amis au pays de ton enfance...

– Oui et non, répondit Loruel sans bouger. Cela fait si longtemps. Peut-être ont-ils tous bien changé. Et puis, il est bien connu que le temps embellit les souvenirs...

– Tu te cherches des raisons pour te justifier de rester ici, mais ton cœur voudrait tellement retourner là-bas durant quelque temps.

Cette fois, Loruel se retourna vers sa compagne avec des yeux pétillants.

– Aimerais-tu venir en Pays de Santerre avec moi, visiter tous ces endroits dont je t'ai tant parlé ? Le Pays de Gueld peut se passer de nous durant quelques mois.

– Nous pourrions partir seulement nous deux, proposa Lowen. Grâce aux chevaux du Nalahir, point n'est besoin de passer par la mer. D'après tout ce que tu m'as raconté, les Alisans nous laisseront certainement passer par leur territoire et nous pourrons foncer à toute vitesse le long des Monts Perfides afin de ne pas s'attarder près des Forêts Oubliées. De cette manière, nous ne serions pas absents trop longtemps. Arder et Elduel sont assez grands et réfléchis pour s'occuper de leurs frères et de leur sœur.

Le couple s'enthousiasmait à la perspective de partir en voyage, seulement tous les deux en amoureux. Ils pourraient visiter ensemble le Pays de Santerre et revoir les compagnons de lutte d'autrefois. Pour un temps, ils pourraient échapper à leurs responsabilités de couple royal et de parents pour redevenir les complices insouciants qu'ils n'avaient guère eu le temps d'être après la fin des combats en Pays du Levant.

Malgré tout, Loruel conservait une certaine réserve.

– Je suis d'accord pour profiter de la vitesse de nos montures du Nalahir pour voyager seulement nous deux. Toutefois, il faudra bien organiser nos déplacements de manière à faire le trajet en toute sécurité. Les visiteurs rapportent d'étranges rumeurs, des bruits courent que les Scasudens se rendent en Magolande et au Magistan. Je suis convaincu qu'il se prépare des événements graves. Je sais que la mission d'Ardahel n'est pas terminée et qu'il y aura d'autres combats en Monde d'Ici.

– Mais nous vivons en paix, répliqua Lowen. Pourquoi devrions-nous craindre que la mission d'Ardahel ne trouble le Pays de Gueld ?

– Je l'ignore. Ardahel et Eldwen sont demeurés très discrets sur leurs engagements.

Loruel devint subitement très grave. Il s'écarta de Lowen en se mordillant les lèvres, comme chaque fois qu'il voulait lui faire part de ses tracas sans l'inquiéter outre mesure.

– L'autre jour, je suis allé au Gueldroc, dans l'ancienne Forteresse du Trône, et j'ai réfléchi de longues heures à tout ce qui s'était passé durant la lutte contre les Sorvaks. Je me suis rappelé chaque moment et chaque parole en essayant de leur trouver un sens. J'ai la certitude que tout cela dépasse un simple conflit entre deux peuples. Les forces qui assistent Ardahel et Eldwen sont tellement grandes que la seule guerre contre les Sorvaks n'était pas suffisante pour justifier leur implication. Les enjeux sont d'une toute autre échelle, assez importants pour affecter tout le Monde d'Ici. Je suis convaincu qu'il se prépare des événements importants pour nous tous, et que la meilleure façon de protéger le Pays de Gueld est de s'y préparer... Bien sûr, je veux revoir le Pays de Santerre et ces gens parce qu'ils sont mes amis, mais je pense aussi à notre avenir. Je veux questionner Ardahel pour connaître ce qui se dessine.

– Tout cela n'est que pressentiments, constata Lowen. Il est sage que tu y prêtes attention, mais il ne faudrait pas que tu t'inquiètes inutilement. Tu délaisses déjà tellement les affaires du pays...

– Il y a aussi des faits, répliqua pensivement Loruel. Entre autres, je connais assez bien la mentalité de Santerre pour ne pas m'interroger. Lorsque Ulinas Belle-Langue est revenu ici en voyage, il nous a raconté comment le Roi Thadé avait désigné Tocsand comme successeur. Cette entorse exceptionnelle aux traditions n'est pas un geste posé sans raison. Je désire que Tocsand m'explique ce qui se passe.

L'automne déjà avancé en Pays de Santerre amenait sur les routes un grand nombre de voyageurs qui se préparaient à retourner chez eux ou à s'installer pour l'hiver. Les haltes étaient bondées de monde, tout autant de visiteurs que de gens de Santerre à la recherche d'occasions de faire commerce ou simplement de se distraire après avoir terminé les récoltes. Dans la grande salle de l'auberge de Bober, il devenait de plus en plus fréquent que le ton monte entre les habitants du pays lorsqu'il était question du Roi Tocsand. Certes, les griefs contre ce souverain imposé par le bon Roi Thadé n'étaient pas tellement profonds, mais plusieurs en faisaient une question de principes : Tocsand n'avait pas été Prétendant durant les sept années habituelles, ni même vraiment Prince de Santerre avant d'être désigné par le Roi plutôt que par le Conseil des Princes. Tout compte fait, ses dix-huit années de règne n'avaient causé aucun tort, le Pays de Santerre demeurant aussi prospère que par le passé, ni plus ni moins. Toutefois, il ne s'était rien passé qui justifiait cette nomination sans respect pour la Tradition. La décision du Roi Thadé avait laissé présager que le Roi Tocsand accomplirait des gestes extraordinaires et la déception faisait naître les reproches.

Assis en silence dans un coin retiré de la salle, un étranger finissait son repas en écoutant les conversations avec attention. De taille moyenne, vêtu simplement, la barbe courte et les cheveux foncés marqués d'une touche de gris, il n'avait rien de particulier qui le distinguait des autres voyageurs. Comme poussé par la curiosité, il se leva pour aller se mêler à la discussion d'un groupe où l'on argumentait avec force gestes.

– Hé, braves gens, fit-il en s'approchant, je vous prie d'excuser mon indiscrétion, mais je vous entends discuter de votre Roi avec des termes pour le moins contradictoires. J'aimerais bien que l'on m'explique ce qui se passe. Votre pays est magnifique et je ne vois ici aucune matière à se plaindre...

– Le Roi Tocsand possède de grandes qualités, répondit avec sarcasme un Culter de forte carrure que la bière rendait particulièrement loquace. De grandes qualités de poète qui l'accaparent fort ! S'il aime tant la musique, qu'il aille donc en faire ailleurs avec l'*étrangère*. Qu'avons-nous besoin d'un Roi troubadour alors que les Scasudens des Terres Mortes sont en train de s'armer, à ce qu'il paraît...

– Qu'as-tu à te plaindre? répliqua un autre buveur. Les affaires du pays vont d'aussi bonne façon qu'au temps du Roi Thadé.

– Parce que ce sont le Conseil des Princes et le Conseil des Sages qui gouvernent, affirma le Culter. Et puis, même le Conseil des Princes n'est pas au grand complet. Ce Prince Ardahel que l'on ne voit presque jamais en Pays de Santerre et dont personne ne sait où il demeure, en voilà un autre qui ne respecte pas les traditions...

– Tu oublies l'aide que le Roi Tocsand et le Prince Ardahel ont apportée aux Pays du Levant, objecta celui qui prenait la part de Tocsand.

Un autre buveur se mêla à la conversation en frappant sur la table pour retenir l'attention.

– Eh bien, qu'ils s'occupent autant de notre Pays qu'ils l'ont fait pour d'autres ! Si leur mérite vient d'actions accomplies ailleurs, ce n'est pas à nous qu'il revient de les honorer.

– D'ailleurs, ajouta un autre, la moindre des choses pour un Roi de Santerre est de s'unir à une personne du Pays. L'étrangère est bien belle, mais elle ne fait pas grand-chose qui vaille. D'ailleurs, il paraît qu'elle n'est pas originaire des Pays du Levant où il a été combattre autrefois ; le Roi cacherait sa véritable origine !

Le Culter se tourna vers le voyageur pour l'interroger.

– À propos d'étranger, tu es un voyageur qui semble venir de loin. Si tu as vu l'épouse du Roi, tu sais peut-être de quelle race elle pourrait être. Voilà qui nous intrigue maintenant !

Ainsi sollicité de donner son avis, l'étranger hésita à répondre. Il pesait ses mots, comme une personne qui n'ose dire une vérité qui risque de choquer ses interlocuteurs.

– Bien... Il se peut que... Remarquez que je n'affirme rien, mais... je l'ai effectivement vue en passant par le Temple du Roi et des Sages. Il me semble..., mais je peux me tromper..., j'ai l'impression que MeilThimas, la compagne de votre Roi, ressemble fort aux femmes de la Contrée des Scasudens que j'ai déjà rencontrées...

– Comment ? s'exclama le Culter à la forte carrure. Le Roi Tocsand serait uni à une personne d'une Race des Terres Mortes ? Cela serait donc vrai qu'il tentait de cacher sa véritable identité !

– Notez que je n'en suis pas certain, je l'ai déjà dit, insista l'étranger. J'espère pour le Pays de Santerre qu'il n'en est pas ainsi, car les Scasudens paraissent se préparer à la guerre. Ils disposeraient ainsi d'une alliée puissante auprès de votre Roi.

Cette fois, le silence se fit dans l'auberge de Bober. Les paroles de l'étranger jetaient le doute parmi les Culters. Les Gens de Santerre ont un grand respect pour ceux qui administrent le pays, mais s'il fallait que le Roi Tocsand soit en train de tramer quelque complot avec un peuple ennemi... L'accusation était trop grave pour la formuler sans preuves, mais l'idée ferait certes son chemin en Région des Récoltes. Profitant du silence, Bober l'aubergiste annonça qu'il était grand temps de fermer pour la nuit et il invita les clients à se retirer. Comme l'étranger se préparait à regagner sa chambre, Bober lui apporta un grand pichet de bière.

– Reste encore un peu, voyageur. J'aimerais bien que nous parlions un peu plus en détail de tout cela. Les autres partis, nous serons plus tranquilles pour bavarder...

L'étranger était certainement d'un naturel méfiant, mais Bober, avec son imposante bedaine de bon vivant et ses grands yeux naïfs, ne paraissait animé que d'une curiosité bien naturelle. Ils prirent tous deux place à une table et ils se servirent une généreuse portion du doux liquide ambré qui faisait la réputation de l'Auberge au Toit Houblonneux.

– J'aime bien discuter avec les voyageurs lorsque les clients sont partis, commença l'aubergiste. Ils ont toujours de belles histoires à conter des autres pays du Monde d'Ici.

– Je crains fort que les histoires ne commencent à être moins jolies, répondit l'étranger. Les routes ne sont plus aussi sûres, des peuples autrefois paisibles commencent à s'agiter...

Bober se servait copieusement et il entraînait l'étranger à suivre son rythme. La table fut rapidement encombrée de pichets vides et les deux buveurs chancelaient sur leurs bancs. Les blagues avaient succédé aux sujets plus sérieux et l'étranger devenait moins prudent dans ses propos, se contredisant parfois dans ses affirmations. Finalement, Bober se leva péniblement et, zigzaguant entre les tables, il se rendit à une armoire dont il tira deux bouteilles différentes de celles qu'il servait aux clients.

– Ami voyageur, déclara-t-il avec un sourire entendu, il est grand temps d'aller se coucher ; mais auparavant, j'ai quelque chose de spécial à te faire goûter. Une bière dont tu me diras des nouvelles. Elle vient de ma réserve personnelle... Allez, vide ton verre d'un trait !

– À ta santé, aubergiste !

– À ta santé, voyageur !

Lorsque les verres furent vidés, l'étranger voulut se relever, mais il vacilla tout en regardant l'aubergiste d'un regard embrouillé. Puis il s'écroula sur la table. Immédiatement, Bober parut se dégriser. Il chargea l'étranger sur ses épaules, puis le mena aux écuries. Après lui avoir solidement lié les mains, Bober lui mit un bandeau sur la bouche et un autre sur les yeux. Enfin, il l'attacha sur son cheval. Guidant la monture au travers les champs, Bober se rendit à une petite cabane isolée où il frappa à la porte.

– Qui est là ? s'enquit une voix de femme.

– C'est moi, Bober l'aubergiste.

La porte s'ouvrit aussitôt et Laulane la Sagace s'avança. Bober désigna le voyageur.

– Je crois bien que je viens de faire *l'un d'eux* prisonnier...

– Parfait, je m'en occupe, répondit la sœur du Roi. Retourne vite à ton auberge afin que l'on ne s'aperçoive pas de ton absence.

Chapitre deuxième
Kurak l'Appelé

Éloignée des grands parcours de navigation, l'île d'Akar n'en était pas moins d'une richesse exceptionnelle. Elle était située en Mer Intérieure de la Riche Terre, cette immense étendue d'eau, de la dimension d'un continent, qui demeurait tempérée toute l'année. Cependant, pour la quitter, il fallait passer par les Eaux Blanches qui bordent les Terres Blanches, ce vaste désert de glaces et de neiges éternelles. Vers le Levant, les navigateurs devaient ensuite franchir la Mer des Brumes, tandis que vers le Couchant, il fallait affronter les eaux capricieuses de la Mer Forte. En raison des glaces et des conditions difficiles qui caractérisent les abords des Terres Blanches, l'accès à la Mer Intérieure, et donc à Akar, n'était possible qu'une partie de l'été.

Au moins deux fois grande comme le Pays de Santerre, île de montagnes et de forêts aux arbres démesurés, Akar devait sa prospérité aux Seigneurs du commerce et à leurs flottes de grands navires à cinq voiles. Marins d'expérience, militaires redoutables au besoin, conquérants et pillards à l'occasion, les Akares savaient profiter de toutes les occasions pour transporter et échanger les marchandises les plus diverses dans les ports du Monde d'Ici. Puisque la Mer Intérieure était inaccessible durant la majeure partie de l'année, les navires partaient de longs mois, les cales pleines du bois de très grande qualité de leur île. Il était vendu aux seigneurs des Îles Mouvantes ainsi qu'en Terres Brûlées où il était particulièrement apprécié. Puis, les équipages sillonnaient les mers en achetant et en revendant des produits de toutes sortes, réalisant chaque fois de bons profits. Ils revenaient finalement à Akar, les cales débordant de pièces d'or, de pierres précieuses, de tissus fins, d'épices rares, de sel, de sucre et, surtout, d'esclaves.

La population du Pays d'Akar était divisée en castes aux privilèges très définis et qui répugnaient aux tâches qu'elles jugeaient indignes d'elles. Les esclaves étaient donc d'une importance vitale pour assurer la coupe du bois et sa préparation, la construction et l'entretien des ports ainsi que des bâtiments communautaires. Par contre, les Akares se faisaient une gloire d'élever leurs propres maisons eux-mêmes, car l'on reconnaissait la valeur d'une famille à la splendeur de sa demeure et à la solidité de ses fondations. Le seul nombre de pièces d'une résidence pouvait s'avérer décisif lorsque venait l'occasion d'accéder à une caste supérieure.

Officiellement, l'Assemblée des Élus prenait les décisions politiques et l'Assemblée des Sages dirigeait les divers aspects de la vie sociale, religieuse et culturelle. Cependant, les Seigneurs du commerce jouissaient d'un grand renom et les plus fameux détenaient le véritable pouvoir en leur pays. Ceux qui appartenaient à cette caste très élitiste imposaient leur volonté sans difficulté, achetant la loyauté des membres des deux Assemblées à coup de cadeaux et de privilèges.

De tous les Seigneurs du commerce, Kurak était sans contredit le plus puissant et sa loi prévalait partout en Akar. Pas tellement grand, mais d'une force peu commune, les longs cheveux blonds attachés derrière la tête par une bande de cuir décorée de griffes d'ours, le visage carré, aux traits massifs où se perdaient de petits yeux gris sans cesse en mouvement, Kurak était un navigateur hors pair, un habile commerçant, un fin stratège et un érudit qui avait confiance en ses capacités. C'était aussi un maître impitoyable. De nombreux esclaves et même des marins de ses équipages avaient eu des membres tranchés ou écrasés pour des motifs souvent futiles. Devenus alors des serviteurs inutiles, ils étaient rejetés par les Akares.

Kurak résidait dans le grand port d'Akaroug, la plus importante ville de l'île, et sa demeure occupait un emplacement de choix. Construite au sommet d'un à-pic surplombant le port, sa maison impressionnait par les dimensions de ses murs faits de troncs soigneusement équarris et empilés à l'horizontale. Les joints des angles étaient tous masqués par des sculptures recouvertes de cuivre, signe manifeste de richesse. Exceptionnellement, le toit était recouvert d'ardoise plutôt que du traditionnel bardeau de bois, autre signe extérieur d'opulence. La construction se distinguait aussi par son imposant balcon suspendu au-dessus du vide, soutenu par une structure dissimulée par une monumentale statue représentant un animal de légende au corps de reptile et aux ailes démesurées. De cet endroit, le seigneur pouvait observer les activités autour de ses navires.

Ce matin-là, accoudé à la balustrade décorée d'ornements représentant des animaux fabuleux, Kurak regardait distraitement les gens qui s'affairaient dans le port. Un groupe d'esclaves originaires du Désert des Sables Brûlants, facilement reconnaissables à leur peau cuivrée et à leurs cheveux de jais, travaillaient au déchargement d'un bateau. L'un d'eux laissa tomber un sac dont le contenu d'épices se répandit sur le quai. Aussitôt, ses camarades s'immobilisèrent en silence tandis qu'un Akares s'avançait vers le maladroit. Abreuvé d'injures par le responsable du navire, l'esclave tremblait d'effroi et suppliait le marin de l'épargner, mais en vain. D'un grand coup de pied, l'Akares renversa sa victime puis, utilisant le revers de sa hache, il fracassa le bras de l'infortuné travailleur. Son cri de douleur troubla un instant l'activité sur les quais, puis chacun reprit ses occupations dans la plus grande indifférence. L'esclave au bras mutilé tenta de se relever et de retourner vers le bateau. Repoussé violemment, il perdit l'équilibre et tomba à l'eau. Le malheureux peinait pour ne pas couler et, malgré sa douleur, il réussit finalement à s'approcher d'une jetée. Des enfants jouaient à cet endroit. Voyant l'esclave se diriger vers eux, ils saisirent des cailloux qu'ils lui lancèrent en riant jusqu'à ce que le nageur disparaisse sous les eaux.

Kurak nota machinalement les plus habiles à atteindre la cible, compara rapidement la valeur des épices gaspillées et celle de l'esclave puni, puis il se replongea dans ses pensées.

Un messager de la Forteresse Sombre venait de lui remettre une convocation de la part du maître de cette île fortifiée, continuellement enveloppée par un épais brouillard. C'était un allié mystérieux, qui s'entourait du plus grand secret, et que peu de gens avaient eu l'occasion de rencontrer. D'ailleurs, pratiquement personne ne connaissait son nom et Kurak faisait partie de ce groupe restreint, tenu au plus grand secret. Il y a déjà quelques années, il s'était rendu dans l'île pour conclure une entente qui s'était révélée fort profitable pour le Seigneur du commerce. Par la suite, il avait été convoqué à quelques reprises, mais sans avoir affaire directement au maître des lieux. Il n'appréciait donc guère de refaire le voyage jusqu'à l'île de son hôte.

« On ne refuse pas une invitation de Vorgrar, pensait-il, et son aide m'est très précieuse. Pourquoi suis-je donc si inquiet à l'idée de me rendre là-bas à nouveau ? Il n'y a pas de raison et, de toute manière, je n'ai aucune excuse à présenter pour m'éviter de répondre à la convocation. Le déchargement de mes navires achève et l'équipage a droit à une semaine de répit. J'ai amplement le temps de faire le voyage aller et retour. »

Kurak haussa les épaules et se redressa, décidé à partir au plus vite.

« Bah ! Aussi bien régler tout cela immédiatement. Ce voyage me fera perdre au plus une dizaine de jours. Et comme les autres fois, ce sera pour rencontrer uniquement des intermédiaires plutôt que le Maître lui-même. »

Deux possibilités s'offraient à Kurak. Il pouvait partir directement d'Akaroug en bateau et contourner toute l'île d'Akar pour ensuite se rendre à la Forteresse Sombre plus au large, à la Mi-Jour. Il pouvait également traverser Akar par les routes jusqu'au petit port d'Abril et de là prendre une simple barque d'un pêcheur local. Le Seigneur du commerce calcula rapidement les coûts et les inconvénients de mobiliser un de ses bateaux avec l'équipage nécessaire. Il opta donc pour la seconde solution qui s'avérait somme toute aussi rapide s'il chevauchait sans s'accorder trop de repos, changeant de monture de village en village. D'ailleurs, les routes très bien entretenues par les esclaves permettaient de se déplacer rapidement, sans risque d'être retardé.

Le troisième jour après son départ et après avoir épuisé près d'une vingtaine de chevaux, Kurak arriva à Abril, un petit village d'une centaine de citoyens Akares, presque tous des marins propriétaires de solides barques de pêche et d'esclaves rompus au travail en mer. Au large flottait un perpétuel banc de brouillard que même les grands vents ne parvenaient pas à dissiper complètement. Parfois, pour les marins qui naviguaient dans ces eaux, des trouées laissaient entrevoir un court instant la petite île où se dressait la Forteresse Sombre, construction austère aux murs massifs, imposante masse noire et lisse sans élégance. Kurak savait que la forteresse elle-même se trouvait rarement plongée dans le brouillard, les brumes de Vorgrar décrivant en fait un cercle protecteur autour de l'île.

Il ne ventait pas ce jour-là et le Seigneur du commerce disposait de dix bons rameurs pour se faire conduire au large. À l'exception de l'Akares propriétaire de la barque, il s'agissait d'esclaves qui tiraient avec force sur leurs rames, le cœur serré et le regard inquiet. Sans le montrer, Kurak aussi ressentait le même malaise, le même sentiment d'impuissance, lorsqu'ils s'engagèrent dans le brouillard. Enfin, l'embarcation s'échoua sur une plage de galets, un rivage sombre et désertique où s'effilochaient encore quelques lambeaux de brume.

Sans hésiter, Kurak sauta sur la terre ferme et ordonna qu'on attende son retour sans quitter les lieux. Sous aucun prétexte. Puis, il se dirigea d'un pas décidé vers la Porte Rouge par où il aurait accès à la forteresse elle-même. Il lui fallait quitter le rivage par un sentier dallé conduisant à un chemin large et bien dégagé qui faisait le tour de la forteresse. Celle-ci occupait presque toute la superficie de l'île, un endroit relativement plat d'environ trois miljies de large sur cinq de profond. En général, il n'y avait que de deux à trois cents jambés du rivage à la base de la muraille délimitant la forteresse. Le sol était couvert d'herbes des dunes, longues et minces, aux bords tranchants, qui ondulaient doucement au moindre souffle de vent. De place en place, des arbustes aux feuilles épaisses, d'un vert foncé, formaient des buissons compacts qui brisaient la monotonie du paysage.

Le Seigneur Akares n'éprouvait aucun sentiment particulier à la vue de la Forteresse Sombre, peu impressionné par ses dimensions relativement modestes et son style sans grâce. De la mer, on voyait qu'il s'agissait de quatre constructions distinctes reliées entre elles par une muraille haute d'environ une dizaine de tails. À la Mi-Jour et à la Mi-Nuit, les bâtiments ressemblaient à deux immenses cubes deux fois plus hauts que la muraille. Au Levant et au Couchant, deux tours rondes et larges d'une vingtaine de jambés s'élevaient à peu près à la même hauteur que les cubes. De proche, on constatait que toutes les surfaces étaient lisses, sans joints apparents, aux angles arrondis et d'un noir glacial. On aurait dit de la roche soigneusement polie et vitrifiée.

Un seul endroit permettait d'accéder à l'intérieur, la Porte Rouge. Fermée, elle semblait n'être qu'un triangle rouge tracé à la base du gros cube de la Mi-Nuit. Kurak s'arrêta devant pour parler d'une voix forte.

– Je suis Kurak, grand Seigneur Akares du commerce. Le Maître de la Forteresse a demandé ma présence et je réponds à son appel. Que l'on me laisse entrer.

Silencieusement, le triangle pivota sur sa base jusqu'à s'encastrer dans le plancher d'une vaste salle triangulaire dont les murs s'élevaient au sommet de la muraille. Kurak voyait de grandes portes rouges au niveau du sol et, plus haut, des chemins de ronde où se tenaient des guerriers armés d'arcs, de lances et d'épées. Scasudens et Sormens pour la plupart, il y avait aussi des gens de divers peuples. L'un d'eux s'approcha pour accueillir le visiteur. Il était sans aucun doute originaire des Terres Brûlées comme l'indiquait sa peau très cuivrée, ses yeux d'un noir brillant et son ample vêtement d'un bleu unique, à la fois profond et éclatant.

– Tu es attendu, Kurak, et tu seras reçu immédiatement. Tu peux monter. Tu connais les règles ?

– Oui, et je vais m'y conformer.

À la pointe du triangle rouge se trouvait une structure faite de colonnes transparentes remplies de liquide, vert dans certaines, rose dans les autres, où des bulles allaient de bas en haut, ou en sens inverse. En leur centre, des plateformes montaient et descendaient depuis le sol jusqu'au faîte des murailles. L'Akares prit place sur l'une d'elles, puis il enleva ses parures de Seigneur et de guerrier, déposant armes, bijoux et ceinture à ses pieds. Grâce à cette mécanique fascinante, Kurak arriva rapidement dans une nouvelle salle où d'autres gardes l'attendaient pour le guider dans une autre pièce. C'était l'une des rares fois où l'Akares montait à cet endroit et la première fois qu'il s'avançait plus avant dans la retraite de Vorgrar.

Encore une fois, Kurak devait prendre place seul sur une plateforme en mouvement, mais cette fois pour s'enfoncer dans le sol. À son grand étonnement, la descente fut beaucoup plus longue que la montée précédente. L'Akares ne voyait rien, la plateforme se trouvant dans un espace totalement fermé, mais il estimait se trouver sous le niveau des eaux entourant la forteresse, probablement de quatre à cinq fois plus bas que la hauteur des murailles. Finalement, la descente prit fin et Kurak se retrouva à l'entrée d'un petit couloir en courbe qui débouchait vraisemblablement à l'air libre en quelques jambés puisqu'il voyait une lueur toute proche. À la fois inquiet et curieux, il s'avança vers la lumière.

Jamais Kurak n'aurait cru un tel endroit possible dans cette forteresse. Il se trouvait dans un immense jardin intérieur à la végétation luxuriante. Ébahi, l'Akares fit quelques pas dans le sentier devant lui, puis il s'immobilisa, plongé dans un émerveillement sans limites. Il avait peine à mesurer l'ampleur de l'espace où il se trouvait. Très haut au-dessus de lui, à plus de cinquante tails de hauteur, un immense dôme transparent laissait pénétrer la lumière du jour en abondance. Kurak comprit que la muraille visible sur l'île ne faisait qu'entourer et protéger le toit de ces lieux démesurés. Les parois creusaient le sol avec un angle tellement marqué que la superficie du domaine souterrain approchait le double de celle de l'ouverture qui les éclairait. Ainsi, l'espace central baignait dans une douce clarté, tandis qu'autour, les formes se perdaient progressivement dans l'obscurité.

Plus il examinait les lieux, plus Kurak se sentait dépassé par l'ampleur colossale du domaine. C'était véritablement une ville avec ses élégants bâtiments de brique rouge, ses rues et ses jardins à niveaux multiples où des sources d'eaux chaudes alimentaient des bassins assez vastes pour y nager tout à son aise. Des gens vêtus de tuniques légères, presque transparentes, allaient pieds nus, sans se presser, pour vaquer à de plaisantes occupations. De quelque race qu'ils étaient, tous ces gens paraissaient heureux, jeunes et pleins de vigueur, des hommes et des femmes au corps parfait, éclatants de beauté et de santé. Ils étaient tellement plaisants à regarder que l'Akares restait sans bouger, incapable de dire un mot, se sentant tout à coup laid et sale.

C'est alors qu'une femme s'approcha, une Cahanne sans doute, du peuple de la Terre Cahan, blonde aux yeux verts, grande de taille et de stature puissante, vêtue elle aussi d'une mince tunique rouge qui dévoilait plus qu'elle ne cachait son corps aux mouvements gracieux.

– Tu es Kurak, le Seigneur Akares ?

– Je le suis, répondit finalement Kurak en se ressaisissant.

– Alors, viens avec moi, je te guiderai. Mon nom est Belgaice.

Kurak fut conduit plus avant dans le sentier qui traversait un vaste jardin, puis qui devenait un chemin de dalles menant à une sorte de place publique entourée de bâtiments d'un ou deux étages, la plupart sans toit, ce qui était évidemment inutile en ces lieux à moins de rechercher une intimité totale. Entre les constructions dont les murs devenaient colonnades, arches et voûtes, d'autres chemins allaient dans toutes les directions, débouchant dans de nouveaux jardins ou s'ouvrant sur d'autres groupes de bâtiments. Le tout devenait un labyrinthe déroutant, mais délicieux.

Belgaice entraîna l'Akares à l'écart, près d'une source abritée des regards par de hautes plantes aux parfums capiteux et des panneaux tendus de tissu rouge, la couleur partout dominante dans toutes ses teintes les plus profondes ou les plus éclatantes.

– Quitte tes vêtements, je vais te laver et te donner une tunique confortable. Tu prendras un bon repas et je te conduirai à notre Maître.

Dérouté et vaguement mal à l'aise, Kurak laissa tomber ses vêtements puis s'étendit dans l'eau. En silence, Belgaice se mit alors à le frotter, à laver ses cheveux avec une douce huile parfumée et à masser son dos puissant. Bientôt, ses gestes devinrent des caresses langoureuses auxquelles l'Akares répondit avidement, le corps tremblant de désir. Jamais Kurak n'avait goûté tant de délices, jamais il n'avait pris une femme avec tant de passion, jamais il ne s'était donné avec tant de vigueur. Lorsque Belgaice le fit se relever, Kurak éprouvait un bien-être extrême, une douce langueur qu'il savourait avec contentement.

La Cahanne le guida alors vers un petit bâtiment qui semblait être le prolongement d'un autre aux dimensions exceptionnelles, une sorte de dépendance de la construction principale. Ils pénétrèrent dans une pièce au plafond très bas. Une eau bouillante coulait sur des pierres chauffées au rouge, faisant s'élever une épaisse vapeur qui emplissait la pièce. De grands bancs de bois permettaient de s'allonger confortablement et Belgaice indiqua l'un d'eux.

– Donne-moi ton vêtement, car il n'est pas bon de se couvrir le corps en un pareil endroit. Reste allongé sur ce banc, délasse-toi et sois humble, car tu vas rencontrer notre Maître, Vorgrar le Sublime.

Immédiatement, Kurak fit ce qui lui était demandé, heureux de rencontrer en personne, pour la première fois, le Maître de la forteresse. Belgaice se retira en fermant derrière elle une porte massive et le Seigneur du commerce se retrouva dans l'obscurité totale, savourant l'atmosphère lourde et apaisante créée par les chaudes vapeurs d'eau. Soudain, une lumière rougeâtre sembla embraser le mur devant lui. Une porte venait de s'ouvrir et dans l'ouverture se découpait la silhouette d'un personnage d'assez grande taille, mince, le dos légèrement voûté. La forme s'avança parmi les vapeurs qui semblaient s'illuminer autour de Vorgrar.

– Sois le bienvenu devant moi, Kurak l'Akares. Tu es un seigneur de grande valeur à mes yeux et je crois que tu sais apprécier les douceurs de mon domaine. Tu te trouves en un endroit que peu de gens ont le privilège de connaître.

– Honneur à toi, Maître Vorgrar, et mille remerciements pour me permettre de goûter les charmes de ta demeure. Je suis ton loyal serviteur.

– Vraiment ?

Vorgrar parlait de cette voix douce et envoûtante des membres de la Race Ancestrale que l'on ne saurait attribuer d'emblée au sexe féminin ou masculin.

– Tu te dis loyal serviteur ? Mais alors, pourquoi as-tu maugréé à mon appel ? Un loyal serviteur ne calcule pas les bienfaits du Maître en échange de ses services.

– Mais jamais je n'oserais... commença Kurak.

– Ne tente pas de mentir devant moi. Lorsque je t'ai appelé, n'as-tu pas pensé à te trouver une raison pour ne pas venir ? N'as-tu pas calculé le temps que ton équipage prendrait à décharger les navires et les jours de repos qui leur sont dus ? N'as-tu pas décidé de venir rapidement pour en finir au plus vite de cette visite ? Ne cherche pas à me tromper, je sais tes pensées.

– Pardonne-moi, Maître Vorgrar. Mais il me faut préciser que je ne savais pas que je te rencontrerais personnellement. Toutes les fois où je suis venu, je n'ai eu affaire qu'à des intermédiaires...

L'Akares ne pouvait distinguer le visage de Vorgrar qui se trouvait à contre-jour dans la lumière. Il commençait à craindre cette voix étrange, sans sexe défini, calme et douce, mais qui imposait la toute-puissance de Vorgrar. Ce dernier continua à parler avec un détachement, presque une insouciance, qui sidérait Kurak.

– Je ne t'en tiens pas rigueur. Il faudrait que ce soit la dernière fois. En vérité, c'était bien la dernière fois car, désormais, tu vas m'appartenir corps et âme.

Un moment, Vorgrar laissa le silence serrer le cœur de Kurak.

– Tu as vu ce lieu, tu as entrevu le bonheur de ceux qui me servent. Je t'ai appelé pour te confier une grande mission et très grande sera ta récompense. Donne-toi à moi et tu goûteras le bonheur, le pouvoir, la richesse.

L'Akares comprit qu'il se trouvait à un tournant décisif et que chaque parole devait être mesurée. Comme toujours lorsque l'enjeu était délicat, il retrouva l'assurance qui lui avait permis de sortir victorieux de toutes les situations.

– Je suis ton allié, Maître Vorgrar, tant que cela me permet de rester loyal envers mon peuple. Je me lie à toi, mais sur un pied d'égalité avec toi, car tels étaient les termes de notre entente dès le début. J'ai convenu que tu étais certes très puissant et que d'unir nos forces profiterait à chacun. Mais que pourrais-tu désormais m'apporter en plus de richesses et de gloire ? Je suis le plus grand de mon peuple. Ton domaine est merveilleux et j'estime que tes serviteurs sont comblés, mais moi, Kurak, je n'ai de Maîtres que les dieux de la nature.

Vorgrar devait sourire, car il reprit la parole avec un ton amusé. Puis, son propos devint rapidement passionné, du moins dans les limites habituelles de retenue des membres de la Race Ancestrale lorsqu'ils s'expriment.

– Tu dis vrai, Kurak, et c'est pourquoi tu me seras dévoué jusqu'au terme de ta vie, car je suis Vorgrar le Puissant. Je suis l'Esprit et la Vie du Monde d'Ici. Je suis celui qui est au-dessus de tout et de tous. Je suis le Maître Infini du Monde d'Ici. Ma pensée doit habiter en chaque être vivant, du plus infime brin d'herbe jusqu'au roi le plus puissant. Je suis ce Monde et ce Monde est mien. Toi aussi, tu es mien et tu vas le reconnaître. Tu vas me jurer obéissance, loyauté et dévotion. Ainsi, je ferai de toi le plus grand entre les grands de ce Monde. Tu conduiras mes troupes en toutes les Terres de ce monde, en mon nom et pour ma gloire. Tous seront à tes ordres, les Akares comme toutes les Races habitant toutes les Terres que tu connais et celles que tu ignores encore. Ce domaine sera tien, mais en plus grand, en plus magnifique, sous le soleil du pays de ton choix. Tu seras Kurak le Magnifique qui imposera mon nom à tous les êtres vivants. Tu me serviras, tes fils me serviront, de même que tes petits-enfants et tous tes descendants pour l'éternité, car ils auront reconnu que je suis Vorgrar, l'Essence même du Monde d'Ici.

La voix de Vorgrar trahissait certes son excitation, mais aussi la certitude de son propos. Or, Kurak conservait l'esprit vif malgré l'atmosphère de la pièce qui engourdissait ses sens. L'Akares constatait que Vorgrar était convaincu de son dessein, mais que celui-ci n'était pas réalisé. Vorgrar voulait être le maître de ce Monde, mais ne l'était pas réellement. Et pour le devenir, il avait besoin de lui, Kurak l'Akares. Mais pourquoi et comment ?

– Tu demandes beaucoup, Vorgrar, et tu offres beaucoup. Cependant, cela dépasse de loin ce que tout roi, seigneur ou guerrier de ce Monde peut offrir. Permets-moi de vouloir plus que des mots pour te croire et m'engager auprès de toi.

– Alors regarde !

Soudain, dans une vision éblouissante, Kurak se vit puissant et terrible. Il se vit dominer son Peuple, commander tous les peuples du Monde d'Ici et chacun se prosternait devant lui, l'adorant, le vénérant. Partout où il se rendait, tous répondaient immédiatement à ses moindres désirs, tous se disputaient entre eux ses bonnes grâces. Ses ennemis rampaient devant lui et il pouvait les broyer comme l'on écrase des fourmis. Il commandait et il était obéi. S'il désirait prendre une femme, celle-ci se faisait belle pour lui et s'abandonnait encore plus voluptueusement que Belgaice ne l'avait fait près de la source. Les richesses affluaient vers lui, les artisans créant leurs plus beaux chefs-d'œuvre en son honneur. La nature elle-même lui offrait ses meilleurs mets et ses gibiers les plus rares. Kurak était le Maître incontestable du Monde d'Ici et, par lui, l'Esprit de Vorgrar le Puissant animait le Monde.

Kurak pouvait tout décider à son goût et s'il devait tout à Vorgrar, celui-ci n'était plus le Maître de l'Akares. En effet, Vorgrar était en lui, et lui en Vorgrar. La pensée de Kurak se fondait avec celle de Vorgrar et c'est pourquoi Vorgrar pouvait lui donner le Monde d'Ici pour qu'il en fasse ce qu'il voulait, car Kurak, agissant selon la pensée de Vorgrar, faisait sa volonté. Vorgrar le Puissant était la Vie et Kurak dirigeait la Vie.

– Voilà un fort beau rêve, déclara le Seigneur Akares. Je l'accepterais volontiers si tu me prouvais qu'il est réalisable...

Le silence qui suivit cette déclaration parut interminable à Kurak. Il avait conscience de douter de son hôte en se tenant devant lui, nu et désarmé, à sa merci dans son domaine. Vorgrar faillit avoir un moment d'impatience, mais il savait qu'il lui était préférable de convaincre le chef Akares plutôt que de le subjuguer. Il avait tenté d'imposer son esprit à Pétrud et malgré tout, le Sorvak avait finalement refusé d'aller jusqu'au bout. Adrigal de Gueld aussi avait déjà réussi à lui tenir tête. Vorgrar savait que s'il voulait pouvoir compter sur un être supérieur afin de conduire ses troupes, il fallait que celui-ci s'abandonne librement à lui. Aussi, Vorgrar continua à parler d'une voix douce, laissant ses paroles pénétrer lentement l'esprit de Kurak.

– Tu connais ce qui s'est passé dans les Pays du Levant, tu sais la puissance qui accompagnait les Sorvaks...

– Je le sais, interrompit Kurak. Mais je sais aussi que les Sorvaks ont subi une amère défaite...

– Par leur seule faute, car je les ai peu assistés et ils ont ensuite refusé mon aide. De toute manière, ils ne souhaitaient que d'aller vivre dans leurs anciennes terres. Ils y vivent et ils donnent l'impression d'y être heureux ! Ce que tu ne sais pas, c'est qu'ils se joindront rapidement à nous le moment venu. Mais les Sorvaks n'ont aucune importance, je n'avais pas l'intention d'accomplir de grandes choses avec eux. Ils n'ont pas la valeur des Akares. Si je te parle d'eux, ce n'est que pour te rappeler les forces que je peux mettre à la disposition de ceux qui me servent. Réfléchis à cela : un chef de ta valeur, à la tête d'un peuple aussi redoutable que le tien, assisté de toute ma puissance... Imagine ce que tu pourras accomplir. Prends le temps d'y penser en profitant des plaisirs de ce domaine, car dès maintenant tu règnes en maître sur ces lieux. Va, je t'appellerai.

Sur ces paroles, Vorgrar se retira. L'Akares se retrouva seul dans l'obscurité pendant quelques instants, puis Belgaice fit ouvrir la porte par où elle était sortie. Toute son attitude exprimait le plus grand respect envers Kurak.

– Maître Kurak, voici des vêtements que le Maître Vorgrar a fait préparer pour toi. Désires-tu te vêtir maintenant ?

Kurak s'étira avec plaisir, faisant gonfler ses muscles reposés par le bain de vapeur. Il accepta les vêtements et s'habilla lentement tout en dévisageant la Cahanne. Le Seigneur Akares paraissait au repos, mais son esprit était en pleine action, établissant des plans, jugeant les idées qui lui venaient.

– Dis-moi, Belgaice. Connais-tu assez tous les endroits de cette forteresse pour m'y guider et me la faire découvrir dans ses moindres détails ?

– Certes, mon Maître. Demande et je te conduirai.

– Alors, je veux tout visiter, immédiatement.

– Suis-moi, mon Maître.

Les vêtements remis à Kurak étaient tous d'un rouge profond. Il y avait une chemise ample fermée aux poignets par une large bande que recouvraient de fins gants de cuir, un pantalon ajusté mais confortable, des bottes montant au-dessus des genoux et une cape taillée dans un tissu éclatant sur lequel la lumière chatoyait en riches reflets. La ceinture portait une sacoche dans laquelle se trouvait une étrange cassette dont Kurak remit l'examen à plus tard. L'Akares prit aussi possession d'une épée noire, sombre comme le plus sombre des velours, une épée qui paraissait boire toute lumière. En regardant la lame, l'Akares avait l'impression de contempler un vide infini.

Dès ses premiers pas dans le domaine de Vorgrar, l'Akares constata que tous les gens qu'il croisait lui témoignaient le plus grand respect et se tenaient prêts à lui obéir. Kurak n'accorda finalement que peu d'attention aux salles luxueuses que Belgaice lui fit visiter. Il demanda d'aller au sommet de la forteresse, à l'air libre. Accompagné de la Cahanne, il utilisa à nouveau les plateformes menant au faîte des murailles extérieures. Enfin dehors, il goûta avec plaisir l'air frais et salé de la mer. À travers les brumes qui enveloppaient l'île, Kurak constata que le soleil se couchait en rougissant le ciel et il y vit un heureux présage.

Un chemin de ronde permettait de faire le tour des murailles. Kurak se rendit à un endroit d'où il pouvait apercevoir les marins qui l'attendaient toujours sur la rive. L'Akares regarda autour de lui et nota la présence de trois gardes qui occupaient un poste de vigie. Il se dirigea vers eux. Aussitôt, ils se prosternèrent devant lui en proclamant leur dévouement. Kurak les examina en silence, puis il s'adressa au plus jeune du groupe, un Sormen d'au plus vingt ans.

– Toi, tu obéiras à mes ordres, quels qu'ils soient, et cela sans discuter ?

– Bien sûr, Maître. Tu commandes et j'obéis, car tel est mon devoir.

– Alors, grimpe sur le faîte de la muraille et jette-toi en bas, de l'autre côté.

Le garde demeura un instant sans réagir. Un voile de tristesse couvrit ses yeux tandis que ses compagnons n'osaient intervenir, leurs regards demeurant insensibles à la détresse du jeune Sormen.

– Tel est ton ordre, Maître ? demanda péniblement le garde.

– Oui et il doit être exécuté immédiatement.

D'un bond, le Sormen fut sur le dessus de la muraille. Il hésita un moment, puis il se lança dans le vide. Kurak ne jeta même pas un regard vers le corps disloqué du garde qui gisait désormais sans vie une dizaine de tails plus bas. Le chef Akares tourna le regard vers le large et parla d'une voix forte.

– Brouillard, je te le commande, retire-toi afin que chacun puisse voir la mer dans toute sa beauté.

Aussitôt, le vent se mit à souffler et le brouillard fut rapidement dispersé. Satisfait, Kurak décida de retourner dans le domaine souterrain de Vorgrar pour se restaurer et dormir quelques heures. Sa décision était prise. Il ne pouvait laisser passer cette fantastique occasion de devenir le Maître du Monde d'Ici.

Chapitre troisième
Maître et soumis

Sept jours durant, Kurak visita la Forteresse Sombre pour en évaluer les forces réelles. Il constata que le domaine souterrain de Vorgrar n'était pas uniquement un endroit de plaisir. Au début, Belgaice lui avait fait visiter les lieux de repos entourant la résidence de Vorgrar. Puis, l'Akares réalisa que la plus grande partie du domaine, surtout sur le pourtour, était constituée de casernes militaires avec leurs salles d'entraînement et de fabrication d'armements. Il y découvrit des milliers de guerriers prêts à l'action, de redoutables soldats rompus à toutes les rigueurs des combats, stimulés dans leur dure formation par la promesse de goûter aux plaisirs qui les entouraient, tout autant que par l'impitoyable sort réservé à ceux qui ne se montraient pas à la hauteur des attentes de leurs commandants.

L'Akares vit aussi d'étranges et puissantes machines de guerre pouvant faucher d'un seul coup des dizaines, voire des centaines d'ennemis, des armes aux pouvoirs étranges qui privaient l'adversaire de ses forces ou qui brouillaient les esprits en semant la folie. Kurak apprécia ces armées qui lui apparurent invincibles. Il goûta aussi à maintes reprises les douceurs du domaine de Vorgrar. Repus de mets exquis, enivré de vins capiteux, Kurak prit Belgaice à plusieurs reprises puis, au gré de ses caprices, exigea la présence de nombreuses femmes dans sa couche. Toutes s'abandonnèrent langoureusement à lui et Kurak en oublia même de prendre de véritables heures de sommeil, s'abandonnant à l'excitation de ses sens survoltés. Parfois, il allait se détendre dans la pièce où il avait rencontré Vorgrar, savourant les bienfaits des bains de vapeur et espérant chaque fois la visite du Maître.

Au terme du septième jour passé en ces lieux, Kurak rencontra enfin de nouveau Vorgrar. Le Seigneur Akares sentait ses sens engourdis et, pour la première fois, il redouta que son jugement n'ait pas la justesse habituelle. Cela le remit sur le qui-vive.

« Toutes ces délices ont altéré la clarté de mes esprits, pensa Kurak. Il est évident que Vorgrar le souhaitait ainsi. Il me faudra me montrer encore plus prudent qu'à l'habitude... »

Le rendez-vous eut lieu dans la pièce saturée de lourdes vapeurs d'eau chaude. Vorgrar se tenait debout en se découpant encore à contre-jour dans la même lumière rouge tandis que Kurak restait assis sur le banc de bois. La voix douce de son hôte envoûtait de nouveau le visiteur.

– Alors, Maître Kurak, ce que tu as vu en ces lieux a-t-il aidé ton esprit à prendre une décision ?

– Tes armées sont impressionnantes, Maître Vorgrar, et je ne vois guère de peuples pour leur résister.

– Cela ne sont pas mes armées, ce sont les tiennes, Kurak. Tous t'obéiront sans discuter. Tous ces guerriers perdront leur vie pour toi.

– J'ai constaté cela. J'ai vu aussi que je commandais le brouillard qui entoure cette île.

– Ce pouvoir te vient de la cassette que tu portes à la ceinture. Elle recèle la Puissance de l'Air et par elle, tu pourras accomplir de grands prodiges dès que je t'aurai instruit de son fonctionnement.

– Tu es convaincu que je t'obéirai, Maître Vorgrar, et pourtant je n'ai rien accepté.

– Tu n'as rien refusé non plus. Et puis, je te sais assez intelligent pour ne pas laisser passer cette occasion de devenir le Maître du Monde d'Ici.

– Mais pourquoi m'offrir tout cela ? J'ai vu en ces lieux des guerriers d'autant de valeur que moi. Qui suis-je à tes yeux pour mériter tant de confiance ? Ne suis-je qu'un chef parmi d'autres chefs, un guerrier de grande valeur, certes, mais qui n'est ni infaillible, ni invincible ?

– Tes questions me prouvent que mon choix est juste. Depuis maintenant vingt ans, je scrute les grands chefs du Monde d'Ici, cherchant celui qui saura mériter ma confiance. J'ai montré ces lieux ainsi que ma puissance à quelques-uns et tous m'ont déçu. Ils proclamaient leur loyauté, affirmaient être disposés à me servir sans discuter et me priaient de prendre leur esprit pour les mener à la gloire. Ils voulaient se livrer totalement à moi. Mais ce n'étaient que des chefs faibles, indignes de ma grandeur. Tu es le seul qui soit demeuré lui-même devant moi, qui sache garder l'esprit clair et méfiant malgré tout ce que tu as vu et vécu ici. Tu ne te laisses pas éblouir, Kurak, ton esprit est solide ; voilà ce que je recherche. Tu auras à affronter des puissances presque aussi fortes que la mienne. Puisque tu peux résister au plus grand du Monde d'Ici, tu sauras te tenir droit et fier devant mes ennemis. Tu ne courberas pas la tête devant eux.

Un sourire satisfait passa sur le visage de Kurak. Cet entretien confirmait ce qu'il avait deviné et renforçait du coup sa position face à Vorgrar. L'Akares se sentait même en position de force, en mesure d'exiger et d'imposer ses conditions. Il se détendit et prit une posture plus confortable sur le banc, presque désinvolte.

– Tu es avisé, Maître Vorgrar. Cependant, avant de te donner mon accord, je veux tout savoir de tes ennemis – de *nos* ennemis –, car le soin que tu apportes à choisir celui qui commandera tes armées me confirme que l'adversaire est redoutable au point de pouvoir même te vaincre...

Vorgrar dut faire un effort pour contenir la colère qui monta en lui durant un instant. Personne à ce jour n'avait osé douter aussi ouvertement de lui en sa présence, jamais l'un de ceux qu'il considérait comme ses serviteurs ne s'était montré aussi ferme devant lui.

– D'autres que toi auraient payé cher cette insolence, mais je dois convenir de ta grande prudence et cela me réjouit.

Vorgrar reprit une voix plus tranchante. Maintenant, il exigeait.

– Je répondrai à tes questions, mais tu dois me jurer sur ta vie, sur ton être, que tu ne révéleras rien de cela à quiconque. Si tu veux savoir, il te faut accepter de me servir.

– J'écouterai, Vorgrar, et je déciderai ensuite, même si mon refus doit alors me coûter la vie.

Encore une fois, Vorgrar dut faire un effort pour se contenir. Kurak osait poser ses propres conditions. Il osait tenir tête à Orvak Shen Komi le Puissant. Un long silence suivit les paroles de l'Akares qui toisait fièrement son hôte, libre et conscient du risque qu'il prenait.

– Tu me prouves être le chef qu'il me faut, déclara finalement Vorgrar. Soit, je te répondrai et cela sera pour ta plus grande gloire... ou pour ta perte.

La tension des derniers instants s'évanouit. La voix de Vorgrar se fit à la fois sincère et passionnée, comme celle d'un sage qui enseigne la vérité à un disciple intime. Pour une rare fois, de grands gestes gracieux accompagnaient ses paroles. Il laissait virevolter lentement ses mains tels de grands papillons, ou il faisait tourner une sphère imaginaire du bout des doigts, puis il dessinait dans les airs chaque lieu qu'il évoquait.

– Le Monde d'Ici fut engendré par le Dieu Unique Elhuï qui me confia, à moi, Orvak Shen Komi, le plus puissant des membres de la Race Ancestrale, la tâche de veiller à ce que son œuvre atteigne la perfection. Mes frœurs de la Race Ancestrale devaient me seconder et sous mes ordres, le Monde d'Ici devait s'organiser dans la plus totale harmonie. La raison de mon existence est de conduire ce monde à l'ultime stade de son épanouissement. Cette mission m'habite et me dicte mes actions. Pourtant, malgré la grandeur de cette œuvre, mes frœurs m'ont refusé leur soutien et ils se sont tournés contre moi, qui suis leur frœur le plus puissant. Mais je suis le Maître de ce monde et ma pensée doit l'habiter. Tout ce monde sera déchiré de tourments tant que tous les êtres vivants n'accepteront pas ma Pensée. Je suis le Destin du Monde d'Ici et il ne trouvera aucune paix tant et aussi longtemps que ma Pensée ne l'occupera pas totalement. Je ne désire pas la guerre, Kurak, mais je suis obligé de la faire pour écraser ceux que mes frœurs ont dressés contre moi.

« Jein Dhar Thaar s'est fait Sage d'un pays du Couchant, le Pays de Santerre, et il s'est trouvé un allié puissant, le Prince Ardahel qui porte le titre de Santerrian. C'est lui qui conduit nos ennemis et c'est un adversaire à ta taille. Il porte un glaive éclatant aussi puissant que celui que je t'ai confié. Le Prince Ardahel te vaut en bien des domaines. Tu le verras guerrier puissant, esprit fort et rusé, sachant commander et convaincre. Tu devras le considérer comme ton égal chez l'adversaire et ne jamais le sous-estimer. Ses armes sont puissantes : il contrôle les Forces de l'Eau et celles du Feu comme toi, Kurak, tu contrôles désormais les Puissances de l'Air. Sur le chemin menant à notre victoire finale, tu devras composer avec la présence des Races Anciennes, les Magomiens, les Magistiens, les Hautes Gens et bien d'autres dont je t'instruirai. Cependant, après notre triomphe, ces Races devront toutes disparaître car elles n'ont plus leur place en Monde d'Ici. En cela je t'aiderai. Tu devras aussi dominer tous les peuples, du Levant au Couchant, de la Mi-Nuit à la Mi-Jour. En cela, tu sauras comment agir à la tête de nos troupes et grâce à des armes devant lesquelles aucune autre armée ne saurait résister. D'autres chefs sont déjà dévoués à ma cause et ils t'obéiront, car ils attendent ta venue. À ceux-là, tu devras commander ainsi que tu le fais parmi les tiens, sans tolérer de discussions ni de faiblesses. D'ailleurs, il te faudra éventuellement tous les éliminer pour assurer ta domination absolue.

« Dès maintenant, avant que la navigation ne devienne impossible dans les Eaux Blanches, tu conduiras ta flotte de guerre en Terres Vertes que tu envahiras cet automne. Durant l'hiver, tu prendras aussi le contrôle des Terres Brûlées et de tous les territoires à la Mi-Jour du Lentremers. Ta suprématie te permettra de conclure des alliances qui étendront ta puissance de la Terre Abal jusqu'à la Terre Cahan. Au printemps, tu seras prêt à attaquer le Lentremers. À la Mi-Nuit, les Sormens et les Scasudens te sont déjà acquis, te permettant d'attaquer sur deux fronts à la fois. Dans un mouvement irréversible de tenailles, tu feras tiennes toutes ces terres et tu y imposeras ta domination. Tes armées anéantiront les Races des Forêts Oubliées, du Plateau des Ancêtres et celui des Alisans. Tu trouveras les domaines cachés de mon frœur Jeim Mer Pehar, le géniteur des Races du Monde d'Ici. Tu écraseras sous ton pied toutes les Races Anciennes et les Races Premières pour ne laisser vivre que les Basses Races égales à la tienne. Enfin, le Monde d'Ici trouvera l'harmonie à laquelle il est destiné. Ma Pensée animera tous les peuples dont tu seras le maître souverain. Alors, tu régneras en paix, ainsi que tous tes descendants. La perfection sera atteinte, car il n'y aura plus qu'un seul Maître et une seule Pensée en Monde d'Ici. Voilà, Kurak, l'essence de ton combat. »

Vorgrar avait dit ces derniers mots presque sur le ton de la confidence, doucement, avec une conviction qui relevait d'une certitude inébranlable. L'Akares comprit les véritables enjeux de ce combat, mesurant à quel point celui-ci dépassait les simples affrontements entre des peuples désireux de s'emparer de meilleures terres ou entre des rois voulant posséder de plus grandes richesses. Toutefois, Kurak demeurait encore avide de savoir. Une question cruciale lui venait à l'esprit dont la réponse était maintenant la plus importante pour lui.

Si Vorgrar défendait une cause mettant en jeu tout le Monde d'Ici, ses adversaires devaient aussi défendre une position qu'ils estimaient juste et supérieure. Alors, qui possédait la vérité, qui pouvait alors prétendre avoir raison ?

– Ta cause est grande, Vorgrar. Pourtant, qu'est-ce qui me prouve qu'elle est supérieure à celle de tes frœurs ? Si Jein Dhar Thaar se tenait devant moi, il aurait certes des arguments à la mesure des tiens et je devrais les écouter. Je dois les connaître afin de les soupeser. Pourquoi croire en toi plutôt qu'en tes frœurs ?

Vorgrar demeura un moment sans réagir. Kurak lui posait une question à laquelle il devait répondre pour la première fois. Jamais Orvak Shen Komi n'avait douté de la justesse de sa cause, encore moins en ce jour. La requête de l'Akares le fit hésiter quant à la réponse à faire. Il voyait enfin devant lui le chef dont il avait besoin, un guerrier à l'esprit lucide prêt à se dévouer à sa cause, mais uniquement s'il en était convaincu. Or, ce Kurak ne se laissait pas persuader facilement. Il pouvait comprendre l'essence même du combat à mener et à cause de cela, il serait un grand chef vainqueur. Vorgrar ne pouvait que le satisfaire ou le broyer. Avec Kurak, il n'y aurait pas de demi-mesure ; lorsqu'il accepterait sa mission, l'Akares la mènerait à son terme et Vorgrar pourrait lui accorder toute sa confiance. Kurak serait même digne de plus de confiance et serait plus dévoué que Shar Mohos Varkur, son propre frœur et Maître des Sorvaks jusqu'à sa défaite devant le Santerrian.

Une nuée lumineuse enveloppa soudain Vorgrar qui se dévoila complètement à l'Akares sous ses traits de membre de la Race Ancestrale. Dans la pièce inondée de lumière, Kurak put contempler Orvak Shen Komi dans toute sa splendeur et sa puissance, grand, beau, noble et indéfinissable quant à savoir s'il était mâle ou femme. Il admira le visage délicat empreint de sagesse, le regard noir et profond où se lisait la douceur, le nez aquilin, la bouche fine aux lèvres pâles, la chevelure noire, luisante de reflets bleutés, qui encadrait la figure pour ensuite couler sur des épaules fines mais robustes. Orvak Shen Komi portait une tunique rouge, toute simple, apparemment sans couture et qu'aucune ceinture ne retenait à la taille. Les manches amples se refermaient aux poignets, couvertes d'un motif noir fait de lignes et de cercles qui se répétait à l'encolure et au bas du vêtement. Le membre de la Race Ancestrale allait pieds nus dans de fines sandales de cuir noir.

Durant l'entretien, Kurak était demeuré assis sur le banc de bois, ainsi qu'il l'avait fait à leur première rencontre. Voyant Orvak Shen Komi se révéler à lui, l'Akares se dressa de toute sa hauteur durant un moment. Il constata que malgré son dos un peu voûté, le Maître le dépassait beaucoup de taille. Leurs regards se croisèrent et, immédiatement, Kurak se sentit petit, démuni devant la puissance de Vorgrar. Le Seigneur Akares se laissa tomber à genoux devant son maître tandis que la nuée lumineuse les enveloppait, puis tournoyait en un arc-en-ciel dément. Enfin, tout redevint clair autour d'eux. De saisissement, Kurak avait fermé les yeux ; lorsqu'il les ouvrit, il vit avec stupeur qu'ils se trouvaient sur la plage de galets où la barque amenant Kurak avait accosté. Un vent frais faisait danser la chevelure d'Orvak Shen Komi qui resplendissait dans la lumière de la mi-jour.

– Vois cette terre aride et désolée, fit Vorgrar. Songe aux rigueurs de la vie des tiens en ce Monde. Pense aussi aux souffrances, aux craintes de ton peuple, à ces pauvres joies qui ne durent qu'un fugitif instant, à la quête continuelle du plaisir et du bien-être. Pense maintenant à ce que tu as vécu en mon domaine. N'étais-tu pas comblé, heureux de te trouver sous mon toit, toute quête apaisée ? Ainsi sera l'ordre du Monde d'Ici lorsque ma Pensée l'habitera entièrement.

– Je suis ton serviteur, s'écria Kurak. Tout être vivant ne peut que vouloir vivre selon ta loi, connaître la félicité de ta demeure. Je suis avec toi et pour toi. Je conduirai tes troupes. Retournons maintenant en ton domaine.

– Non, Kurak, répondit Vorgrar en souriant. Tu ne reviendras en ces lieux qu'après ta victoire. Cultive en ton cœur le souvenir de ce séjour, car tu le retrouveras, et plus encore, à ton retour. Maintenant, va. Je sais te rejoindre où que tu sois en Monde d'Ici. Je te visiterai aux moments opportuns et je t'enseignerai tout ce que tu veux savoir. Va, donne tes ordres, combats et triomphe pour ma gloire !

La nuée lumineuse s'estompa, laissant Kurak seul sur la plage, triste de quitter les charmes de la Forteresse Sombre, mais gonflé d'espoir à l'idée de devenir le maître du Monde d'Ici. En tournant lentement sur lui-même, l'Akares examina le paysage qui l'entourait, s'adressant à son invisible maître en murmurant d'une voix chargée d'émotion, de certitude et de défi.

– Tu as finement manœuvré, Vorgrar. Il n'est plus d'autre logique pour moi que de te servir et d'aller jusqu'au bout. Comment peut-on vivre en ce monde maintenant sans vouloir à tout prix et de tout cœur qu'il ressemble totalement à ton domaine ? Je ne suis pas prisonnier de toi, Vorgrar, mais bel et bien de moi. Me voilà désormais ton loyal serviteur.

Kurak regarda tout autour de lui. La barque était là, à quelque distance, mais il ne vit aucune trace des rameurs.

– Je suis seul sur ce rivage étranger, investi de grands pouvoirs, de grandes connaissances et d'une mission si importante que toute autre tâche n'a aucune valeur devant celle qui est désormais la mienne. Tu veux savoir comment je vais agir. Eh bien, tu ne verras pas un guerrier désemparé qui se lamente sur son sort et qui attend des ordres. Tu auras la confirmation que ton choix était juste, Vorgrar, que je suis digne de ta confiance. Je connais le tribut qui sera le mien après ma victoire et il n'en tient qu'à moi de pouvoir le réclamer au plus tôt.

L'Akares cessa de tourner sur lui-même. Face à la mer, les bras tendus vers le ciel, il proclama de toutes ses forces son destin.

– Je suis Kurak le tout-puissant, le Maître du Monde d'Ici et le serviteur de Vorgrar. Je suis son bras, son épée et sa Pensée. Je suis Vorgrar.

Le regard enflammé, Kurak se dirigea vers la Porte Rouge et sa voix s'éleva, ferme et puissante, afin que tous l'entendent dans la Forteresse Sombre. Il savait que le vent portait ses paroles.

– Écoutez la voix de Kurak votre Maître. Que cinq mille guerriers de toutes les Races présentes en cette forteresse se préparent immédiatement à me suivre. Demain, à l'heure de la mi-jour, tous les bateaux et les barques disponibles devront être prêts à prendre le large. Aujourd'hui se termine l'attente et commence notre conquête. À l'heure du coucher de soleil, je veux voir réunis ici tous les capitaines, tous les chefs et commandants de cette forteresse...

Ses ordres donnés, Kurak retourna vers la plage. Malgré la fraîcheur du vent, il se sentait bien. Pour lui, l'air se faisait confortable. Le Seigneur Akares tira l'épée sombre du fourreau qu'il portait au dos, ainsi qu'il se doit pour les grandes armes que l'on manie à deux mains. Il fit quelques mouvements pour bien en apprécier la prise, puis il plaça l'arme bien droite devant lui, la pointe sur le sol et les mains sur la garde, de part et d'autre du manche. La lame était si longue que l'Akares avait les bras pratiquement à la hauteur des épaules. Kurak lui-même se tenait bien droit, face à la mer, les jambes légèrement écartées. Son regard scrutait l'horizon vers son pays, Akar. Immobile, concentré uniquement sur les gestes à poser, le guerrier élaborait sa stratégie.

– Dans deux semaines, trois au maximum, tous les navires d'Akar seront prêts à prendre la mer. Mon armée pourra quitter le pays avant que les glaces ne ferment le port et nous ferons voile vers les Terres Vertes. Personne ne pourra revenir en Akar avant le dégel. Il faudra donc avancer sans cesse, prendre les pays et laisser des guerriers sur place pour commander. Mon armée grandira sans cesse en nombre, assez pour remplacer ceux qui tomberont au combat. Dix mille guerriers à la fois, pas plus. Il faut une force assez grande pour vaincre, mais qui doit conserver une grande mobilité. Plus de la moitié des combattants devront toujours être des

Akares pour mener les affrontements. Une deuxième armée suivra donc la première pour ainsi lui fournir continuellement des forces fraîches. Les plus valeureux au combat recevront de grandes terres en lieux conquis et ils en seront les chefs. Cela signifie toutefois qu'Akar sera affaibli. Je pourrai y laisser au mieux six mille guerriers pour l'hiver. Il faudra donc tuer beaucoup d'esclaves afin d'éviter les problèmes. À moins d'amener les esclaves au combat avec nous. Non, les équipages de bateaux seront des guerriers. Seuls les grands chefs auront droit à quelques serviteurs...

Kurak fit des plans tout le reste du jour sans jamais bouger de sa position. Un peu avant le coucher du soleil, une centaine d'officiers se rassemblèrent derrière lui, attendant qu'il s'adresse à eux. Lorsque le Seigneur Akares se retourna enfin pour leur parler, il vit des Sormens, des Scasudens ainsi que des membres de différentes Races du Monde d'Ici. Belgaice se trouvait parmi eux. Tous mirent un genou au sol devant Kurak qui commença à donner ses ordres.

– Guerriers, l'attente se termine maintenant. Nous allons quitter la Forteresse Sombre demain à la mi-jour. Les plus petites embarcations conduiront le plus grand nombre sur la rive voisine, à Abril, d'où ils iront par terre jusqu'à Akaroug. Les plus grands navires se rendront au port par la mer et devront arriver dans moins de douze jours avec toutes les machines de guerre conçues en cette forteresse. Avant que les glaces n'apparaissent dans le Port d'Akaroug, nous serons en route pour nos premières conquêtes.

Après un moment de silence étonné, un guerrier s'avança d'un pas. Ses insignes révélaient un très haut grade parmi les grands capitaines. Kurak lui fit signe de parler.

– Maître, tu fixes un délai bien court pour tout organiser.

– Crois-tu cela impossible ? riposta Kurak. Il reste toute la nuit et tout l'avant mi-jour pour mettre les navires à l'eau, pour que chaque soldat prenne ses armes et se rende à son poste.

– Cela est possible en faisant travailler tout le monde sans arrêt, mais cela veut dire que nous n'aurons pas le temps de prendre... quelque repos dans le domaine du Maître avant de partir.

– T'importe-t-il vraiment de séjourner en ces lieux avant de prendre le départ ?

– Bien sûr, il me semble que l'on ne quitte pas un tel endroit sans faire... disons... certains adieux.

Kurak fit alors un geste rapide avec son épée. La lame vibra d'une brève lueur rouge et la tête de l'officier roula au sol. L'Akares n'accorda aucune attention au cadavre encore secoué de spasmes nerveux.

– Que cela soit un avertissement pour tous. J'accepte les remarques intelligentes de la part des officiers, mais qu'un guerrier hésite à répondre à son devoir parce qu'il voudrait aller festoyer, cela je ne l'accepte pas. Tous doivent se tenir prêts à répondre aux ordres sur-le-champ. Nous aurons à combattre, les affrontements seront difficiles et aucun ne peut faire passer son plaisir personnel avant notre triomphe. Nous entreprenons le combat final. Après notre victoire, nous serons les maîtres et il n'y aura plus de guerres. Chacun pourra alors festoyer selon son bon plaisir. Cependant, jusqu'à ce jour heureux, nous sommes uniquement des guerriers à chaque instant du jour et de la nuit.

Kurak continua d'haranguer les officiers de son armée, puis il donna ses ordres et répondit aux questions concernant les rôles de chacun. Les officiers quittèrent les lieux au pas de course, soucieux de respecter les délais imposés par leur nouveau maître. Il ne resta bientôt plus que Belgaice à se tenir devant Kurak.

– Maître, tu n'as pas donné d'ordres qui soient exactement les miens. Que désires-tu que soit mon rôle ? Parle que je t'obéisse.

– À toi, Belgaice, je réserve beaucoup de tâches et beaucoup d'honneurs. Tu seras près de moi nuit et jour durant le combat. Tu apprendras mes plans et tu m'assisteras. Ceux qui voudront me voir devront passer par toi, qu'ils soient amis ou ennemis. Tu écouteras les amis et les conseilleras, tu parleras en mon nom au besoin. Tu transperceras mes ennemis afin qu'ils ne puissent m'atteindre. Ainsi, tu seras sous ma protection et ton pouvoir sera grand. Lorsque mes armées se joindront à celles des Cahans, tu prendras le commandement de ton Peuple. Tu seras la plus grande parmi ceux qui me servent et je te placerai au plus haut rang. Te sens-tu la force et la volonté d'accomplir ce rôle ?

– Oui, Kurak mon Maître.

Les yeux de la Cahanne brillaient dans la nuit naissante. Ainsi se concrétisait ce que Vorgrar lui avait promis. En retour, elle veillerait à ce que Kurak ne s'écarte pas de la route qui lui était tracée. Et si l'Akares faisait un faux pas, elle serait là pour prendre le commandement.

– Oui, Kurak, je suis à toi totalement.

Le Seigneur Akares brûlait de désir pour Belgaice et sa main se posa sur sa tête pour ensuite glisser le long du corps de la Cahanne. Kurak réprima son désir, car l'heure n'était pas au plaisir.

– Va, Belgaice, prépare ce qui doit être préparé et fais ce que dois. Nous aurons bien le temps de nous retrouver seul à seule...

La Cahanne se retira à son tour, laissant Kurak seul face à la mer. La nuit acheva d'étendre son emprise sur l'île et c'est alors que Orvak Shen Komi se présenta à nouveau devant Kurak.

– Tu agis vite et bien, Kurak. Je ne t'en avais pas donné l'ordre et tu as su deviner qu'il ne fallait pas prononcer mon nom. Tu sais reconnaître ce qui doit demeurer secret et ne pas dire de paroles de trop. J'ai confiance en toi ; nous passerons le reste de cette nuit ensemble afin que je t'enseigne les pouvoirs qui sont entre tes mains.

– Je sais aussi voir ce que d'autres tentent de garder secret, répondit l'Akares avec un sourire malicieux. Belgaice est à ton service et elle n'hésitera pas à m'abattre si je devais démériter de ta confiance, n'est-ce pas ?

Une lueur amusée passa dans le regard de Vorgrar.

– Vraiment, tu m'impressionnes et tu me confirmes à chaque instant que mon choix fut excellent. En effet, Belgaice me sert et j'ai fait en sorte que tu la choisisses pour se tenir toujours à tes côtés. Mais il n'est pas nécessaire qu'elle sache que tu connais sa mission...

– Bien sûr que non. Je n'avais aucunement l'intention de le lui faire comprendre.

Chapitre quatrième
Nalahir

Seule dans ses vastes appartements du Temple du Roi et des Sages, MeilThimas s'ennuyait. Elle disait ne regretter aucunement son choix de vivre en Pays de Santerre auprès de Tocsand, mais elle avait dû s'habituer à des mœurs grandement différentes de celles des Autegens, celle des Races Premières dont elle était issue. À cela s'ajoutait un sentiment lancinant d'être plus ou moins bien acceptée par les gens qui entouraient son royal époux, ainsi qu'une solitude bien réelle.

En effet, son fils unique, Meilsand, séjournait de moins en moins au Temple. Il préférait la compagnie de Noakel et Eldguin, les enfants jumeaux de Noak et Irguin, le couple de bateliers et parents d'Ardahel. Les trois jeunes aux abords de la vingtaine s'entendaient à merveille ; ils voyageaient beaucoup ensemble en Santerre et en d'autres pays du Couchant. En plus de cette absence, il fallait composer avec celles, répétées, de Tocsand. En effet, malgré les critiques que certains lui adressaient, le Roi Tocsand ne demeurait pas inactif. Au contraire, il maintenait d'étroits contacts avec Ardahel et Eldwen, ainsi qu'avec de nombreux Sages et Souverains des pays du Lentremers. Toutefois, ces activités devaient rester secrètes, même pour l'épouse du Roi. De toute façon, MeilThimas refusait de se mêler de quelque manière que ce soit des affaires du Pays de Santerre.

Au début de son règne, Tocsand disposait de nombreux temps libres, du moins pour un Roi de Santerre, et Meilsand occupait fort le couple. Maintenant que le fils voyageait et que le Roi ne pouvait s'accorder que de rares journées de répit, la Autegentienne se réfugiait dans ses souvenirs. Elle repensait aux voyages en famille sous la protection des dômes autegentiens, les agréables soirées de poésie, de chant et d'histoires merveilleuses. Certes, comme tous les siens, MeilThimas pouvait voyager sans contraintes en Monde d'Ici et elle retournait de temps en temps séjourner dans son pays d'origine, l'Augenterie. Cependant, l'attitude dédaigneuse de sa mère JadThimas envers Tocsand et les Gens de Santerre rendait ces visites de plus en plus insupportables.

S'accompagnant à la guival, un instrument de musique fait de longues cordes tendues dans un cadre posé à plat sur trois petites caisses de résonance, MeilThimas chantait une douce mélodie aux paroles nostalgiques. Tocsand entra dans la pièce sans faire de bruit, un long moment immobile à écouter la triste chanson de son épouse, mais surtout à admirer son éclatante beauté. Toute menue comparée aux Gens de Santerre, le corps gracieux à la peau finement cuivrée, elle dégageait pourtant une grande vigueur. Elle gardait très courte sa chevelure brune aux reflets de bronze. Son visage d'une parfaite symétrie, son menton fin, ses pommettes un peu saillantes, ses grands yeux noirs en amande, sa bouche mince et son nez si délicat n'avaient aucunement changé depuis vingt ans. Cela obsédait Tocsand qui se voyait vieillir trop rapidement à son goût.

Le temps et les soucis creusaient les traits du Frett, des rides soulignaient son regard et laissaient leurs empreintes sur son front. Sa chevelure devenue grise et sa barbe presque blanche lui donnaient une allure de vieillard alors qu'il n'avait pas encore atteint la cinquantaine. Tocsand possédait encore la vigueur de sa jeunesse, mais parfois, les jours de grands froids, les blessures subies en Pays de Gueld lui rappelaient douloureusement qu'un écart se creusait entre MeilThimas et lui.

« Je prends de l'âge, et bientôt mes forces iront en déclinant, tandis que les années n'ont aucun effet sur ma belle MeilThimas. J'ai l'allure de son père et je pourrai bientôt me faire passer pour son grand-père. »

La Autegentienne eut conscience de la présence de Tocsand et elle cessa de jouer. En souriant, elle s'approcha de son époux, devinant sans mal ses pensées.

– Mon bel ami, quand vas-tu cesser de te soucier de ton allure ? Même si ton corps change, ton cœur demeure le même et c'est cela qui m'importe. Combien de fois t'ai-je répété que je te trouve plus beau seigneur avec ta barbe blanche et tes cheveux gris ! Et puis, tu es aussi solide qu'autrefois, tes muscles sont fermes, tes mains n'ont rien perdu de leur habileté... et de leur douceur.

– Il n'empêche que tu deviens de plus en plus triste en Pays de Santerre, et cela me désole...

– J'ai choisi librement de venir ici. C'est moi qui ai refusé de participer à l'administration du pays. C'est encore moi qui n'ai pas voulu d'autres enfants. Je fais ce que j'ai choisi de faire. Si parfois le temps me semble long, j'en suis la seule responsable. Alors, cesse de penser à cela.

Tocsand fut sur le point de continuer sur ce sujet, mais il se ravisa. MeilThimas lui avait si souvent affirmé qu'elle était totalement heureuse avec lui, qu'elle trouvait même des aspects positifs à ses absences. Les moments qu'ils pouvaient partager devenaient ainsi plus intenses. En soupirant, il changea de propos.

– Je pars bientôt pour le Nalahir. Viendras-tu avec moi ?

Un large sourire illumina le visage de MeilThimas.

– Oui, cela fait déjà trop longtemps que j'ai visité Ardahel et Eldwen. Mais cette fois, promets-moi d'oublier un peu le sujet de vos discussions et de savourer les merveilles du Domaine Caché.

Leur conversation fut alors interrompue par l'arrivée d'un serviteur qui frappait à la porte des appartements royaux. Laissant échapper un long soupir, Tocsand adressa un regard fatigué à son épouse et alla répondre.

Malgré les paroles de MeilThimas, Tocsand se sentait désabusé et aigri. Les vingt dernières années s'étaient déroulées tellement différemment de ce qu'il avait vécu avant d'être Roi de Santerre. Les longues chasses en Région des Neiges, la lutte pour vivre de cette nature difficile, l'expédition vers le Pays de Gueld et les combats qui suivirent, tous ces moments intenses avaient cédé la place à un rôle monotone qui devenait de plus en plus ingrat. En effet, il n'ignorait rien des critiques que les Gens de Santerre lui adressaient. Malheureusement, il ne pouvait répondre et se justifier, car il fallait justement qu'il donne cette fausse impression d'indifférence. Aux yeux des espions de Vorgrar, le Pays de Santerre devait paraître inconscient du danger. Par contre, Tocsand avait trouvé un moyen de préparer le pays à reconstituer rapidement ses armées sans éveiller les soupçons. Sous son instigation, joutes et tournois étaient devenus très importants. Les Gens de Santerre rivalisaient d'ardeur pour se tenir prêts à ces rencontres. Cela remplaçait fort efficacement l'entraînement militaire habituel. Les Sages assuraient à Tocsand que c'était la meilleure solution et il s'était finalement laissé convaincre de ne même pas mettre le Conseil des Princes au fait de ses véritables raisons d'agir. De plus, Ardahel attachait une grande importance aux paroles du Magomien AuruSildon qui laissaient croire à la traîtrise d'un Prince de Santerre. Tocsand devait donc se montrer très prudent.

Tous ces agissements secrets, toutes ces années à jouer double-jeu, à ne pouvoir répondre aux critiques, toutes ces précautions paraissaient souvent tellement futiles au Roi Tocsand. Il avait de plus en plus de difficulté à conserver le moral et sa conviction d'agir pour le mieux. Ce fut donc avec un air maussade qu'il accueillit le serviteur.

– Roi Tocsand, deux étrangers viennent de se présenter au Temple en prétendant être de tes amis. Ils n'ont pas voulu s'identifier car ils prétendent vouloir te faire une heureuse surprise. Ils sont arrivés à cheval, équipés en voyageurs, mais sans escorte...

Le serviteur ne semblait pas croire les propos des visiteurs inconnus. Il paraissait s'excuser à l'avance d'avoir dérangé inutilement le Roi. Toutefois, Tocsand était intrigué. Ce n'était pas le genre de ruse que prenaient ceux qui tentaient de le rencontrer sans attendre les journées d'audience.

– C'est bon, je vais aller les voir.

Tocsand descendit l'escalier qui menait de ses appartements jusqu'à la Salle des Invités, une grande pièce où le Roi recevait ses amis ou les émissaires d'autres peuples. Un couple l'attendait, des voyageurs vêtus simplement et qui lui souriaient en silence. Le Frett eut un instant d'hésitation, puis sa figure s'illumina d'une joie si intense qu'il demeura bouche bée encore un moment. Puis il poussa un véritable hurlement de bonheur en se précipitant vers les nouveaux venus.

– Loruel !

Les deux compagnons se sautèrent dans les bras, s'étreignant en riant, heureux de se revoir après tant d'années. Enfin, ils se séparèrent et Loruel recommença ses pitreries d'autrefois. S'inclinant bien bas devant son ami, il lui fit une déclaration pompeuse.

– Noble Roi du Pays de Santerre, recevez les salutations, les hommages et la reconnaissance du couple royal du Pays de Gueld en la personne du Roi lui-même et de son épouse et Reine, Lowen la Sublime et la Bien-Aimée de son peuple.

Tocsand ayant quitté les Pays du Levant immédiatement après la fin des combats, il n'avait pas fait la connaissance de Lowen. Cette présentation digne de gamins farceurs fit revivre le naturel enjoué du Frett. Il entra dans le jeu, s'inclina avec emphase devant Lowen et lui prit la main pour l'embrasser en signe de respect.

– Gente dame, Noble Reine et dévouée épouse qui se sacrifie assurément avec courage auprès de cet étourdi, excusez le Peuple de Santerre de l'avoir aidé à prendre place sur le trône de votre pays. Recevez du Roi tout l'accueil et la bienvenue qui vous aideront à nous pardonner de ne pas l'avoir gardé ici autrefois.

Les deux Rois continuèrent encore leurs blagues jusqu'à ce qu'un fou rire irrépressible leur coupe la parole. Attirée par les éclats qui parvenaient à ses appartements, MeilThimas pénétra à son tour dans la pièce, surprise et heureuse de voir son époux rire de tout son cœur en compagnie de ces inconnus. Les deux compagnons se calmèrent finalement et Tocsand fit cette fois des présentations plus sérieuses à son épouse qui les rencontrait pour la première fois. Puis il proposa de prendre le repas du soir en privé.

– Aujourd'hui, prenons le temps de nous retrouver. Demain, je donnerai des ordres afin que vous soyez accueillis selon votre rang.

– Je t'en prie, ne te fais pas de soucis, répondit Loruel. Ce n'est pas un Roi qui en visite un autre, mais plutôt des amis qui renouent après de si longues années. Je désirais tant revoir le Pays de Santerre, le faire découvrir à Lowen et, surtout, retrouver les compagnons d'autrefois. Un toit m'appartient ici ; je fais partie de la famille de Noak, Irguin et de mon frère Ardahel.

– Tu ne pouvais arriver à un meilleur moment, s'exclama Tocsand. J'étais sur le point de partir pour le Nalahir avec MeilThimas et le Sage Delbon. Je dois rencontrer Ardahel et Eldwen. Ils seront si heureux de vous accueillir. Partons ensemble, vous visiterez Santerre plus tard.

Tocsand différa son départ pour le Nalahir de quelques jours afin de permettre à ses amis de se reposer après le long voyage depuis le Levant. Loruel en profita pour retrouver quelques amis de son enfance et pour faire visiter les environs du Temple du Roi et des Sages à Lowen. Toutefois, il précisa à Tocsand qu'il ne voulait aucune cérémonie ni rencontre officielle en tant que Roi de Gueld. Pour quelques jours, il redevenait Loruel de Nulle-Part. Il ne fut même pas question de la lutte contre Vorgrar.

Le retour de Loruel alimenta les conversations au Temple du Roi et des Sages. Son histoire était connue et plusieurs s'étonnaient que le Roi n'organise aucune fête officielle en l'honneur de son visiteur. Une fois de plus, le comportement de Tocsand surprenait et intriguait bien des gens.

En pleine nuit, dans un coin désert et obscur d'un des nombreux bâtiments du Temple, une silhouette se glissa le long des murs jusqu'à une porte au judas entrouvert. Derrière, tapie dans les ténèbres, une personne attendait, bien dissimulée, la voix étouffée par un voile posé sur son visage, ses intonations assurément modifiées pour masquer son identité.

– Qui est le Maître ?

– C'est le plus grand.

– Et comment sa grandeur est-elle visible ?

– En regardant en soi.

L'échange avait permis à la personne derrière la porte de s'assurer que tout était en ordre avec son interlocuteur. Rassurée, la voix poursuivit avec autorité.

– La visite de Loruel et la discrétion dont Tocsand l'entoure nous procurent une excellente occasion de renforcer les doutes au sujet du Roi.

– Peut-être, répliqua l'autre, mais j'agis selon vos ordres depuis longtemps sans constater de résultats probants. Est-il suffisant de semer le doute, de faire des insinuations...

Celui à la voix étouffée laissa un instant éclater sa colère.

– Silence ! Tu es déjà fort bien payé pour assouvir ta vengeance et tu seras bientôt récompensé au-delà de tes attentes les plus folles.

La personne à la voix étouffée devait inspirer une grande crainte à celui qui se trouvait dehors. Ce dernier s'enhardit tout de même à exprimer ses doléances avec un mélange d'impatience et de peur.

– Les autres Princes et Prétendants soutiennent malgré tout le Roi Tocsand. Je cours de plus en plus le risque d'être découvert sans voir arriver le dénouement promis. Si au moins je savais à quel moment les événements se produiront ; je pourrais mieux évaluer quand et comment agir.

– Notre attente tire à sa fin, car les armées du Maître se rassemblent présentement. Le règne du Roi Tocsand achève en Pays de Santerre ; cet automne est son dernier !

La voix étouffée ne toléra plus aucune réplique de la part de l'autre. Les ordres et les recommandations se succédèrent rapidement quant aux rumeurs à répandre. La voix indiqua ensuite à quel endroit trouver ce qu'il fallait pour payer les étrangers qui colportaient de fausses nouvelles en Pays de Santerre. La somme allouée s'était encore accrue, permettant au serviteur d'arrondir toujours plus son pécule.

Lorsque le Dieu Créateur Elhuï engendra le Monde d'Ici à l'aube des Âges Anciens, son esprit bienfaisant veillait sur toutes choses, sur tous les êtres ainsi que sur l'essence même de la Vie. Le Monde d'Ici resplendissait d'harmonie, ce qui dura jusqu'à ce que la Pensée d'Orvak Shen Komi transforme l'essence de la Vie selon sa conception. Presque tout le Monde d'Ici fut touché par la lutte que menait Vorgrar. Les Enfants d'Elhuï se désolaient de voir les torts que cela causait et ils décidèrent de modifier la nature en certains endroits précis. Ces Domaines Cachés, protégés par des lois différentes du reste du Monde d'Ici, servirent à mesurer l'impact de la pensée de Vorgrar. Éventuellement, ils devaient aussi servir de modèle pour reconstruire ce monde de la manière dont il fut engendré. Tout comme les autres domaines dont l'emplacement demeure le secret et la responsabilité de Jeim Mier Pehar, dit l'Ancêtre, le Domaine du Nalahir était une parcelle préservée du passé, ainsi qu'une semence pour l'avenir.

Si, en Nalahir, la Pensée de Vorgrar avait déjà amoindri la facilité de compréhension entre les êtres vivants, les Sources de Vie n'étaient pas taries. La nourriture ainsi que les boissons abondaient, les plantes offraient leurs fruits à volonté, des sources d'eau limpide jaillissaient d'un sol regorgeant de richesses qui assuraient une vigueur resplendissante à tous les êtres vivants du domaine. Aucun animal n'avait à se battre ni à détruire d'autres êtres vivants pour se rassasier.

Le temps n'existait pas en Nalahir et la vie se déroulait sans inquiétude. Parfois, le soir, lorsque le ciel rougissait de la nuit proche, des groupes d'animaux se rassemblaient pour chanter ensemble la joie de leur existence. Invités en permanence par Ardahel, les derniers Saymails recherchaient avec plaisir ces rassemblements où ils retrouvaient l'esprit des Âges Anciens tel que le décrivait l'aîné Guelnou.

La délicatesse des êtres vivant en Nalahir enchantait tous ses hôtes, mais particulièrement Eldwen. L'aveugle pouvait aller à sa guise, courir sans craindre de heurter un obstacle, cueillir des fruits et accomplir tous ces gestes que sa cécité lui interdisait en Monde d'Ici, car la nature signalait sa présence en lui parlant. Pour la jeune femme, les sons avaient remplacé la vue. Telle une chauve-souris dans l'obscurité, elle n'avait plus besoin de guide. Eldwen *entendait* le Nalahir.

Le bonheur de sa compagne ne faisait qu'accroître celui d'Ardahel et il en arrivait parfois à oublier son engagement de Santerrian. Il fallait les visites fréquentes de Delbon et de Tocsand pour lui rappeler la lutte contre Vorgrar.

À ces occasions, les quatre compagnons s'isolaient dans la demeure du Maître de Nalahir pour étudier les textes des Paroles Oubliées ou pour réfléchir sur les plus récents faits parvenus à leur connaissance. Dans l'attente d'une piste qui les mettrait sur les traces de Vorgrar, ils cherchaient des réponses à leurs questions. Eldwen surtout s'interrogeait. Qui l'avait engendrée et qui était ce Ogi qui lui avait tant enseigné en échange de sa vue ? Quelle était la portée de sa ressemblance avec la Seigneur Magomienne SpédomSildon ?

Depuis vingt ans, ils cherchaient sans trouver, en plus de subir l'attente que Vorgrar pose un geste permettant de retrouver sa trace.

Le quatrième jour après leur arrivée, Loruel et Lowen se joignirent à Tocsand, MeilThimas et Delbon pour prendre la direction du Domaine Caché d'Ardahel. Le Roi et la Reine de Gueld avaient déjà rencontré celui qui se présentait sous l'identité d'un Sage du Pays de Santerre. Ils constataient que Delbon n'avait pas changé d'allure, portant encore ses cheveux gris taillés court sur le devant pour dégager son large front intelligent, puis les laissant couler en boucles argentées sur ses solides épaules. Il avait les mêmes traits à la fois massifs et harmonieux, le nez fort et rond, les paupières tombantes, les yeux noirs pétillants de vie, son léger collier de barbe et sa fine moustache argentée. Comme toujours, il revêtait une humble bure à capuchon nouée à la ceinture par une corde blanche.

Chevauchant tous des montures originaires du Nalahir, les voyageurs atteignirent rapidement les rives de la Mer du Couchant. Ils suivirent ses côtes jusqu'à la limite du Pays des Borians, puis ils s'engagèrent dans la Forêt des Oiseleurs, à la Mi-Jour du Magistan. Ils chevauchèrent entre les grands arbres dans des sentiers à peine visibles, guidés sans hésitation par Delbon. Vint le moment où le vieux Sage donna l'ordre d'arrêter pour la nuit.

– Les points de repère commencent à se fausser, déclara-t-il. Il faut maintenant faire appel au gardien du Nalahir, sinon nous contournerions le domaine d'Ardahel.

– Mais nous allons en ligne droite, objecta Loruel. Nous n'avons absolument pas dévié de notre course, j'en suis certain et j'ai un excellent sens de l'orientation.

– Bien que le Nalahir soit droit devant nous, expliqua Delbon en souriant, le meilleur pisteur ou l'éclaireur le plus aguerri le contournerait tout en jurant ne pas s'être écarté un seul instant de sa route. Nul ne peut pénétrer par lui-même en Nalahir. Même Ardahel, qui en est le maître, doit se faire guider par le gardien des lieux.

Delbon prit deux bagues qu'il passa à ses index. Lorsqu'il joignit les mains, une lumière aux reflets bleutés sembla flotter devant lui. Une voix se fit entendre.

– Sois le bienvenu, Delbon, ta visite est attendue. Par contre, il y a deux personnes qui t'accompagnent et qui ne sont pas conviées.

– Je réponds personnellement d'eux, répondit le Sage. Ce sont des amis très chers au Maître du Nalahir qui lui font la surprise d'une visite.

– Je te fais confiance. Suivez-moi !

L'éclat lumineux se fit plus intense, jusqu'à envelopper les cinq cavaliers, et ils furent irrésistiblement entraînés devant eux. Au début, rien de vraiment spécial ne se produisit, les chevaux poursuivant normalement leur course. Loruel et Lowen pénétraient pour la première fois en Nalahir et c'est avec effarement qu'ils constatèrent que leurs mouvements correspondaient de moins en moins au paysage qu'ils parcouraient. Puis ils virent un nouveau paysage s'esquisser autour d'eux tandis que la Forêt des Oiseleurs s'estompait graduellement. Durant quelques instants, ils ne purent dire s'ils étaient encore chez les Oiseleurs ou déjà en Nalahir.

Dès qu'ils furent totalement dans le Domaine Caché, la nuée lumineuse se dissipa et les visiteurs perdirent la notion du temps. Chevauchèrent-ils ainsi durant quelques minutes ou pendant de longues heures, nul ne pouvait le dire. Enfin, les voyageurs virent un cavalier s'approcher à leur rencontre. Le Maître du Nalahir venait les accueillir, monté sur Crin-Blanc, le magnifique étalon à la robe immaculée.

En voyant le groupe de cavaliers, Ardahel eut un mouvement de surprise, puis il lança son cheval à toute allure. En un instant, il passa à la hauteur des nouveaux venus et, tandis que CrinBlanc bondissait au-dessus des autres montures, Ardahel sauta sur Loruel et le désarçonna en l'entraînant dans sa chute. Ils roulèrent sur le sol en une épreuve de force où chacun tentait de prendre l'avantage sur son adversaire. Lowen poussa un cri de terreur en voyant son époux ainsi renversé ; déjà, elle voulait se porter à son secours. Tocsand s'empressa de la retenir d'une main ferme.

Roulant sur eux-mêmes, les deux opposants s'efforçaient de retrouver leur équilibre pour prendre l'avantage. D'un puissant coup de rein, Loruel repoussa Ardahel et, d'un geste vif, il fut debout le premier. Il hurla sa victoire les bras tendus bien haut tandis que le Maître du Nalahir se relevait à son tour. Enfin, les deux amis se sautèrent dans les bras en riant et en se donnant de grandes tapes dans le dos sous le regard médusé de Lowen et de MeilThimas.

Après avoir repris leur souffle et leur calme, Loruel fut le premier à parler.

– Eh bien ! Te voilà rendu un piètre adversaire, bien facile à renverser. Tu t'empâtes à faire la belle vie dans ton domaine.

– Au contraire ! J'ai eu un instant pitié de tes cheveux gris, répliqua Ardahel. Et puis, je ne pouvais tout de même pas t'humilier devant ta Reine.

Les deux amis se remirent à rire de plus belle et à s'étreindre.

– Loruel, Lowen, quelle magnifique surprise vous nous faites !

– Ardahel, mon frère, quel bonheur de te revoir !

Le Roi de Gueld prit un peu de recul pour examiner son camarade.

– C'est incroyable, malgré toutes ces années, tu n'as absolument pas vieilli. Tu étais mon aîné, et j'ai maintenant l'air d'être ton grand frère.

– C'est ainsi en Nalahir, expliqua Ardahel en riant. Mais tu portes toi-même très bien le poids des ans. Tu sembles aussi vigoureux et solide qu'il y a vingt ans.

– Les combats de cette époque ont laissé des traces, mais je dois avouer que je fais meilleure figure que notre ami Tocsand. Après avoir vu sa barbe blanche, je m'attendais à te retrouver toi aussi sous les traits d'un vénérable Sage de Santerre...

Une ombre passa dans le regard d'Ardahel, car celui-ci savait à quel point Tocsand se préoccupait de se voir vieillir si vite.

– Les tracas ont laissé leurs marques et chaque visite de Tocsand m'apporte des nouvelles de plus en plus préoccupantes.

– Je craignais qu'il en soit ainsi, fit Loruel en redevenant sérieux. D'ailleurs, je souhaite trouver ici les réponses à bien des questions. Pendant que je construisais la paix en Pays de Gueld, que j'effaçais les horreurs de la guerre, je me suis souvent dit que les combats n'étaient certes pas terminés pour toi, pour Eldwen et pour Tocsand...

– Tu as raison, coupa Ardahel en retrouvant le sourire et en serrant de nouveau Loruel contre lui. Mais pour l'instant, nous allons célébrer ces retrouvailles comme il se doit. Votre venue me fait tellement plaisir !

Ardahel se tourna ensuite vers Lowen qui venait de les rejoindre.

– Lowen, tu es la bienvenue en mon domaine. En ces lieux, Loruel et toi pouvez vous considérer comme chez vous. Vous trouverez ici bien des sujets d'étonnement, mais vous constaterez qu'on prend rapidement le rythme du Nalahir.

Après les salutations d'usage, les cavaliers reprirent leur chemin sans trop de hâte afin de pouvoir continuer à discuter et à apprécier le décor qui les entourait. Ils suivaient un large sentier de terre battue, bordé de buissons en fleurs et d'arbres majestueux d'où s'échappaient d'agréables mélodies chantées par des oiseaux aux brillantes couleurs. La plupart étaient des espèces connues en Pays de Gueld, mais Lowen et Loruel apercevaient souvent des espèces au merveilleux plumage qui leur étaient totalement inconnues. Ardahel les appelait pour qu'ils viennent se poser sur son bras ou leur demandait de faire la roue afin de montrer leur beauté à ses invités. Le couple de Gueld put ainsi admirer des paons somptueux, des paradisiers aux longues plumes chatoyantes, des colibris multicolores, de bruyants perroquets virevoltant en compagnie de fauvettes, d'engoulevents, de rossignols et de rouges-gorges effrontés.

– Il n'y a pas de mots pour décrire ce spectacle, s'enthousiasmait Loruel. Tous ces oiseaux qui chantent et s'accordent, qui obéissent à ton appel.

– J'ai même vu un faucon se tenir près d'un merle sans faire mine de l'attaquer, ajouta Lowen.

– En effet, expliqua Ardahel en riant. Tous les êtres vivants du Nalahir se côtoient en une paix totale, sans qu'il n'y ait de chasseur, ni de chassé. Les prédateurs ne mangent que les animaux rendus au terme de leur vie. En d'autres temps, ils se côtoient sans crainte.

Par endroits, le long du sentier, les cavaliers croisaient des haltes aménagées autour de sources laissant couler différents liquides dans des vasques argentées. Un épais tapis de mousse d'un vert sombre rendait l'arrêt confortable. Plusieurs animaux se tenaient continuellement près des sources, daims, écureuils, martres, lièvres ou chevaux.

Les visiteurs admiraient en silence la beauté sereine du paysage lorsqu'ils débouchèrent dans une vaste clairière où s'élevait un ensemble élégant de constructions aux murs blancs et aux toitures dorées.

– Voici le BlancLares, notre demeure à Eldwen et à moi. Vous êtes mes hôtes et puissiez-vous vous sentir chez vous en ces lieux, déclara Ardahel.

Construit autour d'un monticule d'où jaillissaient les plus importantes Sources de Vie du Nalahir, le BlancLares comptait six grandes sections reliées entre elles par des jardins méticuleusement entretenus. L'accès à la demeure se faisait par l'Accueil, un bâtiment d'un seul étage et d'une seule grande pièce aux murs percés de hautes fenêtres. Près de la porte d'entrée s'alignaient des coffres de bois finement sculptés dans lesquels le visiteur pouvait déposer le bagage dont il n'aurait pas besoin jusqu'à son départ, notamment les armes. Au centre, un bain où tourbillonnait constamment une eau tiède permettait au voyageur de se nettoyer et de se délasser.

L'Accueil s'ouvrait sur un premier jardin aux rocailles délicates qui conduisait à la Maison des Rencontres, une construction érigée sur deux étages. Le premier palier consistait en une vaste pièce aménagée pour les banquets et autres célébrations. L'étage supérieur comprenait une terrasse et des salons pour les entretiens privés.

De part et d'autre de la Maison des Rencontres s'élevaient deux Maisons des Hôtes qui, ainsi que l'indiquait leur nom, étaient à la disposition des invités. Celle de gauche se nommait le Foyer des Compagnons et logeait ceux qui étaient conviés directement par le Maître. La maison de droite portait le nom de Foyer des Camarades. Elle était à la disposition de gens conviés par d'autres que le Maître du Domaine, mais avec la permission de ce dernier. L'Ancêtre, par exemple, pouvait y recevoir ses propres visiteurs.

L'édifice le plus important se trouvait face à la Maison des Rencontres, dont il était séparé par un vaste jardin où coulaient les inépuisables Sources de Vie. C'était le Grantares, la demeure du Maître de Nalahir, un petit château aux trois hautes tours pointant fièrement vers le ciel et dont les nombreux étages abritaient salons, chambres, bibliothèque, salles de travail et de repos, ainsi que les appartements des Naliens.

En Nalahir, la construction, l'aménagement, l'entretien et le service étaient sous l'entière responsabilité des Naliens, une Race enfantée par l'Ancêtre uniquement dans le but de veiller au bon ordre des endroits préservés de l'influence de Vorgrar. Artisans fameux et artistes exceptionnels, il leur revenait, et à eux seuls, de servir le Maître du Domaine, de préparer la nourriture, de cueillir fruits et légumes, de construire maisons et dépendances, d'entretenir jardins, haltes et forêts. Les Naliens étaient très jaloux de leur tâche et ils s'affairaient constamment, redessinant les jardins jusqu'à la perfection, élevant les édifices avec un art empreint de délicatesse et ne tolérant nulle autre intervention pour la bonne tenue des lieux.

✧ ✧ ✧

Loruel et Lowen demeuraient figés d'admiration devant la magnificence du BlancLares. Delbon profita du silence pour s'excuser auprès de ses compagnons.

– Pardonnez-moi de vous quitter immédiatement, mais je dois rencontrer l'Ancêtre aussitôt que possible.

Le Roi de Gueld s'étonna de la présence de ce personnage de légende dont Ardahel lui avait vaguement parlé.

– L'Ancêtre ? Il est bien réel et il habite ici ?

Ardahel réalisa qu'il avait beaucoup d'information à donner à ses amis sur la Race Ancestrale et sur les multiples identités que ses membres pouvaient adopter à volonté.

– C'est l'un de mes hôtes privilégiés, expliqua Ardahel. Lors de ses séjours ici, il réside en un endroit retiré qui lui est réservé. C'est le...

Delbon s'empressa de couper la parole à Ardahel tout en lui adressant un regard pesant.

– Tous ces propos ne sont pas de mise pour l'instant. Allez vous reposer et célébrer vos retrouvailles. Le temps des discussions viendra bien assez vite.

Sur ces paroles, Delbon salua le petit groupe et lança sa monture au galop. Dès qu'il fut disparu des regards, Ardahel sembla retrouver son enthousiasme pour inviter ses amis à le suivre dans le BlancLares. Toutefois, un malaise s'accrochait obstinément ; même en Nalahir, le puissant Delbon imposait sa loi et ses secrets.

Chapitre cinquième

À visage découvert

LongCrin, le cheval de Delbon, s'était élancé de toute sa puissance et le Nalahir défilait autour de lui dans les douces nuances de ce début d'automne. Le cavalier atteignit rapidement l'endroit où résidait l'Ancêtre. Avec une souplesse étonnante, il sauta à bas de cheval pour ensuite marcher en direction de son frœur qui l'attendait dans un petit jardin resplendissant des couleurs de milliers de fleurs délicates. Le vieux Sage avait repris son aspect de Jein Dhar Thaar, membre de la Race Ancestrale, et il salua poliment son frœur l'Ancêtre, Jeim Mier Pehar de son nom premier. Un troisième personnage vint aussitôt les rejoindre, vêtu simplement d'une bure grise et d'une cape bleu profond en tissu fin aux mailles si serrées qu'elle devait être un excellent manteau de pluie de voyageur. Une large ceinture noire croisée sur le côté lui entourait la taille et trois sacoches du même cuir sombre y étaient accrochées. Grand, jeune d'allure, aux longs cheveux blonds tombant très bas dans son dos, il avait un visage aux traits délicats tout autant féminins que masculins et ses yeux étaient empreints d'une sagesse aussi grande, sinon plus, que ceux de Delbon lui-même. Ses grands yeux d'un bleu très clair se posaient calmement sur ses interlocuteurs et sa voix, à la fois douce et grave, imposait immédiatement l'autorité d'Hunil Ahos Nuhel.

Les trois membres de la Race Ancestrale se trouvaient sur un sommet du Nalahir où les chauds rayons du soleil semblaient s'acharner à retarder l'automne en tirant du sol de riches odeurs qui emplissaient l'espace en compagnie du chant des grillons. Le nouveau venu appréciait cette atmosphère chargée de la vie du Monde d'Ici. Il goûta l'instant, les yeux fermés, puis il s'adressa à ses frœurs.

– Le Prince Ardahel et ma fille Eldwen doivent recevoir les réponses aux questions qu'ils posent, déclara-t-il gravement.

Il faut aussi s'ouvrir au Roi Tocsand, à son épouse ainsi qu'au couple Royal du Pays de Gueld qui sont réunis ici. En effet, nous devons reconnaître que ce combat n'est pas seulement le nôtre. Ces membres des Basses Races ont un rôle majeur à jouer pour tracer le Destin du Monde d'Ici.

Jein Dhar Thaar répondit d'une voix douce qui trahissait tout de même son indignation.

– Maître Alios, tu connais mon opinion. Ce combat concerne surtout la Race Ancestrale. Nous avons reçu la mission de veiller sur le Monde d'Ici et l'un des nôtres a souillé notre tâche. Il nous revient d'abattre Vorgrar afin que cesse l'influence malfaisante de son esprit…

– Jein Dhar Thaar, mon frœur, tu as fait de ce combat une affaire personnelle depuis que Vorgrar a souillé l'esprit de Shar Mohos Varkur, le maître du Peuple des Sorvaks. Vous étiez fortement liés par l'amitié et ton jugement tient trop compte de ta haine envers Vorgrar.

– Tu dis peut-être vrai, Maître Alios, mais je maintiens que ce combat est d'abord le nôtre. En tant que membres de la Race Ancestrale, nous avons failli à notre tâche. À nous de réparer les torts que cela a causés.

L'Ancêtre ne participait pas vraiment à la conversation qui tournait à l'affrontement entre Alios et Delbon. Comme à son habitude, il ne manifestait qu'un intérêt poli, obligé, à toutes les préoccupations de ses frœurs. Pourtant, il ne put s'empêcher d'avoir une question ironique à l'endroit de Jein Dhar Thaar.

– Alors, pourquoi le Glaive Nouveau n'est-il pas entre tes mains ?

Jein Dhar Thaar parut piqué au vif. Il regarda l'Ancêtre avec surprise, puis il lui répondit d'un ton presque accusateur.

– Nous ignorons nous-mêmes tant de choses. Par exemple, pourquoi Maître Alios, notre cher frœur, a-t-il attendu aussi longtemps avant de se manifester dans ce combat ?

Une lueur amusée passa dans le regard d'Alios. Il reconnaissait bien là la fierté de Jein Dhar Thaar qui supportait mal de ne pas tout savoir, d'être tenu à l'écart des desseins ultimes concernant le Monde d'Ici.

– La Race Ancestrale n'a pas atteint la perfection, souligna Alios. Les actes de Vorgrar le prouvent. Toi dont les pouvoirs sont presque aussi grands que ceux de Vorgrar, tu subis son influence. Ton dégoût envers lui s'est transformé en haine, un sentiment né uniquement par la Pensée de l'Esprit Mauvais.

Maître Alios se dressa subitement devant Jein Dhar Thaar, le fixant intensément.

– Tu deviens dangereux, mon frœur, car tu considères désormais ce combat comme le tien. Tu es sincère, je sais, mais tu prends les mêmes armes que Vorgrar. Tu manipules ceux qui doivent lutter contre l'Esprit Mauvais et, si tu parviens à tes fins, j'ai bien peur que tu ne fasses que remplacer Vorgrar. Tu es trop certain que ta mission est tellement juste qu'elle te permette d'imposer à tous ta volonté. Ainsi notre frœur Vorgrar s'est détourné de sa mission, ainsi toi aussi, tu empruntes la route qui risque de te mener à la même conclusion.

Jein Dhar Thaar se crispa sous l'accusation. Comment ? Lui, dont toute l'existence était vouée depuis si longtemps à combattre Vorgrar, comment pourrait-il emprunter les mêmes chemins ? Sous l'identité de Delbon, il avait agi auprès de cinquante générations des gens de Santerre, les éduquant dans la Pensée d'Elhuï, leur enseignant le Bien, leur montrant les justes chemins. Maître Alios ne comprenait-il pas l'importance de toutes ces actions ? Les yeux de Jein Dhar Thaar brillaient d'un éclat si furieux que l'Ancêtre eut peur. Il ressentit cette même frayeur qu'il avait connue autrefois, lorsque avec ses frœurs, ils avaient signifié à Vorgrar qu'il cheminait dans l'erreur.

Cette fois, Maître Alios ne broncha pas. Les deux puissants membres de la Race Ancestrale continuèrent à se faire face en silence. Jein Dhar Thaar tenta d'imposer sa volonté, d'affirmer son droit, de démontrer la légitimité de sa cause. Soudain, la colère quitta son regard. Il se laissa tomber au sol, visiblement très éprouvé par ce silencieux affrontement.

– Tu as raison, Maître Alios. Un combat entre membres de la Race Ancestrale est voué à l'échec puisque, quelle que soit sa conclusion, le vainqueur continuera à vouloir décider pour les gens du Monde d'Ici. Ardahel et Eldwen doivent mener leur propre combat et obtenir leur propre victoire... ou leur propre défaite.

Jein Dhar Thaar poussa un long soupir. Il était à genoux, la tête courbée en signe de soumission. Il leva lentement le visage vers son frœur ; des larmes coulaient tandis qu'il parlait d'une voix chargée d'une lassitude infinie.

– Pourquoi le Repos Éternel ne me fut-il pas accordé lorsque le Santerrian me frappa du Glaive Nouveau, autrefois en Kalar Dhun ? Je risque maintenant de tout gâcher...

– Non, Jein Dhar Thaar, il fallait que vienne ce moment où tu réaliserais que tu avances sur une fausse route. Maintenant, tu peux trouver la paix. Adieu, Jein Dhar Thaar.

Maître Alios parlait d'une voix douce qui apaisa son frœur.

– Tu es attendu en Royaume d'Elhuï pour partager son Festin.

– Adieu, Maître Alios. Adieu, l'Ancêtre. Veillez bien sur Ardahel et Eldwen...

Jein Dhar Thaar s'allongea sur le sol et la blessure que lui avait autrefois infligée Ardahel se rouvrit. Une tache rouge se forma sur son vêtement et s'étendit au rythme où la vie s'échappait du membre de la Race Ancestrale. Une expression de quiétude détendit les traits de son visage. Ainsi quitta le Monde d'Ici celui qui était connu sous le nom de Delbon le Sage, de Nobled le Nain, de Kaldan et sous bien d'autres identités.

– Qu'il repose en paix, dit l'Ancêtre.

– Et qu'il partage le Festin d'Elhuï, répondit Alios selon la formule consacrée.

L'air se chargea d'une tristesse à la fois douloureuse et sereine. Maître Alios se pencha finalement vers le corps de son frœur et il passa la main sur son visage pour lui fermer les yeux. Sa voix se fit tendre pour s'adresser à celui qui venait de partir.

– Au revoir, cher frœur Jein Dhar Thaar, et sache que l'Ancêtre et moi quitterons à notre tour le Monde d'Ici. Dès que Vorgrar sera vaincu, la Race Ancestrale n'aura plus rien à faire en ces lieux.

– Et les gens de ce monde tiendront leur destin entre leurs propres mains, ajouta l'Ancêtre. Mais nous, qui avons reçu pour mission de préparer ce moment, pourrons-nous nous présenter devant Elhuï avec un bilan positif ?

– Il ne nous appartient pas de porter ce jugement, commenta Maître Alios. Il est des mondes où cela aura été plus facile, d'autres où la route aura été plus tortueuse.

Les retrouvailles entre Lowen, Loruel et Eldwen furent un moment de grand bonheur. Le couple de Gueld avait une immense affection pour l'aveugle et ils se réjouissaient de la retrouver encore plus resplendissante qu'autrefois. Élancée et bien prise, ses longs cheveux noirs tombaient librement sur sa robe blanche aux broderies dorées. Son visage surtout séduisait avec sa peau doucement cuivrée, ses pommettes un peu saillantes, son nez un peu coquin, sa bouche finement dessinée, son menton volontaire, et ses yeux bleus effilés, d'une pâleur étrange. Plus que jamais spontanée dans ses rires, capable de se déplacer aussi bien que si elle avait retrouvé la vue, Eldwen était visiblement très heureuse.

Ardahel organisa un grand banquet de retrouvailles en l'honneur de Loruel et Lowen auquel furent conviés tous les Saymails. MeilThimas y retrouva l'atmosphère des soirées autegentiennes où chacun racontait à tour de rôle son histoire tout en se servant de mets délicats qui jamais ne s'épuisaient. Les Naliens s'affairaient au service des invités, particulièrement auprès des Saymails dont l'immense appétit ne s'était pas démenti avec le temps.

Une douce musique tissait un cadre sonore propice à la détente tandis que les rires éclataient en proclamant la bonne humeur des convives. Loruel, particulièrement, avait retrouvé son humour de gamin. Il taquinait sans cesse Tocsand, racontant à MeilThimas les pires anecdotes de l'époque de la Compagnie Frett. Le Roi de Santerre n'avait d'autre choix que de rire de bon cœur, ce qui semblait le faire rajeunir à vue d'œil au grand plaisir de son épouse et de ses amis.

– Ami Tocsand, s'exclama Loruel, je me souviens combien tu vantais les réunions autegentiennes lorsque tu te languissais de ta belle et lointaine MeilThimas. D'après mes souvenirs, ce que tu racontais ressemblait fort à cette heureuse ambiance, n'est-ce pas ?

– Certes, répondit le Roi de Santerre. Pourtant, ce qui se déroule sous les dômes des Autegens ne saurait rivaliser avec le Nalahir.

– Tu ne connais pas l'Augenterie, objecta MeilThimas. C'est un pays fort comparable au Domaine Caché d'Ardahel.

– Il y aurait donc un lien entre le pays des Autegens et ce domaine, questionna Lowen.

– Un lien, non. Une ressemblance, certainement, répondit l'Autegentienne. Mais il est de règle pour nous de ne pas en parler. Toutefois, je suis contente d'aborder ce sujet car j'ai une demande à faire à Ardahel de la part de ma mère.

– Je m'étonne que JadThimas la Resplendissante désire s'adresser à moi, fit prudemment Ardahel. Nous ne nous sommes pas quittés en très bons termes.

– Justement, JadThimas désire tirer un trait sur cet incident et venir te présenter ses excuses pour son attitude d'autrefois en Magolande.

MeilThimas s'approcha d'Ardahel afin de lui parler à l'oreille.

– Tu as un jour exprimé le désir que le Vérécit soit consulté à ton sujet, promettant alors d'inviter en ton domaine la personne qui saurait t'informer de son contenu. JadThimas a accédé à ta requête et elle souhaite te faire part du résultat de ses recherches.

Ardahel s'accorda un moment pour soupeser la demande. Son séjour à la frontière du Royaume d'Elhuï lui avait fourni toutes les certitudes dont il avait besoin. Toutefois, il avait bel et bien fait cette promesse.

– Soit, tu peux dire à JadThimas que je serai heureux de l'accueillir en ces lieux, mais je doute qu'elle puisse m'apprendre plus que je ne sache déjà.

Tocsand se tenait au côté d'Eldwen et il se pencha discrètement vers elle.

– Je n'aime pas cela. Ardahel ne devrait pas accepter que la mère de MeilThimas vienne en Nalahir. Je me méfie de son désir de réconciliation.

– Je ne suis pas si sûre que l'idée soit mauvaise, répondit Eldwen avec un large sourire. Pourquoi JadThimas ne pourrait-elle être sincère ?

– Le Nalahir vous rend naïfs, grogna le Roi de Santerre tandis qu'Ardahel invitait Loruel à parler encore de ses réalisations en Pays de Gueld.

Les conversations reprirent leur ton enjoué tandis que le couple Royal de Gueld décrivait la paix qui régnait maintenant dans tous les Pays du Levant. Puis, il fut question des membres de la Troupe, de ce qu'il advenait d'eux.

– Hal ! Les Saymails vivent heureux maintenant, déclara Guelnou. Ce domaine recèle encore plus de paix et de calme que le Monde des Temps Anciens tel que je l'ai connu. Il ne manque que les Sayfaimes pour que notre bonheur soit parfait.

– L'Ancêtre ne peut-il rien faire ? s'informa spontanément MeilThimas.

– Hal ! Peut-être pourrait-il, mais nous ne voulons rien changer à notre Destin. Les Saymails n'ont pas leur place dans le Monde d'Ici de demain. Nous sommes une Race dont l'Histoire devrait être terminée depuis longtemps, ainsi que devrait l'être celle des Alisans, des Magomiens, des Magistiens et bien d'autres. Même la Race Ancestrale quittera un jour le Monde d'Ici. Lorsque Vorgrar sera vaincu, cela sera le début des Temps Nouveaux ; les peuples tels que celui de Santerre et de Gueld domineront le Monde d'Ici.

– Rk ! Saymails sereins, ajouta Nuk le Saymien. Monde d'Ici a beaucoup donné aux Saymails. Déchirements seront pour Races acceptant pas de céder la place. Rk !

– Hal ! Ne parlons pas de demain durant ce banquet de retrouvailles. Pour maintenant, seul aujourd'hui compte.

– Et Laulane la Sagace ? s'enquit Loruel en se tournant vers le Roi de Santerre.

– Ma sœur a passé quinze ans en Forêt des Renards à recevoir son enseignement. Elle ne porte pas encore le titre de Sage, mais elle se comporte comme tel et ses conseils sont toujours très appréciés. De plus, avec Bober l'aubergiste, elle est à l'affût des faits et gestes qu'il peut nous être utile de connaître, surtout des étrangers qui parcourent Santerre.

– Nous avons dû converser très longtemps, constata Loruel. Même si le temps semble immuable en Nalahir, nous avons abordé tant de sujets et décrit tant d'événements que nous devons être ensemble depuis des jours !

– Une heure, une journée, une semaine... Qu'est-ce que cela devant l'éternité ? déclara Ardahel en riant. Le Nalahir échappe au temps. Toutefois, il serait bon de se retirer pour prendre quelque repos.

Les voyageurs constatèrent qu'un peu de sommeil serait effectivement bienvenu et le Maître de Nalahir mit fin au banquet. Tandis que Tocsand et MeilThimas regagnaient leurs appartements habituels, Ardahel et Eldwen guidèrent Loruel et Lowen dans le Grantares. En parcourant les corridors tendus de fines broderies, le couple de Gueld s'émerveillait de la beauté de cette construction aux vastes dimensions où tout n'était qu'élégance raffinée et agencements délicats. D'imposants escaliers en spirale s'enroulaient autour de plateformes permettant d'accéder sans effort aux nombreux étages du château. Les mouvements ascendants et descendants de l'assemblage étaient assurés par le même type de mécanisme que dans la demeure de l'Ancêtre. Une colonne transparente emplie d'un liquide vert et une autre contenant un fluide rose commandaient le mouvement continuel de la mécanique.

Loruel et Lowen expérimentaient pour la première fois ce moyen de déplacement et ils affichèrent quelques réticences à y suivre leurs amis. Puis, le tout tourna en jeu et bientôt les rires fusèrent alors que les quatre compagnons se laissaient monter et redescendre pour le simple plaisir de passer d'un étage à l'autre. Finalement, les deux couples se séparèrent pour se rendre à leurs appartements afin de profiter d'une bonne nuit de sommeil.

Au lever du jour, Ardahel et Eldwen reçurent leurs hôtes pour le repas du matin sur une terrasse inondée de soleil du Grantares. Les conversations se firent plus sérieuses, Loruel s'intéressant particulièrement à la présence de l'Ancêtre et à ses liens avec eux.

– Qui est réellement l'Ancêtre et pourquoi Delbon est-il avec lui plutôt qu'avec nous?

Ardahel redoutait d'en dire plus que Delbon n'aurait souhaité, mais en même temps, il brûlait d'impatience de répondre à Loruel et à Lowen. Finalement, il décida d'expliquer qui étaient les membres de la Race Ancestrale.

C'est à ce moment qu'un Nalien se présenta.

– Maître Ardahel, l'Ancêtre te prie d'aller le rejoindre le plus tôt possible en compagnie de Dame Eldwen.

– Eh bien, s'exclama Ardahel, je crois que vous devrez attendre encore un peu pour obtenir toutes les précisions que vous souhaitez sur la Race Ancestrale.

Grâce à la rapidité de leurs chevaux, Ardahel et Eldwen furent rapidement rendus à la demeure de l'Ancêtre, une construction relativement simple, en forme de fer à cheval. La cour intérieure était aménagée en jardin débordant de fleurs luxuriantes. De petits bassins communiquaient entre eux par un jeu de fontaines qui créaient une douce ambiance sonore. Une table et des bancs de marbre blanc couverts de coussins moelleux accueillaient confortablement les visiteurs. À l'étonnement du Prince, l'Ancêtre les attendait dans son jardin en compagnie de Maître Alios dont Ardahel ignorait la présence.

Après un salut à l'Ancêtre, Ardahel s'adressa directement au nouveau venu.

– Je te salue, étranger. À ton aspect et à la déférence que ton frœur te témoigne, j'imagine que tu es un important membre de la Race Ancestrale qu'il a invité. Tu es donc le bienvenu en mon Domaine du Nalahir.

– À mon tour de te saluer, Porteur du Glaive Nouveau, et de saluer aussi Eldwen l'aveugle, la favorite de mon Maître et Seigneur, mais surtout la chair de ma chair.

Puis, ayant dit cela, il se dirigea vers Eldwen, les bras tendus vers elle.

– Je suis si heureux de pouvoir enfin me dévoiler à toi, Eldwen que j'ai enfantée et guidée si longtemps en secret. Oui, c'est moi que vous attendiez depuis de longues années. C'est moi qui ai porté Ardahel au bac de Noak et Irguin à la requête d'Alahid. Moi encore qui s'est adressé à Ardahel et Loruel près du champ de blé après que le Sage Golbur vous eut informés de votre mission. En maintes occasions, je suis intervenu pour m'assurer que votre mission soit remplie de succès.

Stupéfait, Ardahel ne disait rien ; il regardait tour à tour le membre de la Race Ancestrale, puis Eldwen dont il attendait la réaction à la suite de ces révélations.

Étrangement, l'aveugle demeura sans réaction. Elle esquissa un mouvement pour tendre les mains vers le visage du membre de la Race Ancestrale et en découvrir les traits, mais cela fut inutile. Il projeta son image dans l'esprit de la jeune femme avec tellement de force qu'elle le vit aussi clairement que si elle avait cessé d'être aveugle. En même temps, il voulut la prendre et la serrer contre lui tout en se présentant.

– Je suis Hunil Ahos Nuhel. Tu peux me nommer Alios, ce qui signifie « Parent-Aimant » en notre langue. Cela est vrai car je t'aime profondément, Eldwen mon enfant.

Eldwen se recula en tendant la main vers Ardahel. L'ayant trouvé, elle se blottit contre lui et répondit enfin à Alios d'une voix froide.

– Je suis certaine que tu as agi pour le mieux ainsi qu'avec toute la sagesse infinie des membres de ta Race.

Le regard d'Alios se fit triste durant un moment et un malaise plana sur le petit groupe devant l'attitude peu chaleureuse de la jeune femme. Ardahel était peiné de voir Eldwen afficher la même froideur qu'elle avait entretenue à son égard jusqu'au moment de quitter le Kalar Dhun. Il avait d'abord cru que cette rencontre aurait réjoui au plus haut point son épouse. Celle-ci brisa le lourd silence en posant une question dont elle connaissait pourtant la réponse.

– Est-ce toi, Maître Alios, qui m'enseignait sous l'apparence d'Ogi alors que j'étais dans la détresse et l'obscurité ?

Maintenant sur ses gardes quant à la manière de répondre à sa fille, Alios parlait doucement en pesant ses mots avec soin.

– Je n'ai pas rencontré ce Maître Ogi et je n'ai pu savoir qui se cachait sous cette identité. Toutefois, dissimulé sous les traits d'un vieillard de Santerre, j'ai veillé sur toi lorsque...

Maître Alios ne put terminer sa phrase. Se reculant encore d'un pas comme pour se réfugier derrière Ardahel, Eldwen laissa sa colère éclater.

– Il se cachait sous une autre apparence, ainsi que tu le faisais toi aussi. Tous ceux qui dirigent le combat contre Vorgrar se dissimulent sans cesse et ne laissent échapper que quelques ordres à la fois, arrachant une promesse à un moment, donnant quelques réponses à un autre. Depuis notre naissance, Ardahel et moi ne sommes que vos jouets, toujours à se raisonner, à se convaincre que vous agissez avec sagesse. Bien sûr, vous nous laissez l'impression d'accepter notre mission en toute liberté, mais nous n'avons pas le choix. Jamais ! Pourquoi ne pas nous dire carrément : voilà la raison pour laquelle vous avez été engendrés et ce que vous devez faire ? Voilà votre raison d'exister. J'ai joué le jeu durant de longues années, j'ai poussé Ardahel à agir comme vous le vouliez, je lui ai fait découvrir les forces à sa disposition pour mener à bien sa mission. Toujours je me suis tue, j'ai accepté toutes vos conditions sans rien demander en retour.

Eldwen retrouva son calme. Elle s'avança, bien droite devant Maître Alios. Sa voix demeurait ferme, presque arrogante.

– Je sais qu'il ne servirait à rien de me révolter, que je vais aller jusqu'au bout de ma mission, que je vais continuer d'accepter vos conditions. Tu le sais toi aussi, mais tu ignores la colère que je dois refouler à chaque instant. Apprends combien il est pénible de se sentir manipulé, d'être constamment en attente de votre bon vouloir.

Le membre de la Race Ancestrale baissa le regard. Il prit une profonde respiration avant de répondre d'une voix qui trahissait sa déception devant la réaction de sa fille.

– Il était écrit qu'il y aurait bien des déchirements à cause de Vorgrar, que se creuserait un fossé entre enfants et parents, entre frères et sœurs, que la colère et la rancune terniraient les amitiés. Nous-mêmes qui menons le combat en sommes affectés. Tu as raison, Eldwen ma fille, notre trop grande prudence fait même le jeu de l'Esprit Mauvais puisqu'elle fait naître la colère entre nous...

– La mienne est terminée pour l'instant, répondit Eldwen en se dirigeant vers Maître Alios.

Alors qu'au premier instant tous crurent que la jeune femme désirait s'approcher du membre de la Race Ancestrale, l'aveugle continua à marcher droit devant elle. Elle obligea ainsi son parent à s'écarter pour la laisser passer. De toute évidence, c'était à lui à la suivre s'il désirait continuer à lui parler. C'était à Maître Alios de répondre au bon vouloir de sa fille.

Ardahel la regarda s'éloigner dans le jardin et un grand sourire vint éclairer son visage. Le Prince regarda tour à tour Alios et l'Ancêtre. De les voir si décontenancés ajouta à son hilarité.

– Comment Eldwen peut-elle oser s'adresser ainsi au plus grand d'entre nous ? bredouilla l'Ancêtre.

– Assez, s'emporta aussi Ardahel. Pour qui vous prenez-vous ? Est-ce là le peu de confiance que vous avez en nous ? Eldwen a raison de s'indigner de toutes vos cachotteries. Pourquoi Eldwen n'aurait-elle pas pu s'adresser ainsi à un membre de la Race Ancestrale ? Elle impose sa volonté ? Tant mieux ! Cela n'est que de bon augure lorsque viendra le temps de s'opposer à Vorgrar. Croyez-vous sincèrement qu'il n'attend pas l'intervention des plus puissants de ceux qu'il combat ? Que vos manœuvres demeurent hors de sa connaissance, voilà qui est de mise en tout affrontement. Mais que ceux qui doivent batailler et sur qui repose la victoire soient tenus dans l'ignorance alors que vous vous plaisez à tirer les ficelles par en arrière, voilà qui est faire preuve de peu d'estime envers Eldwen et moi. J'ai fort bien compris que l'on me demande de frapper avec le Glaive Nouveau tandis qu'Eldwen utilise la puissance de son esprit pour me désigner où abattre mon arme. Elle sera la tête et je serai le bras. D'accord, j'en ai pris l'engagement et je ne me dédirai pas. Mais de grâce, cessez de nous considérer comme des pions que l'on déplace ou... qu'on sacrifie froidement en gestes calculés. Ce combat est le vôtre, bien sûr, mais il est aussi, et peut-être même plus, le nôtre. J'ose croire que vous avez plus de considération pour nous que pour ces chiens que l'on envoie sur la proie et que l'on caresse négligemment lorsque la chasse est terminée.

Une pensée traversa l'esprit d'Ardahel. Il se rappela l'attitude du Roi Loruel et ses propos devant l'Assemblée de Gueld. D'une voix neutre, porteuse d'une franche interrogation, Ardahel s'adressa à Maître Alios et à l'Ancêtre en les dévisageant chacun à leur tour.

– Dans votre esprit, combattons-nous *pour* vous ou *avec* vous ?

Cette question fit naître un grand sourire sur le visage de Maître Alios.

– En vérité, répondit le membre de la Race Ancestrale, c'est *nous* qui devons combattre *pour vous* et *avec vous*. Va chercher tes compagnons de Santerre et de Gueld. La suite de cette conversation se fera en leur présence.

Très loin du Nalahir, dans la Mer Intérieure au large d'Akar, une flotte impressionnante de navires finissait de se regrouper. Kurak avait agi rapidement, se faisant accorder tous les pouvoirs par l'Assemblée des Élus et par celle des Sages de son pays. Pour se faire reconnaître le titre de Chef de guerre, Kurak avait joué habilement sur plusieurs tableaux. Tout en couvrant de cadeaux et de faveurs les membres les plus influents des Élus, il avait évoqué la menace que représentaient les alliances des Pays du Lentremers sur les routes de commerce des Akares. Il avait réussi à convaincre l'Assemblée des Élus qu'Akar risquait de perdre sa sécurité d'approvisionnement si le pays ne prenait pas l'initiative de contrôler les ports majeurs du Monde d'Ici. En même temps, il faisait miroiter à quel point les Akares profiteraient de leur domination sur les différents pays avec qui ils commerçaient.

L'Assemblée des Sages était moins sensible aux arguments mercantiles de Kurak. Celui-ci gagna son approbation en évoquant leur responsabilité envers les peuples que les Akares fréquentaient. En effet, il présentait Akar comme le modèle à faire connaître dans toutes les Terres habitées. Selon lui, l'Assemblée des Sages était investie d'une grande mission et il lui revenait de transmettre les grandes valeurs qui assuraient la prospérité des Akares.

Le savant mélange de craintes, d'espoirs et de responsabilités que Kurak avait présenté lui avait permis de rallier la majorité des Akares. Quant à ceux qui considéraient comme inutilement périlleuse l'entreprise du nouveau Chef de guerre, leurs voix furent rapidement étouffées par la peur. Des accusations de lâcheté et de trahison envers Akar discréditaient les opposants à Kurak, tandis que les plus dangereux subirent des *accidents* qui les écartèrent de la place publique. Comme il fallait agir vite avant que les glaces des Eaux Blanches n'empêchent de quitter la Mer Intérieure, Kurak fit décréter l'état de guerre en Akar. Cela lui permit de réquisitionner sans délai tous les navires et tous les gens aptes au combat. Fidèle à sa stratégie esquissée au domaine de Vorgrar, il laissa Akar sous la protection de six mille guerriers qui reçurent l'ordre d'éliminer progressivement tous les esclaves qui pourraient tenter de profiter du départ des meilleurs combattants Akares.

Les guerriers d'Akar et ceux formés par Vorgrar furent répartis en trois armées de quarante mille combattants. Dans chacune, les Akares comptaient pour la moitié ou plus des troupes. Elles reçurent des noms et des couleurs permettant de les différencier, Kurak se retrouvant ainsi à la tête des Aigles aux drapeaux rouge et noir, des Lions aux étendards vert et jaune, ainsi que des Squales aux bannières bleue et or. Chaque armée comptait sur une centaine d'imposants navires pour transporter les guerriers et les machines de guerre conçues dans le domaine de Vorgrar. Avant de monter à bord, tous avaient reçu l'ordre d'emporter avec eux leur propre nourriture en quantité suffisante pour deux semaines.

C'était le temps que Kurak s'était donné pour traverser les Eaux Blanches, puis la Mer des Brumes. Pendant ce temps, des navires plus rapides étaient partis devant pour organiser le ravitaillement.

Accoudé à l'une des fenêtres de la luxueuse cabine qui lui servait aussi de salle de travail, Kurak regardait avec satisfaction le spectacle impressionnant des navires de sa flotte. Belgaice s'approcha, le regard non seulement admiratif, mais aussi amoureux.

– Tu es vraiment exceptionnel, murmura la Cahanne à l'oreille de Kurak. En si peu de temps, tu as accompli plus que tout autre Souverain, Roi ou Chef de guerre du Monde d'Ici n'aurait su le faire. Tu es vraiment l'Appelé qui régnera sur tous les Peuples...

– Cela te plaît d'y participer, n'est-ce pas ? demanda l'Akares avec un sourire complice.

– D'y participer très étroitement, très... intimement plutôt, répondit Belgaice en tournant doucement autour de Kurak, l'effleurant de ses lèvres avides.

Chapitre sixième
Routes et tourments

Sur la terrasse du Grantares, Tocsand et MeilThimas partageaient avec Loruel et Lowen ce qu'ils savaient de la Race Ancestrale. Inévitablement, la discussion porta sur les événements en cours. Aussitôt, l'Autegentienne se leva et annonça qu'elle se retirait à la Maison des Hôtes.

– J'imagine que vous allez discuter longuement d'affrontements à venir. Je vais donc aller composer quelques chants. À bientôt, mon amour.

Elle déposa un tendre baiser sur le front de son époux, lui adressa un sourire mélancolique et elle s'éloigna rapidement. Comme Loruel s'étonnait de l'attitude de MeilThimas, Tocsand haussa les épaules en signe d'impuissance.

– Elle agit de la sorte chaque fois qu'il est question de la lutte que nous menons. Elle semble tellement effrayée à l'idée d'apprendre quoi que ce soit à ce sujet. J'attendais d'ailleurs qu'elle nous quitte pour vous présenter la situation telle que nous la comprenons. En effet, ce qui se trame autour du Pays de Santerre risque d'avoir des répercussions jusque sur les Pays du Levant.

Tocsand confirma au couple Royal de Gueld que la guerre d'autrefois dépassait une simple lutte entre deux peuples désirant le même territoire. Vorgrar le Mauvais préparait un combat ultime pour asservir tout le Monde d'Ici. De puissants personnages comme le Sage Delbon assistaient ceux qui devaient l'affronter. Ils travaillaient ensemble à scruter les livres secrets du Destin, en particulier le *Livre des Paroles Oubliées*. En même temps, il tenait le Pays de Santerre prêt à s'armer rapidement tout en laissant paraître une totale insouciance aux yeux des espions de Vorgrar. Le Roi Tocsand relata les nombreuses rencontres en Nalahir avec le Sage Delbon, l'Ancêtre, Ardahel et Eldwen, ainsi que l'attente de la venue d'un personnage important qui apporterait les réponses tant souhaitées.

Loruel fit la grimace.

– Il faudra encore une fois s'armer pour la guerre et unir toutes les forces du Monde d'Ici pour faire face à Vorgrar. Même en Pays de Gueld, la paix est bel et bien terminée ?

– J'en ai bien peur, confirma le Roi de Santerre. Nous voilà à l'approche d'un combat que nous devons mener selon notre vision du Monde d'Ici.

– Selon *notre* vision, et même à l'encontre de celle de la Race Ancestrale s'il le faut ! lança Ardahel, les faisant sursauter.

Il était arrivé sur la terrasse juste à temps pour entendre les dernières paroles de Tocsand. Sans leur laisser le loisir de l'interroger, Ardahel enjoignit ses compagnons à prendre leurs montures et à le suivre sans tarder. À leur arrivée dans les jardins de l'Ancêtre, ils trouvèrent Eldwen seule, perdue dans ses pensées, assise à la table de marbre blanc. Ils prirent place près d'elle sans trop oser parler.

Leur attente fut de courte durée ; bientôt, Maître Alios s'avança pour s'asseoir à la table, prenant bien soin que chacun puisse distinguer ses traits de membre de la Race Ancestrale.

– Je ne vois pas MeilThimas, compagne du Roi du Pays de Santerre. Pourtant, elle était conviée à se joindre à nous.

La remarque s'adressait à Tocsand, Maître Alios posant une question dont il connaissait pourtant la réponse, cela afin de mettre la situation au clair.

– Elle ne désire pas connaître notre combat. Cela semble l'effrayer, répondit Tocsand, quelque peu mal à l'aise devant le nouveau venu.

– Les Autegens ne cèdent pas facilement à la peur, Roi Tocsand. Ton épouse a des raisons profondes pour agir ainsi. Elle seule les connaît et personne ne peut t'aider à percer ses secrets. Cependant, je suis heureux de rencontrer enfin Tocsand-Ofras, preux combattant, ainsi que Loruel et Lowen du Pays de Gueld. Je connais votre valeur, qui est grande.

– Et toi, qui es-tu ? demanda Lowen que la venue de ce mystérieux personnage ne semblait guère impressionner.

– Je me nomme Hunil Ahos Nuhel ou, si vous préférez, tout simplement Alios. Je suis membre de la Race Ancestrale, Maître parmi les miens et serviteur d'Almé, Fils du Dieu Vivant. J'ai porté Ardahel au bac de Noak et Irguin afin qu'il grandisse en Pays de Santerre, lui qui est le fils d'un de mes frœurs que vous avez connu sous le nom d'Alahid, le premier Roi du Pays de Santerre. J'ai engendré Eldwen mon aimée afin qu'elle s'unisse au fils d'Alahid et qu'ensemble, ils conduisent la lutte contre les forces de Vorgrar. Je suis maintenant à votre service pour vous aider. J'attendais depuis longtemps ce moment où seraient réunis de nouveau les trois Cavaliers de Lumière, le Roi Tocsand et le Roi Loruel se tenant de part et d'autre du Santerrian. Je viens aussi confirmer de quelle manière collaborera la Race Ancestrale, ce qui vous concerne tous.

Maître Alios remarqua comment Eldwen serrait la main d'Ardahel. Il vit aussi la stupeur chez Tocsand et Loruel, ainsi que l'inquiétude chez Lowen. Désormais, il ne pouvait plus reculer ; il devait assumer ses décisions, suivre jusqu'au bout l'attitude défendue devant Delbon. Il contempla le petit groupe en s'interrogeant.

« Trois combattants, une aveugle ainsi qu'une Reine s'étant juré de ne plus lever l'épée. Qu'est-ce que cela devant la puissance de Vorgrar ? Une barque dans la tempête. Un brin d'herbe sous l'orage. Oui, ce choix était bon, car lorsque la tourmente se déchaîne, on prend la mesure de sa force par les arbres les plus imposants et les plus solides qu'elle a jetés au sol. Pourtant, un peu de soleil fait se redresser l'humble brin d'herbe. Jein Dhar Thaar était trop puissant pour demeurer ignoré de Vorgrar, mais pas assez pour lui résister. »

Ardahel finit par briser le silence, tirant Maître Alios de ses pensées.

– Ainsi, le moment d'agir est venu ?

– Le secret prend fin et nous allons enfin passer à l'attaque, supposa Tocsand.

– Certes, répondit Maître Alios. Pourtant, cela sera autrement que le prévoyait Delbon qui te conseillait et te guidait depuis le début de ton règne.

– Dans ce cas, nous devons l'informer et l'inviter à se joindre à nous! s'exclama Tocsand.

Maître Alios soupira, puis il fixa Tocsand avec un regard sombre.

– Celui que vous nommiez Delbon et qui était mon frœur Jein Dhar Thaar a terminé son rôle en Monde d'Ici. Il a enfin accédé au Repos Éternel. Qu'il repose en paix.

– Et qu'il partage le Festin d'Elhuï, répondit chacun selon le rite.

Tocsand était visiblement ébranlé par cette annonce. Il murmura à son tour les paroles rituelles, puis il baissa tristement la tête. Il considérait le Sage Delbon comme étant beaucoup plus qu'un guide. Sa grande influence au sein du Conseil des Sages valait souvent à Tocsand d'être écouté sans être remis en question. Surtout, Delbon était devenu un ami très proche, le seul en Pays de Santerre auquel Tocsand pouvait se confier sans détour et sans crainte sur tous les sujets. Le seul avec qui partager ses tourments.

– Ne sois pas accablé, Roi Tocsand, fit Maître Alios d'un ton neutre. Delbon a tout donné pour vous et il goûte enfin le repos qu'il recherchait depuis si longtemps. Conserve le souvenir de son enseignement, mais ne le regrette pas.

Puis il se leva pour parler avec autorité, comme jamais Delbon n'aurait pu le faire. Il raconta la création du Monde d'Ici, le rôle des siens et la faute d'Orvak Shen Komi. Il affirma ensuite que le temps était venu pour les Races Anciennes de céder la place au Moyen Peuple.

– Ce monde est le vôtre, conclut Maître Alios. Ce combat est le vôtre. Mes frœurs et moi n'avons été que trop longtemps présents auprès de vous à imposer notre Pensée.

La Reine Lowen se dressa d'un bond pour faire face au membre de la Race Ancestrale. Elle le toisa ainsi qu'elle en avait l'habitude lorsqu'elle interrogeait ceux chez qui elle devait discerner la vérité.

– Nous apprenons brusquement beaucoup de choses, du moins en est-il ainsi pour Loruel et moi. Nous venons de passer vingt années de paix à unir d'anciens ennemis et, soudain, tu nous remets sur les épaules une tâche qui est certes importante, mais fort lourde de conséquences. Jamais je n'ai entendu Eldwen, Ardahel, Tocsand ou mon époux se questionner sur la justesse de leur lutte. Ils ont toujours été convaincus que Vorgrar devait être vaincu. Ils n'ont jamais remis en question la justesse de la cause que défendait Delbon. Cependant, ce conflit est né entre vous, dans le secret de votre tâche, et voilà qu'il nous emporte tous vers la guerre et ses atrocités. Comment savoir si ta cause mérite vraiment les sacrifices que tu demandes, Alios ?

Un large sourire éclaira la figure du membre de la Race Ancestrale tandis qu'il soutenait le regard de Lowen. Il paraissait soulagé.

– Je suis heureux que tu poses cette question, car Vorgrar ne manquera pas d'insinuer le doute en vous. Il est préférable d'y réfléchir maintenant plutôt qu'au plus fort de la bataille.

Alios tendit lentement les bras tout en tournant sur lui-même comme s'il désirait étreindre le Nalahir.

– Pour toute réponse, je vous dirai de regarder ce domaine qui vit encore selon le dessein du Créateur, de le parcourir en tous sens et d'y passer le temps nécessaire pour comprendre la Pensée qui l'anime. Puis comparez avec l'ordre que Vorgrar veut imposer. Le Monde d'Ici se trouve partagé entre deux Pensées et vous pouvez prendre la direction que vous souhaitez. Deux routes s'offrent encore à vous.

Maître Alios se figea brusquement. Son regard se durcit tandis qu'en lui se livrait un intense combat. Maître parmi les siens, il ne pouvait concevoir qu'une seule réponse, qu'une seule adhésion possible en Monde d'Ici. Il était tenaillé par la tentation d'utiliser son immense puissance pour imposer son choix.

« Quel tourment de ne pas voir immédiatement chacun donner son total accord alors que je suis si convaincu de la vérité, pensa-t-il. Je comprends Jein Dhar Thaar d'avoir succombé au désir de diriger leur destin. Une telle certitude de bien les conseiller aurait pu le mener à les priver de toute liberté. »

Retrouvant son calme, Maître Alios laissa échapper un long soupir.

– Oui, vous êtes libres quant au parti à prendre. Toutefois, vous devrez l'assumer. Ceux qui ne seront pas avec nous seront contre nous...

Ardahel n'hésita pas un seul instant. Le jour où il avait accepté sa mission de Santerrian, il avait pris un engagement. Puis son séjour en Royaume d'Elhuï l'avait affermi. Il se leva pour parler avec fermeté.

– Maître Alios, tu peux être certain que je respecterai mon serment d'abattre l'Esprit Mauvais. Je suis avec toi.

– Je le suis moi aussi, déclara à son tour Eldwen en se tenant aux côtés d'Ardahel. Telle est ma raison d'être en ce monde et il y a longtemps que je l'ai acceptée.

– Il en est ainsi pour moi, ajouta Tocsand en se levant à son tour. Pour les mêmes raisons qu'Ardahel et Eldwen, bien sûr, mais aussi en souvenir de l'enseignement de Delbon.

Les regards se tournèrent vers Loruel et Lowen.

– Nous ne connaissions pas vraiment les enjeux de ce combat avant de venir en Nalahir, exposa Lowen. Loruel pressentait que cela influencerait les Pays du Levant et il avait raison. J'ai désiré connaître la situation et je vois maintenant que nous ne pouvons ignorer les événements qui se préparent. Puisque tu nous offres un choix, Maître Alios, et que tu n'as pas essayé de nous imposer la route à prendre, je suis convaincue de ta sincérité.

La Reine Lowen marqua une pause. Loruel vint la rejoindre et le couple de Gueld se joignit aux autres en se serrant l'un contre l'autre. Le souvenir douloureux de la guerre contre les Sorvaks revenait les hanter, oppressant et effrayant.

– J'aurais tant voulu croire que la paix était acquise pour le Pays de Gueld, poursuivit Lowen, mais refuser de s'engager maintenant ne ferait que repousser l'inévitable. Je suis donc avec vous.

– Lowen a parlé pour moi, continua Loruel. Je suis prêt à lutter aux côtés d'Ardahel ainsi qu'il le fit sans hésiter pour le Pays de Gueld. Je souhaite seulement que nous puissions éviter des affrontements qui mettraient en cause un grand nombre de gens. Si nous pouvions, à nous six, frapper à la tête de l'ennemi et permettre ainsi à nos peuples d'échapper aux horreurs de la guerre... Est-il concevable de forcer Vorgrar à se dévoiler ?

Maître Alios inspira profondément, encore en proie à des sentiments contradictoires. Il venait de provoquer tant de destins.

– Les forces de l'Esprit Mauvais ont commencé à bouger. Or, cela se passe depuis le Pays d'Akar. Je suis certain que c'est près de là que Vorgrar se terre et que je pourrai vous conduire devant lui.

– Tu sais où il se trouve ? s'exclama Eldwen.

– Pas exactement, mais lorsqu'il apprendra que son frœur Hunil Ahos Nuhel désire le rencontrer, Vorgrar ne pourra que se dévoiler. Alors, je le mettrai à votre merci.

– Mais comment feras-tu et... quel prix paieras-tu pour cela ? s'inquiéta Eldwen.

– Maintenant que je sais où chercher mon frœur, je vais le trouver, affirma calmement Alios. Alors, je serai vaincu. Aucun membre de notre Race ne peut espérer sortir victorieux d'une confrontation avec Vorgrar. Il est trop puissant et il sait comment utiliser à son profit les liens qui nous unissent. Je pourrai toutefois l'affaiblir et distraire son attention pour faciliter votre tâche.

Eldwen ne put contenir le sentiment de détresse qui monta en elle.

– Il doit y avoir une autre solution que ton sacrifice. Prenons le temps d'y réfléchir...

– Non, ma fille, répliqua Alios. Telle est la route que j'ai choisie de prendre et j'irai jusqu'au bout, quelles qu'en soient les conséquences. Si je vous sais derrière moi, j'aurai la certitude de ne rien accomplir d'inutile.

Un long silence succéda aux paroles de Maître Alios. Ardahel ressentait clairement toute la détresse de son épouse qui trouvait et perdait son parent presque en même temps.

Le reste de la journée se déroula en discussions où chacun fit part de ses connaissances et de ses interrogations. Maître Alios surprit Ardahel par sa franchise et la spontanéité de ses réponses. Contrairement à Delbon, il parlait sans détour, dévoilant sans hésiter des renseignements que son frœur aurait certainement gardé secrets. Par contre, l'Ancêtre brillait par son absence. Il ne s'était jamais montré très intéressé à la lutte contre Vorgrar, participant uniquement par politesse aux rencontres précédentes lorsqu'il se trouvait au Nalahir. Cette fois, il s'était trouvé un prétexte pour s'éloigner jusqu'au repas du soir, ce qui avait suscité un commentaire acerbe de la part d'Alios.

Finalement, le soleil se réfugia derrière l'horizon en l'éclaboussant de lueurs orangées. Ils avaient besoin de décanter ce qui avait été dit durant la journée ; Ardahel proposa que chacun se retire pour quelques heures de repos et de réflexion. Tandis que Loruel, Lowen et Tocsand retournaient au Blanc-Lares, Eldwen et Ardahel se dirigèrent vers le sommet de la montagne. Un sentier contournait d'imposants quartiers de roche et débouchait sur un promontoire surplombant les vallées environnantes. Au matin, c'était le premier endroit où venaient se poser les rayons du soleil. L'aveugle y venait souvent avec son compagnon qui lui décrivait alors le spectacle grandiose du Nalahir émergeant de l'obscurité. Après avoir réchauffé le promontoire, la lumière semblait couler le long des pentes jusqu'à pénétrer les plus humbles recoins du Domaine Caché en y faisant éclater la vie. De suaves odeurs montaient du sol, accompagnées des chants de plus en plus bruyants des oiseaux qui saluaient ce nouveau jour.

Cette nuit-là, un léger vent d'automne frôlait les roches nues du promontoire. Un malaise étrange rendait le Prince nerveux et pour la première fois en Nalahir, de sombres idées le troublaient tandis qu'Eldwen demeurait impassible, debout face au Levant.

– Je ne comprends pas comment tu peux rester si imperturbable, lança tout à coup Ardahel. Ne ressens-tu pas la tension de cette journée ?

– Ma vie d'aveugle en Pays de Santerre m'a appris à ne me laisser influencer par aucune considération étrangère, à dompter mes émotions et à garder un calme absolu quoi qu'il advienne, déclara Eldwen d'un ton moqueur. Tu as bien payé pour l'apprendre, surtout en Magolande et en Kalar Dhun...

– Je le sais, bien sûr, murmura le Prince en serrant sa compagne contre lui. Eldwen, mon amour, je n'ose imaginer ce qui pourrait m'arriver si jamais je te perdais. Tu m'as tout appris, ma route, ma mission, le sens de ma vie. Tu m'as enseigné l'amour, l'amitié, le bonheur... Sans toi, je ne suis qu'un bras portant un glaive trop lourd et ignorant où, comment et pourquoi frapper. Tu me fais voir ce que mes yeux ne faisaient qu'entrevoir.

– Nul ne donne sans recevoir à son tour, répondit Eldwen en souriant. Comment aurais-je pu donner s'il n'y avait eu personne pour recevoir ?

Les derniers reflets du crépuscule vinrent envelopper le couple d'une douce pénombre. Leurs silhouettes s'estompèrent lentement alors que les ombres recouvraient les vallées pour ensuite se lancer vers les cimes jusqu'à ce que la lune apparaisse, ronde et brillante, pour teinter le Nalahir de nuances bleutées. Ardahel regarda la nuit s'emparer de son domaine et un frisson lui parcourut le corps. Il serra Eldwen encore plus fort contre lui, comme s'il voulait se rassurer.

– Avec le départ de Delbon, nous avons perdu un grand ami ; j'ai le sentiment que Maître Alios en porte la responsabilité. Je crains que nous ne perdions encore bien d'autres camarades à cause de lui...

– Avec ou sans lui, répondit Eldwen, des heures difficiles s'annoncent qui causeront de nombreux déchirements. Nous devons lui faire confiance, car je ne devine en lui que justesse et droiture de l'esprit. J'aimerais que tu me laisses maintenant, tu veux bien ?

Ardahel aurait voulu rester avec sa compagne, mais elle avait besoin de solitude après toutes les émotions suscitées par l'arrivée d'Alios dans sa vie. Il lui passa tendrement la main dans la chevelure, laissant glisser ses doigts le long de son cou, puis il s'éloigna en silence. L'aveugle demeura éveillée toute la nuit à repenser aux événements de la journée, à l'image si puissante d'Hunil Ahos Nuhel qui la hantait, à la rencontre si attendue de son parent, à la certitude de le perdre bientôt dans le combat contre Vorgrar. Angoisses et déchirements la torturèrent jusqu'à ce que le soleil surgisse. Elle sentit ses rayons qui enveloppaient le promontoire et malgré la chaleur de la lumière matinale, la jeune femme frissonna.

Un bruit de pas la fit se retourner. Maître Alios s'approchait et il vint se tenir près de sa fille, goûtant lui aussi en silence le début de cette nouvelle journée.

– Ces quelques instants ensemble, toi et moi, furent beaucoup trop rares...

– Je n'en aurais refusé aucun, répondit Eldwen d'une voix où perçait le reproche.

– J'aurais aimé pouvoir en partager de semblables bien avant ce jour...

– En es-tu bien certain ? coupa froidement Eldwen. Tu te découvres enfin et, pourtant, au moment où tu me fais espérer de te trouver près de moi, voilà qu'en plus d'imposer encore ta volonté, tu ne me laisses d'autre certitude que de te perdre à jamais...

– Ne crois-tu pas que cela me déchire, moi aussi ?

– Je me le demande sincèrement. Et puis, je préfère ne pas me questionner là-dessus. Je t'ai espéré longtemps, ardemment. Maintenant, mon idée est faite. Tu ne seras jamais présent pour moi ! Je préfère te considérer définitivement comme absent. Ainsi, je ne souffrirai plus ; ta défaite devant Vorgrar ne fera pas de nouvelles blessures en moi. Laisse-moi seule, étranger !

Maître Alios ne répondit rien. Il jeta un dernier regard à l'aube qui s'installait, puis il quitta tristement le promontoire.

✧ ✧ ✧

Ce fut sous un chaud soleil d'automne que sept cavaliers quittèrent le Nalahir pour retourner en Pays de Santerre. Venant en premier, Maître Alios montait LongCrin, le cheval qui portait autrefois le Sage Delbon. Comme le font toujours les membres de la Race Ancestrale lorsqu'ils voyagent, Hunil Ahos Nuhel avait modifié son apparence pour adopter celle d'un sage vieillard encore vigoureux.

Chevauchant l'éclatant CrinBlanc, Ardahel portait ses habits verts de Santerrian ainsi que sa grande cape de même couleur. À son côté, Eldwen, toute de blanc vêtue, resplendissait sur Noiras au sombre pelage. Portant leurs tenues de voyage grises, Loruel et Lowen suivaient sur GrisPas au pelage argenté et Lanel à la robe baie. Enfin, portant des vêtements blancs et les épaules couvertes par des capes rouges, les couleurs du Roi de Santerre, venaient Tocsand qui montait Aurac la Dorée et MeilThimas portée par FierPas, blond moucheté de blanc.

Même s'ils ne pouvaient maintenir très longtemps leur vitesse de pointe fabuleuse, les chevaux de Nalahir permettaient à leurs cavaliers de voyager beaucoup plus rapidement qu'avec des montures ordinaires. De plus, Maître Alios avait obtenu des Oiseleurs la permission d'emprunter un raccourci dans leur Forêt. Ainsi, le trajet vers le Pays de Santerre ne dura que quelques jours et les cavaliers arrivèrent bientôt à la Mi-Jour de la Région des Récoltes.

Ils se divisèrent alors en deux groupes : Maître Alios, Eldwen et MeilThimas prirent immédiatement la direction du Temple du Roi et des Sages. Pour leur part, Ardahel, Tocsand, Loruel et Lowen se dirigèrent à la très réputée Auberge au Toit Houblonneux.

Des quatre voyageurs, seule Lowen passait en ces lieux pour la première fois. Elle regrettait de ne pouvoir s'attarder à découvrir tous les charmes des environs. Le temps des récoltes était terminé, les arbres avaient déverdi pour éclater en couleurs vives ; tout le pays respirait l'abondance, la paix et la douceur de vivre.

– Quel beau pays que celui de Santerre ! s'émerveilla-t-elle. Je te comprends, Loruel, de t'être profondément attaché à cette terre. Je crois que tu y passas un bien paisible exil.

– Un exil, voilà bien le terme exact. Je fus heureux ici, mais les terres de Gueld vivaient en moi et l'éloignement me pesait de plus en plus.

Fier de son pays et de ses gens, Tocsand prolongea la route en faisant des détours qui permettaient à la Reine de Gueld de mieux apprécier les opulentes terres de Santerre tandis qu'il en faisait l'éloge avec enthousiasme. Les voyageurs arrivèrent donc de fort belle humeur à destination, l'heure du repas du soir largement dépassée.

Comme à l'accoutumée, la grande salle s'animait des bavardages d'une foule de joyeux fêtards. L'entrée de Tocsand suscita un silence respectueux dont le Roi profita pour lancer un jovial appel à Bober.

– Holà, l'aubergiste ! Est-il possible de se restaurer et de dormir dans ton établissement ?

– Roi Tocsand ! s'exclama Bober. Mais bien certainement. Donne-toi la peine d'entrer et de prendre place, je suis à ton service.

Pendant que l'aubergiste se précipitait à sa rencontre, Tocsand s'adressa aux gens assis aux tables, immobiles et silencieux dans l'attente des paroles de leur Roi.

– Je vous salue, Gens de Santerre et voyageurs de passage en ces lieux. Plus grand que le Roi est le plus petit de ses sujets. Je suis donc votre serviteur pour assurer prospérité, sécurité et bonne entente parmi tous.

Les paroles rituelles étant prononcées, Ardahel, Loruel et Lowen pénétrèrent à leur tour dans l'auberge. Tocsand les présenta.

– Je voyage avec le Prince Ardahel et des amis fort précieux. Certains d'entre vous se rappelleront le nom de Loruel de Nulle-Part qui fut des nôtres durant son enfance.

Il nous visite avec son épouse Lowen et je vous demande de leur accorder le plus grand respect, car tous deux sont dignes des plus vifs éloges. Faites aussi savoir que je serai en cette auberge demain, du lever du soleil jusqu'à la mi-jour, pour entendre ceux qui désirent me faire demande ou enseignement. Le Prince Ardahel sera aussi à votre disposition pour entendre les litiges et prononcer son jugement. Pour le reste de cette journée, que vos rires nous accueillent et que règne la bonne humeur. Nous chevauchons depuis les premières heures de clarté ; nous aspirons pour le moment au repos et à la joie. Levez bien haut vos verres pour notre Pays, tout ce qui sera consommé ce soir sera à ma charge.

De joyeuses exclamations saluèrent ces paroles, mêlant les souhaits de bienvenue aux proclamations de loyauté envers le Roi. Le brouhaha s'intensifia, chargé de rires et du bruit des chopes de bière qui s'entrechoquaient. Bober en profita pour retrouver les visiteurs en privé.

– Roi Tocsand, Prince Ardahel, quelle joie de vous revoir.

– Salut à toi, s'exclama Ardahel en tapant à deux mains l'imposante bedaine de l'aubergiste. Si ton établissement prospère autant que toi, tu dois être fort riche à ce jour. À ma dernière visite, je croyais que tu ne saurais rajouter d'autres épaisseurs à ce ventre impressionnant qui grossit toujours...

Comme à chacune de ses visites, Ardahel s'empressait de taquiner son ami et celui-ci faisait mine d'en prendre ombrage. Cela se terminait toujours en rires et en accolades. Lorsque l'habituel petit jeu fut terminé, Bober se prosterna devant Loruel et Lowen.

– Vous êtes les bienvenus dans mon humble auberge, Noble Seigneur et Gente Dame. Votre présence m'honore et tout sera mis en œuvre pour vous laisser le plus agréable souvenir de votre halte...

– Ne fais pas tant de cérémonies, s'écria Loruel. Ne me considère pas comme un Roi en visite ; souviens-toi plutôt de Loruel de Nulle-Part, compagnon d'Ardahel, que tu as maintes fois traité comme un fils et un ami. Fais connaissance de Lowen, mon épouse aimée.

Bober se prosterna de nouveau devant le couple royal, quelque peu indécis sur l'attitude à adopter car si l'aubergiste se rappelait Loruel le jeune compagnon d'Ardahel, il voyait aussi toute la grandeur de son hôte. Finalement, mis à l'aise par l'attitude de Loruel, Bober retrouva son naturel et distribua de nouveau de sincères accolades. Une grande table fut dressée pour les voyageurs et durant les préparatifs, Loruel alla saluer des gens qu'il reconnaissait, des amis loin des yeux depuis vingt années. Les blagues se succédaient et Lowen entendit de nombreuses anecdotes concernant son royal époux, découvrant chez les plus âgés le souvenir d'un Loruel à l'allure négligée, mais d'une constante bonne humeur, calme et pacifique. On lui fit le portrait d'un camarade agréable à qui l'on pouvait se livrer en toute confiance et qui maniait l'humour avec adresse, tant pour s'amuser que pour dédramatiser les situations. Ardahel aussi distribuait de nombreuses poignées de main, taquinant les uns, s'informant des autres, tandis que Tocsand respectait la tradition voulant que le Roi, en de telles circonstances, écoute un maximum de Gens pour ainsi répondre avec justesse le lendemain à ceux qui souhaiteraient ses conseils.

Vint le moment de manger. Les clients de l'auberge respectaient les habituelles lois de l'hospitalité du Moyen Peuple, personne n'importunant Tocsand et ses amis durant le repas. Graduellement, le ton des conversations diminua ; un troubadour de passage commença à conter des légendes, à jouer de la musique et à chanter des airs joyeux. La soirée s'étira en une agréable fête et les Gens de Santerre, toujours friands d'histoires des pays étrangers, ne manquèrent pas de demander à Loruel et à Lowen de leur parler du Pays de Gueld.

Tocsand profita de cette occasion pour sortir de l'auberge en compagnie de Bober. Ils s'éloignèrent quelque peu dans la clarté de la lune, laissant leurs pas les guider à l'écart, sur une hauteur d'où ils pouvaient voir le Pont de Misoli, cette remarquable construction en forme de V dont une patte enjambait la rivière Alahid, et l'autre l'Alnar. Les deux cours d'eau coulaient paresseusement, mêlant les reflets de la lune aux lumières des constructions voisines, confondant leurs voix aux éclats provenant de la fête.

– Alors, ami Bober, qu'as-tu de nouveau à me communiquer ?

Le Roi et l'aubergiste avaient retrouvé leur sérieux. Bober semblait plutôt mal à l'aise.

– À la fois du bon et du mauvais, Tocsand mon Roi. Il y a quelques jours, j'ai fait prisonnier l'un de ces voyageurs qui viennent épier notre pays et y semer leurs fausses paroles...

– Es-tu bien certain que cela était intentionnel de sa part ?

– Oui. Je l'ai longuement interrogé et cela sautait aux yeux qu'il tentait de camoufler son identité. N'aie aucune crainte, je sais faire dire aux gens ce qu'ils ne veulent pas laisser échapper…

– Je le sais, Bober, tu me fais souvent dire plus de choses que je ne le voudrais ! Voilà en effet une bonne nouvelle et j'irai voir le prisonnier sans tarder. Tu as mentionné du moins bon à mon sujet. Qu'en est-il ?

– Celui-ci a laissé planer un doute fort grave sur toi, plus précisément concernant ton épouse, MeilThimas. Nul ne sait vraiment d'où elle vient ni à quelle Race elle appartient. Or, le voyageur affirmait bien connaître les Scasudens et trouver des ressemblances entre eux et ton épouse. Il ajouta ensuite avoir vu les Scasudens se préparer à la guerre et fit le souhait de se tromper quant à MeilThimas, car alors l'ennemi aurait une alliée auprès de notre Roi... Comme tu le vois, ces paroles peuvent alimenter force réflexions.

Tocsand se raidit sous l'insulte et ses poings devinrent durs comme la pierre. Comment les Gens de Santerre pouvaient-ils accorder le moindre crédit à de telles accusations ! S'ils doutaient de MeilThimas, c'est donc qu'ils doutaient de lui, Tocsand-Ofras, lui qui sacrifiait tout au Pays de Santerre.

– Tu sais, reprit gravement Bober en constatant la fureur contenue du Roi, nul ne réalise à quel point tu te tourmentes. Tu donnes constamment l'impression de régner avec indifférence, préoccupé de musique et de joutes bien plus que d'autres choses. Les Fretts qui t'ont vu à l'action, les Gens des Pays du Levant, eux, connaissent ta valeur réelle, mais en ton propre pays, peu de Gens savent qui tu es vraiment. Rien de ce qui se passe ne justifie aux yeux du Peuple ta nomination extraordinaire par le Roi Thadé. Tu dois comprendre les critiques qui te sont adressées et soit les oublier, soit prouver qu'elles sont injustifiées. Toutefois, permets-moi de te dire que les Gens de Santerre te jugent selon tes actions et non selon ce qu'ils ignorent. Nous te voyons ainsi que tu te montres à nous…

Tocsand soupesa un long moment les paroles de Bober. Son regard erra le long de la Rivière Alahid jusqu'à se perdre à l'horizon pour finalement se promener dans le ciel où les étoiles se montraient ensorceleuses.

« Tant de points brillants, pensa Tocsand, et l'on voit un ciel noir ; on se dit dans les ténèbres. »

Le silence du Roi rendait Bober inquiet et l'envie de se retirer se disputait en lui au goût de converser encore. L'aubergiste voulait savoir, lui aussi. Jamais il n'avait osé questionner directement Tocsand quant à son épouse.

– Est-il si délicat ou imprudent de parler de MeilThimas ? s'enquit finalement Bober.

– L'histoire de son peuple est écrite fort différemment de la nôtre et en dévoiler les secrets n'est pas dans l'ordre des choses en Monde d'Ici. Je suis lié par la parole donnée de ne rien révéler d'elle. Toutefois, sois certain que cela n'a rien à voir avec nos combats ou notre Destin. Notre amour est un lien qui n'aurait jamais dû exister entre sa Race et la nôtre, voilà tout. MeilThimas a quitté les siens pour vivre avec moi, tout comme j'aurais pu quitter le Pays de Santerre pour vivre parmi les siens. Dans un cas comme dans l'autre, cela ne pouvait que créer tourments et déchirements.

Tocsand fixa intensément l'aubergiste.

– Prends ma parole en cela, Bober, et tâche de l'utiliser avec sagesse. Je ne cache rien qui puisse créer de torts au Pays de Santerre…

– Je te crois, Roi Tocsand. Puisses-tu un jour te libérer des secrets qui t'accablent.

Le Roi laissa échapper un long soupir.

– Allons retrouver les autres et ferme ton auberge. Nous irons ensuite voir ton prisonnier.

Il fut fait ainsi que Tocsand l'avait décidé. Après quelques bavardages avec les clients, Tocsand offrit une dernière tournée générale à la prospérité du Pays de Santerre, laissant Bober annoncer qu'il fermait pour la nuit. Lorsque les derniers fêtards furent partis et que les voyageurs eurent gagné leurs chambres, Tocsand, Ardahel, Loruel et Lowen suivirent Bober jusqu'à une petite cabane isolée où Laulane, la sœur du Roi, gardait le prisonnier. Les retrouvailles entre Loruel et l'ancienne guerrière membre de la Compagnie Frett fut une joie de courte durée.

Le Roi de Santerre manifestait sans retenue son impatience à interroger l'inconnu. Ils le trouvèrent entravé et bâillonné, le regard perdu dans le vague.

– Il demeure ainsi depuis qu'il se sait prisonnier, déclara Laulane. J'ai bien essayé de le faire parler, mais il reste prostré, sans réaction. Je dois même le faire manger de force !

Lowen lui trouva un air extrêmement pitoyable et elle ne put s'empêcher d'utiliser ses dons de guérisseuse pour soulager l'infortuné étranger. C'était un homme de bonne carrure, à l'épaisse chevelure rousse, dont le visage aux traits massifs accusait fortement les privations des derniers jours. Il portait des habits simples de voyageur, un pantalon et une chemise ample, des bottes confortables et une cape à capuchon tissée serré pour se protéger de la pluie. Son maigre bagage, que Bober avait confié à Laulane, ne contenait que des effets très banals, rien qui puisse permettre d'en apprendre sur le compte de l'inconnu.

Ardahel échangea un regard avec Tocsand, puis le Prince tira une étrange fiole de son aumônière, la Fiole Franche.

– À toi de le questionner, dit Ardahel. Ceci le forcera à te répondre en toute vérité.

– Qui es-tu, étranger ?

– Je me nomme Jontel, de la Race Tincre vivant en la Riche Terre.

– Que fais-tu en Pays de Santerre ?

– Ma mission consiste à surveiller vos faits et gestes et à en faire rapport à mon maître. Je dois aussi inquiéter les Gens de Santerre en écoutant leurs conversations afin de trouver ce qui les préoccupe et alors suggérer des réponses semant le doute en leurs esprits.

– À qui confies-tu tes rapports ?

– Je ne puis le dévoiler, cela m'est interdit.

– À qui ? réponds-moi ! aboya Tocsand, prenant l'étranger à la gorge. Réponds, et vite, si tu ne veux pas sentir la lame de mon glaive !

– Je ne puis répondre. Prends ma vie si tu le désires, je ne dirai plus rien.

Tocsand devenait de plus en plus furieux. Son poing partit avec force, écrasant le nez de l'étranger qui roula au sol en gémissant de douleur. Ardahel et Loruel durent unir leurs forces pour retenir leur compagnon.

– Calme-toi, Tocsand. Il ne sert à rien d'agir ainsi !

Tocsand sembla se maîtriser et il se pencha de nouveau sur le prisonnier.

– Quelle est la nature de tes rapports ? Que dis-tu à ton maître à propos de Santerre ?

– Je rapporte ce que je vois. Les Gens de Santerre semblent insouciants, mais cela n'est qu'une façade. Si les armées ne se préparent pas directement pour la guerre, tous les gens manient régulièrement les armes et ils seraient prêts très rapidement à se rendre au combat. Le doute plane sur le Roi et ses ordres pourraient être remis en question assez facilement. Notre travail commence à porter des fruits.

– Qui sont les autres qui font le même travail ? Comment recevez-vous vos ordres ?

– Je n'en sais rien. Nous avons peu de contacts entre nous. Nous sommes contactés dans les environs du Temple du Roi et des Sages par l'un des vôtres qui est au service de notre Maître. Il dirige nos actions.

– Qui est-il ?

– Je ne sais pas. Il est venu à moi dans l'obscurité et le visage couvert. Je ne connais que le son de sa voix.

– Votre Maître, qui est-il ? Tu vas répondre ! Immédiatement !

Le regard de Tocsand était si terrible que Jontel fut saisi de frayeur. Le Roi tira son glaive et coupa le pantalon du prisonnier qui sentit le froid de la lame entre ses jambes.

– Tu ne crains pas la mort, alors sois certain de vivre... d'une vie misérable, ton corps mutilé à jamais...

La lame de Tocsand commença à pénétrer les chairs du prisonnier entre ses jambes, du sang coula sur ses cuisses. La cruauté de la scène fit frémir les compagnons de Tocsand. Ardahel voulut intervenir, mais il fut repoussé violemment.

– Laisse-moi agir, c'est ton Roi qui l'ordonne.

Tocsand s'adressa à nouveau au prisonnier qui tremblait de peur.

– Qui est ton maître ? Parle vite avant qu'il ne soit trop tard.

– Vorgrar le Magnifique ! hoqueta Jontel terrifié. Vorgrar est notre Maître tout-puissant. Pitié, tue-moi, mais ne fais pas cela !

– Où est-il ? Où se cache Vorgrar ?

– Je l'ignore, il règne partout, ses ordres nous viennent d'un pays lointain...

Jontel hurlait ses réponses. Il s'agitait tellement que Tocsand recula, décontenancé par la violence de la réaction du prisonnier. Son corps était secoué de spasmes douloureux et une écume blanche lui monta à la bouche, rendant ses dernières paroles presque incompréhensibles. Soudain, Jontel se raidit et il hurla une dernière fois le nom de Vorgrar. Son cadavre retomba lourdement sur le sol. Un lourd silence suivit alors.

Le roi de Santerre évita le regard de ses compagnons. D'un pas rageur, il quitta la cabane pour s'enfoncer seul dans la nuit.

Chapitre septième
Le Roi perdu

Le Temple du Roi et des Sages semblait totalement plongé dans le sommeil. De rares lumières brillaient aux porches des différents bâtiments, créant quelques îlots de clarté dans l'obscurité de la nuit. À la résidence des Sages, les appartements du plus haut étage disposaient chacun d'une terrasse extérieure conçue de manière à offrir tout autant une large ouverture sur l'extérieur qu'une totale intimité. Les Sages pouvaient donc s'y recueillir à l'air libre sans risque de se faire déranger dans leurs prières.

Sur la terrasse orientée vers la Mi-Nuit, une petite lampe rouge éclairait un Sage prosterné dans une attitude de soumission totale. Des incantations s'échappaient de ses lèvres dans un murmure teinté de frayeur.

– Ô Maître Suprême, Grandeur Absolue, Roi magnifique du Monde d'Ici, entends la prière respectueuse de ton fidèle serviteur. Il y a si longtemps que ton Esprit Sublime ne s'est pas manifesté à moi pour diriger mes actions et guider mes pas. Ce soir encore, j'attends tes ordres, Ô Majesté. Écoute ma requête, je t'en prie avec ferveur.

Le Sage répétait comme une litanie ces paroles suppliantes, espérant et redoutant à la fois une réponse de celui qu'il invoquait, son nouveau maître Vorgrar. Soudain, il sentit une présence près de lui. Plus précisément, en lui, dans son esprit. Il s'écrasa encore plus sur le sol, fermant les yeux plus fortement, serrant les poings, le corps crispé par la peur. L'Esprit Mauvais reprenait enfin contact avec lui.

– Je suis tout à toi, murmura le Sage de Santerre. Ordonne et j'obéirai.

Vorgrar se manifestait d'une étrange manière. Son esprit pouvait voyager par tout le Monde d'Ici et s'insinuer dans celui de tout être vivant. Il entretenait rarement un dialogue, préférant imposer ses idées par les visions qu'il faisait surgir dans les esprits et, surtout, dans les cœurs. Les gens se voyaient alors réaliser leurs plus chers désirs, ceux-ci étant alors inspirés par Vorgrar. Toutefois, les Sages du Pays de Santerre faisaient partie de ceux dont la force mentale exceptionnelle permettait de tenir un véritable dialogue.

– Je te sais fidèle serviteur. Ton attente achève et grande sera ta récompense.

La réponse de Vorgrar n'était compréhensible que par le Sage car elle surgissait en son cœur, présence silencieuse mais pourtant si vive.

– Est-ce pour aujourd'hui ? Allons-nous enfin imposer ton Merveilleux Empire en Monde d'Ici ?

– Le moment et la manière ne relèvent que de moi. Sache cependant que mes armées sont en marche. D'ici à ce qu'elles encerclent le Pays de Santerre, tu dois œuvrer à discréditer totalement le Roi Tocsand.

– Dois-je aussi m'attaquer au Conseil des Sages ?

– Il est encore trop tôt. Tu risquerais d'être découvert si tu le faisais maintenant. Attends, et tu auras l'autorité sur tous les Sages, non seulement de Santerre, mais aussi des autres Pays du Couchant.

Le Sage demeurait crispé au sol, non plus par la peur, mais par un sentiment intense de vengeance à portée de main. Tous ceux du Conseil qui négligeaient ses avis devraient bientôt ramper devant lui et se plier à ses volontés.

L'étrange conversation se poursuivit encore, Vorgrar indiquant comment choisir et manœuvrer à leur avantage, non seulement les étrangers avides de richesses vite acquises, mais aussi ceux qui avaient quelque ressentiment que ce soit envers le Roi Tocsand, qu'ils soient Prétendants ou même Princes du Pays de Santerre.

Lorsque Tocsand avait quitté la cabane, sa sœur Laulane avait fait signe aux autres de demeurer sur place. Puis, elle s'était lancée à sa recherche. Elle le rejoignit rapidement. Il était dans une petite éclaircie sur le bord d'un escarpement qui avait freiné sa fuite dans la nuit. Laulane s'approcha doucement et posa la main sur l'épaule de son frère. Il se tourna pour se serrer contre elle dans un geste plein de désespoir. Il donnait l'impression de vouloir se blottir entre ses bras, comme en quête d'un refuge de confiance.

Au bout d'un moment, Laulane écarta un peu Tocsand, posant tendrement ses mains de part et d'autre de son visage pour le forcer à la regarder dans les yeux.

– Tu es tellement inquiet, Tocsand. Inquiet et fatigué.

– Oui, Laulane. S'il était possible que je me retire loin de tout avec MeilThimas… Si je pouvais retourner dans le temps et modifier les événements pour n'être jamais devenu Roi de Santerre. Pourquoi m'est-il interdit de goûter le bonheur, tout simplement ? J'envie le chasseur qui parcourt la Région des Neiges sans avoir à sentir la méfiance des Gens, sans jamais rien d'autre à dissimuler que ses traces lorsqu'il pose des pièges. Mon rôle me pèse lourdement, Laulane, trop lourdement.

– Mon pauvre frère, chuchota Laulane en le serrant contre elle. Comme tu peux te faire mal à toi-même. Tu es Tocsand-Ofras, Roi de Santerre, aimé de ceux qui te connaissent et respecté de ton Peuple. Tu peux accomplir de grandes choses encore, tu peux diriger ton Destin et te voilà à envier celui que tu n'es pas, que tu ne seras jamais. Cesse de gémir et redresse-toi de toute ta grandeur !

– Demain m'effraie et je suis si las de toutes ces cachettes et de ces ruses…

– Allons, ne te mens pas ! Toi, chasseur Frett à nouveau ? Tu poursuivrais le gibier durant un hiver, puis tu sentirais le vide en toi car tel n'est pas ton devoir et ta route. Alors, ressaisis-toi !

Devant l'attitude si ferme de sa sœur, Tocsand laissa échapper un long soupir. Puis, brusquement, sa voix et son regard se chargèrent d'un feu inquiétant.

– Tu te trompes ! Il n'y aura aucun vide, ni pour moi ni pour le Pays de Santerre, à ce que je mette fin à ma ridicule royauté.

Sur ces paroles brûlantes de colère, le Roi Tocsand écarta sa sœur pour retourner à toute allure à la cabane. Cependant, plutôt que d'y pénétrer, il fonça vers les chevaux. D'un bond rapide, il fut en selle sur Aurac la Dorée, sa monture du Nalahir, qu'il lança sans hésiter au galop, ne laissant derrière lui qu'une traînée dorée dans l'obscurité.

Alertés par le bruit, Ardahel, Loruel et Lowen se précipitèrent dehors.

– Vite ! leur cria Laulane. Vous devez le rattraper ! Je crains qu'il ne chevauche vers sa perte…

Ardahel sauta sans attendre sur CrinBlanc, tandis que Loruel empêchait Lowen de les suivre.

– Reste avec Laulane, mon amour. C'est à ses anciens compagnons qu'il revient de retrouver Tocsand et de le raisonner. Tous trois, nous étions les Cavaliers de Lumière. Nous devons le redevenir !

– Je comprends. Va et faites-lui bien attention. Son cœur est si triste et son âme est blessée…

À son tour, Loruel monta sur son cheval du Nalahir. Le Santerrian et le Roi de Gueld échangèrent un regard chargé de leur inquiétude actuelle pour le Roi de Santerre, mais aussi de la même détermination qui les animait vingt années plus tôt en Pays du Levant.

– CrinBlanc ! GrisPas ! Retrouvez Aurac et son cavalier Tocsand.

De nouveau, Ardahel et Loruel connurent cette impression fabuleuse des chevaux du Nalahir lancés à pleine vitesse. Alors que leurs montures semblaient s'immobiliser, le paysage se précipitait vers eux à une vitesse folle. Dans la nuit, les formes surgissaient comme des ombres et s'évanouissaient aussitôt, masses indistinctes parmi lesquelles les deux bêtes fabuleuses se frayaient un chemin avec assurance.

La folle poursuite dura un long moment, épuisante pour les chevaux qui donnaient leur pleine vitesse. Finalement, ils durent réduire le rythme avant d'avoir retrouvé le fuyard. Ardahel les dirigea vers un sommet proche où ils s'arrêtèrent pour les laisser souffler un peu. L'horizon s'éclaircissait sur leur droite, vers le Levant. Devant, c'était la Mi-Nuit encore dans les ténèbres, la direction de la Région des Neiges, la terre à laquelle Tocsand appartenait si intensément.

– Crois-tu Tocsand si désespéré ? demanda Loruel.

– Il a tellement de déceptions retenues, de souffrances cachées… Toutes ces années à se montrer si fort devant tous l'ont rendu fragile.

– Alors, il faut le retrouver rapidement.

Il y avait de l'anxiété dans la voix des deux amis. Ils encouragèrent leurs montures, leur demandant de fournir un nouvel effort pour retrouver leur compagnon. CrinBlanc et GrisPas hennirent fortement, humèrent le vent et repartirent à pleine allure. Cette fois, la course se révéla fructueuse.

Aurac la Dorée s'était arrêtée en bordure d'un lac. Tocsand, conscient de la fatigue de sa monture, lui accordait volontiers ce repos. Par contre, le Roi de Santerre demeurait tendu. Il marchait nerveusement sur la berge, ruminant ses idées sombres. Lorsqu'il vit arriver Ardahel et Loruel, il ne leur laissa pas le temps de mettre pied à terre que déjà il leur criait de s'éloigner.

– Allez-vous-en ! Vous n'avez rien à faire ici.

– Allons Tocsand, répliqua doucement Ardahel, laisse-nous te parler.

– J'ai dit de partir d'ici, rugit le Frett. C'est un ordre de votre Roi !

Loruel sauta à terre pour marcher vers Tocsand.

– Je n'ai pas d'ordre à recevoir de toi, Roi de Santerre. Je ne suis pas un de tes sujets, mais bien le Roi de Gueld.

– Eh bien, retourne donc dans tes Terres du Levant !

Loruel ne broncha pas. Les poings sur les hanches, il répondit à Tocsand sur le même ton hargneux.

– Je suis aussi chez moi ici. Un toit m'appartient en propre en Santerre, au bac de Noak et Irguin ! Alors, tu n'as aucun ordre à me donner en Santerre car je suis Roi de Gueld et tu ne peux me chasser d'ici car j'appartiens au Pays de Santerre.

Mélange corrosif de frustrations du passé trop longtemps retenues, de désespoir devant le présent et de pessimisme face à l'avenir, les sentiments de Tocsand se transformaient en une colère déraisonnable.

– Celui qui s'opposera à mon autorité n'est pas encore né, vociféra Tocsand.

Si Ardahel demeurait douloureusement indécis quant à l'attitude à adopter devant celui qui était à la fois son ami et son Roi, Loruel n'hésita aucunement. Il avait décidé de provoquer les événements pour que Tocsand évacue enfin ses tourments. Incisif, railleur et se composant une attitude méprisante, le Gueldan se moquait sans retenue de son ancien compagnon.

– Quelle autorité ? Tu n'en veux même pas. Tu la fuis comme un lâche. Ce n'est pas le Tocsand que j'ai connu en Pays de Gueld autrefois.

L'insulte fit rougir Tocsand de fureur. D'un geste brusque, il tira du fourreau son épée, la redoutable Mailchord.

– Tu veux retrouver le Tocsand des combats en ton pays ? Alors, le voici !

Le Frett tira son arme du fourreau. Loruel répondit par le même geste auquel il ajouta d'arrogantes invitations à venir se battre. Hors de lui, Tocsand leva son arme pour foncer sur le Roi du Gueld. Devant l'affrontement imminent, Ardahel bondit vers les adversaires, le Glaive Nouveau à la main.

Deux ordres fusèrent simultanément à son intention.

– Tiens-toi à l'écart, ordre de ton Roi ! hurla Tocsand, les yeux exorbités.

– Reste en arrière, ordre de ton frère ! cria Loruel.

Les deux Rois se firent face. Leurs lames fendirent l'air et se heurtèrent avec violence. Dans une première attaque, Tocsand fit reculer son adversaire sous la puissance de ses coups. Cependant, Loruel répliqua avec force, obligeant le Frett à se défendre tant bien que mal devant son assaut. Les deux combattants se valaient et l'avantage passait à l'un, puis à l'autre, sous le regard médusé et inquiet d'Ardahel.

Les coups retentissaient dans l'air frais du matin, troublant la quiétude des lieux par leur fureur bruyante. Puis, ils devinrent moins percutants, leur son métallique s'accompagnant du souffle des adversaires épuisés. Les impacts tardèrent à se succéder, le rythme diminua. Tenant son arme à deux mains, Tocsand l'abattit sur Loruel qui bloqua de manière à la retenir. Les deux Rois se retrouvèrent presque corps contre corps, les muscles bandés dans un effort ultime pour renverser l'autre. Leurs visages à la même hauteur, ils se toisèrent, les yeux dans les yeux.

Les dents serrées, Loruel réussit à esquisser un sourire et à lancer une nouvelle injure.

– Pas si mal pour un vieillard qu'on croyait juste bon à siroter des tisanes en composant des ballades mélancoliques...

Le regard pétillant, Tocsand poussa encore plus fort pour renverser Loruel.

– Et encore, roi de pacotille, je te ménage pour ne pas causer de peine à ta belle Lowen !

– Alors, nous sommes deux à retenir nos coups ? Reprends donc position qu'on se batte pour vrai maintenant !

– Je n'attendais que ça !

D'un commun accord, les deux adversaires cessèrent l'épreuve de force pour s'éloigner et retrouver leur position d'attaque. Mais cette fois, l'assaut des armes tarda. Loruel en profita pour invectiver Tocsand.

– Eh bien, tu hésites ? Tu ne vaux plus rien sur un champ de bataille, pas plus que sur ton trône de Santerre ? Tu dois y mettre plein de coussins pour protéger tes fesses ? Allez, vieux hibou, sors tes griffes si tu en as encore... Secoue la rouille de ton arme, patriarche baladin... Tu ne joues pas de la guival avec ta belle étrangère, c'est une épée que tu as dans les mains, l'aïeul. Ce n'est pas une antiquité comme toi, c'est encore une bonne lame qui peut servir à des plus jeunes. Réagis, tête de neige !

Éberlué, Ardahel entendait son compagnon insulter le Roi sans discontinuer, mêlant les reproches entendus chez les Gens de Santerre aux angoisses du Frett qui se voyait vieillir trop vite devant son épouse Autegentienne. Le Prince vit alors Tocsand lever son arme, mais son geste s'arrêta net. La lame tremblait dans les mains du Roi, secouée par un mouvement qui venait des épaules puis de tout le corps du Frett soudainement pris d'un fou rire incontrôlable.

– Tête de neige ! hoqueta Tocsand. Tête de neige, elle est bien bonne celle-là ! Pour un vieux Frett de la Région des Neiges... Tête de neige...

– Oh, pas juste la tête, relança Loruel en riant lui aussi. On pourrait dire bonhomme de neige au complet…

– Essaie donc d'arrêter l'attaque du bonhomme de neige...

Tocsand se porta une nouvelle fois à l'assaut, mais ses coups n'avaient plus de vigueur tant il était secoué par son rire nerveux. Loruel cherchait lui aussi à reprendre son sérieux. Les deux combattants échangèrent quelques coups de plus en plus gauches, leur hilarité redoublant devant leur maladresse. Finalement, laissant tomber les armes, ils s'écrasèrent sur le sable de la rive, totalement exténués.

Pendant un moment, Tocsand continua de rire avec Loruel. Puis ses éclats devinrent des sanglots. Le Roi de Santerre pleurait à chaudes larmes. Loruel s'approcha pour passer un bras sur l'épaule de son ami. Ardahel vint s'asseoir en faisant le même geste.

– Les trois Cavaliers de Lumière sont toujours ensemble, fit Loruel à l'intention de Tocsand.

– Et toujours aussi solides les uns que les autres, compléta Ardahel.

Tocsand pleura encore. Puis, il se ressaisit, nullement gêné de s'être abandonné ainsi.

– Merci, mes amis. Merci, Loruel, pour ce que tu viens de faire et de dire. J'avais tellement besoin de me défouler contre les attaques que je subis en silence. Tu sais, ce n'est pas toi que je voulais frapper…

– Je le sais bien, répondit amicalement le Gueldan. Je t'ai aidé à évacuer ta fureur, c'est tout.

– D'une manière bien risquée, gronda Tocsand. J'aurais pu te blesser, voire pire…

– Tu crois ? railla Loruel. Une tête de neige contre le puissant Roi de Gueld ? Peuh !

Un mince sourire flotta sur le visage du Roi. Il reconnaissait là l'humour sarcastique de son compagnon. Aussi, sa manière de minimiser la grandeur de ses gestes. Un nouveau silence passa jusqu'à ce que Tocsand émerge de ses pensées.

– Si vous saviez comme c'est difficile. Je n'en peux plus de ce rôle ingrat, de ces cachettes, de ces faux-semblants... Je vais remettre mes titres et ma cape au Conseil des Princes qui choisira un autre Roi pour les guider dans l'affrontement qui se prépare. Toi, Ardahel, tu devrais prendre cette charge !

– Il n'en est pas question, s'offusqua le Prince. Le Pays de Santerre a un Roi dont il a besoin et il se nomme Tocsand le Posé, Frett de la Région des Neiges, connu parmi les Races Anciennes sous le nom de SanOfras.

– Tout cela est bien loin derrière nous, fit sombrement Tocsand en se relevant. Vingt ans derrière nous. Oh, toi, Ardahel, tu ne sais pas ce que c'est, vingt années. Le temps n'existe pas dans ton domaine du Nalahir. Et toi, Loruel, tu as bâti la paix, tu as agi à visage découvert toutes ces années, exprimant ce que tu croyais juste, affichant ta valeur sans retenue, conservant l'harmonie constante entre ce que tu penses, ce que tu dis et ce que tu fais. Heureux êtes-vous, gens libres !

Le Roi se dirigea vers le bord de l'eau. Il continua à marcher, longeant la berge, le dos voûté par le poids des années pénibles à tenir un rôle qui ne lui convenait pas.

– Pour moi, c'est terminé.

La flotte de l'Akares profitait d'un vent exceptionnel pour quitter la Mer Intérieure. En effet, Kurak utilisait la Cassette des Puissances de l'Air remise par Vorgrar pour gonfler au maximum les voiles de plus de trois cents bateaux de guerre. Sur le pont principal de son navire, il observait avec contentement l'horizon. Belgaice se tenait près de lui, comme toujours, affichant son autorité de compagne, conseillère et porte-parole de son maître et seigneur.

L'Akares désigna un point au lointain.

– Tu vois la ligne, là-bas?

– Où cela ? Je ne distingue rien, se désola la Cahanne.

– Pourtant, elle est bien présente. C'est la démarcation entre la Mer Intérieure et les Eaux Blanches. Il faut l'œil exercé des marins et l'expérience des capitaines qui naviguent ici pour la voir. Lorsque nos coques fendront les vagues de ces eaux, tu pourras considérer toute marche arrière désormais impossible. Ainsi, d'ici la fin du jour, nous serons entrés en territoire de guerre. Plus rien ne pourra nous arrêter que la victoire absolue sur tous les pays du Monde d'Ici.

La jeune femme se tourna vers l'arrière pour admirer à perte de vue la flotte des Aigles sur la gauche, celle des Lions vers la droite et celle des Squales dont ils occupaient la tête. Jamais une telle démonstration de puissance n'avait eu lieu en Monde d'Ici. Jamais les mers n'avaient porté une si formidable puissance guerrière. Que pouvaient offrir comme résistance les faibles royaumes hors du Lentremers ? Combien de temps pourraient résister les bastions de Santerre et de Gueld ? L'issue ne faisait aucun doute. La seule inconnue était la journée précise où Kurak serait l'Empereur souverain de tous les peuples, depuis la Terre Abal jusqu'à la Terre Cahan.

Tout ce pouvoir, Belgaice n'en perdrait pas une parcelle. En cela, Vorgrar l'avait assurée de partager la domination établie par l'Akares. Mieux encore qu'en se fiant à ces promesses, la Cahanne savait comment protéger sa position. Langoureuse, elle murmura une invitation à l'oreille de Kurak.

– Il me tarde de me retirer seule avec toi dans ta cabine.

L'Akares plongea son regard dans celui de la Cahanne. La route vers la victoire promettait d'être parfois très agréable.

✧ ✧ ✧

La réunion matinale des Sages du Pays de Santerre présents au Temple débutait par un moment de prière où chacun rendait grâce à Elhuï pour toutes les bonnes choses dont le Monde d'Ici lui était redevable. Ils formaient un cercle dans la Salle des Méditations, une grande pièce généreusement éclairée par d'immenses vitraux où dominaient le blanc et le rouge, couleurs de la royauté en Santerre, ainsi que le jaune associé à la bonté du Dieu Créateur. Des herbes sacrées brûlaient dans de petites vasques, libérant une fumée odorante qui s'élevait vers le plafond, véhicule symbolique des prières des Sages.

Les Sages Cordal et Golbur se tenaient côte à côte comme la plupart du temps. Lorsque leur recueillement prit fin, l'Aînée demeura à sa place, pensive, plutôt que d'aller rejoindre immédiatement les autres dans la pièce attenante, à la grande table où ils prenaient le repas du matin. Golbur le remarqua et revint s'informer.

– Tu sembles bien préoccupée, Sage Cordal. Je te connais trop bien pour ne pas m'interroger sur cela.

– N'as-tu pas ressenti quelque chose d'étrange ce matin ?

– En effet. J'ai pensé t'en parler, mais cela était tellement diffus, si improbable…

L'Aînée hésita. Finalement, elle confia ses appréhensions à son ami le plus fiable en Santerre.

– L'un de nous me semble en discordance. J'ignore quel Sage et j'espère de tout cœur me tromper, mais…

– Mais quoi ? insista Golbur.

– Une Pensée différente influencerait-elle l'un des nôtres ?

L'hypothèse fit frémir le Sage. L'ennemi si redoutable serait-il parvenu à s'introduire au cœur même du Temple du Roi et des Sages du Pays de Santerre ? Plus que jamais, il fallait redoubler de prudence.

– Le Sage Delbon sera bientôt de retour avec le Roi Tocsand, affirma Golbur. Ils sont nos deux piliers devant les œuvres et les actions de *Celui-dont-la-pensée-est-différente*. Ils veillent avec clairvoyance sur le destin de Santerre.

– Il me tarde qu'ils soient avec nous…

Si les Sages Cordal et Golbur avaient su que leur camarade Delbon ne reviendrait plus en Santerre et s'ils avaient pu voir l'état dans lequel se trouvait leur Roi, ils n'auraient pas chassé si rapidement les sombres pensées qui venaient de traverser leur esprit.

✧ ✧ ✧

Tocsand hurla son refus.

– Non, c'est fini ! Plus rien ne me fera changer d'idée. Je ne suis plus le Roi de Santerre. Je ne suis plus SanOfras. Je ne suis plus rien de tout cela. Je ne suis qu'un simple Frett qui aspire à vivre paisiblement avec son épouse. Comprenez-moi ! Combien d'années me reste-t-il encore pour être à la hauteur de MeilThimas ? Si peu ! Ensuite, je serai un vieillard qu'elle refusera d'abandonner et qu'elle soignera par pitié tout en demeurant toujours aussi resplendissante de jeunesse.

Ardahel avait eu beau invoquer toutes les raisons qu'il pouvait concevoir, Tocsand se montrait inflexible. Loruel intervint alors.

– D'accord, nous respectons ton choix. Viens, Ardahel mon frère. Retournons auprès des nôtres.

Stupéfait, Ardahel voulut protester. Puis, il haussa les épaules. N'avait-il pas tout tenté ? Loruel avait raison ; mieux valait cesser de harceler Tocsand. Déjà, le Gueldan était en selle, rapidement imité par Ardahel. Comme ils s'apprêtaient à s'éloigner, Loruel saisit la bride d'Aurac pour l'entraîner avec eux.

– Hé ! s'écria le Roi de Santerre. Que fais-tu avec ma monture ?

– Ce n'est pas celle d'un simple chasseur Frett ! affirma le Roi de Gueld. C'est celle que le Maître du Nalahir a confiée aux compagnons qui luttent contre l'Esprit Mauvais. C'est la monture du Roi de Santerre. Nous allons la lui remettre... qui qu'il soit !

Sans plus un mot, Loruel s'éloigna en obligeant Aurac à le suivre. Il tourna le dos à Tocsand, Ardahel faisant de même en se mordant les lèvres pour ne pas éclater de rire en imaginant la face que devait faire Tocsand.

– Mais... Là..., s'indigna Tocsand.

– Quoi ? s'enquit Loruel, sarcastique.

– Vous ne pouvez pas me laisser là sans mon cheval...

– Bien sûr, puisque ce n'est plus ta monture.

– J'en ai besoin. Nous sommes à des miljies du prochain village...

– Cela n'est rien pour un chasseur Frett ! affirma Loruel. Quelques jours de marche dans la nature et quelques nuits à la belle étoile... Voilà une belle occasion de faire le point sur ta vie, sur ton avenir...

– MeilThimas va s'inquiéter ! gémit Tocsand, désespérément à court d'arguments.

– Compte sur nous pour la rassurer ! répondit Ardahel, malicieux.

– Cessez ce jeu immédiatement ! s'emporta Tocsand. C'est le Roi qui l'ordonne !

– Bon là, faudrait te faire une idée, railla le Prince. Tu viens de nous dire que tu n'étais plus le Roi ! Donc, nous n'avons aucune raison de t'obéir.

– Je le suis encore jusqu'à ce qu'un autre soit nommé, affirma Tocsand. Je suis le Roi de Santerre.

Cette fois, Loruel arrêta les chevaux pour se retourner vers Tocsand.

– Si c'est le cas, fit le Gueldan avec sérieux, assume ton rôle jusqu'au bout. Crois-tu que je ne te comprends pas ? Moi aussi je préfère la chasse avec mes enfants aux tâches de Roi de Gueld. C'est la première fois en vingt ans que je quitte le pays, enfin seul avec Lowen, et c'est pour apprendre que les combats vont reprendre. Alors, on prend une grande respiration, on serre les dents, on affûte les armes et on fait face !

Un long silence succéda à ces paroles. Cette fois, Loruel ne blaguait pas et l'expression de son visage interdisait toute envie de lui répliquer. Tocsand baissa la tête comme un gamin pris en faute. Enfin, il la releva et il marcha vers ses amis. Rendu près d'Aurac, il mit le pied à l'étrier, puis d'un geste vif, grimpa en selle sans que Loruel ni Ardahel l'en empêche. Le Roi de Santerre les regarda, donnant l'impression d'une personne qui a bien réfléchi et dont les paroles seront importantes.

– Je me rappelle un soir en Pays de Gueld, au plus fort des combats contre les Sorvaks, lorsque Ardahel revint d'Aklarama. Toi, Loruel, tu t'étais adressé à l'Assemblée pour les rallier à ta cause. Tu avais tenu un fameux discours, inspiré et convaincant. Puis, nous nous étions retrouvés avec Eldwen et Bacheras dans les corridors du palais. Tu m'avais remercié de t'avoir guidé par mes paroles, de t'avoir rappelé l'essentiel de ta route…

– Oui, ta sagesse m'avait guidé dans mon engagement face au peuple de Gueld, se remémora Loruel.

– Eh bien, reprit Tocsand, après toutes ces nobles paroles, tu avais conclu en disant que notre drame était qu'il y avait trop longtemps que nous nous étions amusés. Nous avions le gosier sec, ce qui est très mauvais pour le moral, et qu'il ne nous manquait qu'une bonne bière fraîche prise à l'auberge de Bober ! Alors, remédions à cela sans tarder.

Sur ces paroles, Tocsand lança Aurac la Dorée au galop, immédiatement suivi de ses amis. Les Cavaliers de Lumière s'étaient retrouvés.

✧ ✧ ✧

De retour à l'auberge de Bober, Tocsand avait rempli sa tâche de Roi en rencontrant les gens qui désiraient lui parler. Pour sa part, en tant que Prince du pays, Ardahel eut à se prononcer sur quelques litiges qui lui furent présentés et ses jugements furent satisfaisants pour les parties impliquées. Puis, ce fut le repas du soir dans une salle bondée, les habitants des alentours voulant profiter du passage du Roi, d'un Prince et d'un illustre visiteur du Levant.

Bientôt, les tables à l'intérieur ne suffirent plus et la fête qui s'organisait spontanément se transporta dehors. La bière de Bober coulait à flot, les rires fusaient de partout, les tables devenaient des estrades pour les chanteurs ou les amuseurs. Au grand plaisir d'Ardahel et de Loruel, ils voyaient Tocsand participer avec spontanéité. Il leur semblait retrouver leur ami comme autrefois.

Une ronde de chansons à répondre débuta, différentes personnes étant incitées par la foule à prendre l'initiative. Après quelques chants bien rythmés, des voix s'élevèrent pour réclamer Tocsand.

– Une chanson, Roi Tocsand ! Une chanson !

À la grande surprise de ses amis, le Frett ne se fit pas prier. Debout, chope de bière à la main, le Roi de Santerre entama une chanson fort paillarde de la Région des Neiges.

– *La grosse Quirsau…*, lança Tocsand avec entrain.

– *La grosse Quirsau !* répondit d'abord timidement la foule, surprise d'un tel choix.

– *Avait les cuisses comme un étau…*, poursuivit le Roi.

– *Avait les cuisses comme un étau !* reprit la foule en riant.

– *Et la poitrine comme un gâteau…*

– *Et la poitrine comme un gâteau !* hurla la foule d'une seule voix.

Et la chanson se poursuivit, Tocsand mimant les strophes avec des gestes qui faisaient s'esclaffer les fêtards. L'air était entraînant et les gens s'amusaient ferme. À la fin, tous se mirent à applaudir et à crier des « Vive le Roi » enthousiastes. Puis ce fut au tour de Loruel d'enchaîner avec une chanson de son pays à peine moins osée et la fête continua.

Ardahel s'amusait lui aussi. Mais le large sourire qui éclairait son visage avait une toute autre raison. Il lui semblait qu'en cette journée, le Pays de Santerre avait retrouvé son Roi perdu.

Chapitre huitième

Sabyl

Ainsi qu'il est bien connu en Monde d'Ici, les Nains forment un Peuple fort étrange aux liens parfois difficiles à démêler. Tous se réclament d'une même lignée originelle, mais leur appartenance va à leur groupe spécifique qu'ils considèrent comme une race à part entière et distincte. Ainsi, lorsqu'il se dissimulait sous l'identité de Kaldan le Nain, Jein Dhar Thaar prenait l'allure des Conteurs Nains. Les Tzigits qui servirent les Sorvaks, puis le Roi Loruel, représentent la branche des Nains Commerçants. En traversant les grottes du Taslande, la Compagnie Frett avait pénétré dans le domaine des Tanês, dit aussi le Peuple Fouisseur, qui appartenaient aussi à la famille des Nains.

Selon les légendes, le Peuple Nain devait se diversifier afin de conquérir tout le Monde d'Ici et ainsi préparer la souveraineté des Nains Véritables qui demeuraient dans la Forêt des Nains en Lentremers. Les différents groupes de la lignée Naine se répandirent donc en divers lieux et chacun s'adapta à sa façon, avec ses propres us et coutumes. Toutefois, d'un naturel pacifique, les Nains n'ont aucune prétention de domination sur les autres Peuples. D'ailleurs, même s'ils peuvent s'avérer de redoutables combattants, leur petite taille les désavantage assurément devant les Saymails, les Alisans, les Races Premières ou toutes les Basses Races dont fait partie le Moyen Peuple.

Les Nains parcourent donc tout le Monde d'Ici, se sentant partout chez eux, mais reconnaissant le droit au territoire à toutes les Races qui existent. Les Nains vivent ainsi un peu en parallèle des autres Gens, partageant pacifiquement les ressources de ce monde. Si les différentes Races Naines sont fières d'être ce qu'elles sont, il demeure cependant admis que seuls les Nains de la Forêt des Nains sont les Nains Véritables, les seuls Nains purement Nains selon l'origine Naine. Jamais un Nain ne penserait à contester cela. De toute façon, les Nains Véritables ne tirent aucun orgueil de la pureté de leur Race et cela n'enlève rien aux autres Nains. La situation est dès lors simple et claire pour tous les Nains.

Les Vrainains, ainsi qu'ils se nomment eux-mêmes, ne voyagent guère. Cela se comprend, car ils descendent des Nains les plus pantouflards parmi leurs Ancêtres, les Nains qui ne partirent pas à l'aventure dans le Monde d'Ici. Ils vivent dans de petites résidences coquettement aménagées dans les grands arbres de la Forêt des Nains. Ils se côtoient fort civilement grâce à d'interminables réseaux de passerelles et d'échelles passant d'un arbre à l'autre. Un bon Vrainain cultive toujours très soigneusement son propre jardin au pied de son arbre ; il élève quelques poules, lapins et autres petits animaux dont il apprête la viande d'une manière fort charmante.

Partager quelque temps avec un Vrainain se révèle toujours une agréable mais imprévisible expérience. En effet, s'ils sont en général très calmes, ils peuvent devenir de redoutables farceurs dont les victimes ne peuvent que rire des tours dont ils sont l'objet. Si la blague se révèle un peu trop poussée, l'auteur sait se faire pardonner en profitant de son air candide d'éternel enfant.

Alors qu'Ardahel, Tocsand, Loruel et Lowen s'étaient dirigés à l'auberge de Bober en quittant la Forêt des Oiseleurs, Eldwen, MeilThimas et Maître Alios avaient pris directement la route du Temple du Roi et des Sages. En fait, ce que les gens appelaient le Temple consistait en un regroupement de résidences, de lieux de culte ou d'apprentissage et de places publiques construits autour du Palais du Roi. Entouré d'une basse muraille, l'ensemble occupait une grande île dans la rivière Alahid. À chaque point de l'horizon – le Levant, la Mi-Jour, le Couchant et la Mi-Nuit –, un pont enjambait le cours d'eau et aboutissait à une porte devant laquelle les gardes royaux se tenaient en faction afin de contrôler les allées et venues.

Vêtu d'habits de voyage vert et brun, Sabyl le Vrainain se déplaçait sur Guenuche, un âne gris fort buté qu'il devait constamment menacer des pires sévices afin de le faire avancer. Sabyl ne mettait jamais ses menaces à exécution, il va sans dire, ou tout au plus privait-il de quelques carottes l'animal récalcitrant. Ce fut donc une longue série de récriminations qui attira l'attention d'Eldwen, de MeilThimas et de Maître Alios qui s'engageaient en même temps que le Vrainain sur le chemin menant à l'une des portes du Temple.

– Allez, avance, vieille bourrique, si tu veux voir la fin de ce jour. Espèce de carne paresseuse ! Bourricot obtus, tu es juste bon à dépecer pour faire du cuir de ta peau. Ha ! tu peux être certain que tu viens de faire ton dernier voyage, misérable ! Erreur de la nature ! Avance, vieille gourde abrutie, patate, animal empoté ; pousse-toi un peu, inepte véhicule. Pour chaque minute que tu restes sans bouger, je te priverai d'une ration de carottes...

Plutôt amusé par le discours tonitruant du Vrainain, Alios ne put s'empêcher de lui adresser un reproche lorsque les cavaliers furent près de lui.

– Holà, voyageur ! Est-ce là une manière de traiter ta monture ?

– Je voudrais bien t'y voir, Maître Alios ! Ce vieux Guenuche est plus têtu qu'un Sage qui croit avoir raison !

Le membre de la Race Ancestrale ne put cacher sa surprise d'être interpellé par son nom. Il voulut parler, mais Sabyl ne lui en laissa pas le temps.

– Enfin, je lui passerai certainement encore ses caprices, à cet âne de malheur. J'ai plus important à faire, car je dois m'entretenir avec Dame Eldwen qui chevauche avec toi. Allons vite en ses appartements, car je meurs de faim et de soif...

– Qui es-tu pour ainsi nous connaître et nous commander ? questionna Eldwen, plus amusée que courroucée de l'attitude et des paroles du Vrainain.

– Je vous demande pardon, je manque à la politesse. Mais voyez-vous, cet enfant d'ânesse réussit à me mettre hors de moi. Je me présente : Sabyl, digne membre de la Race des Vrainains, en voyage spécial pour votre service. Mais appelez-moi seulement Sabyl ; de toute manière, il est inutile que je vous décline le détail de mes titres. Je suis un Vrainain fort respectable, voilà tout.

Sabyl tira une carotte de son sac de voyage et la fourra dans la gueule de Guenuche en lui parlant d'un ton ferme.

– Et maintenant, grouille-toi un peu l'arrière-train, vieux canasson. Que je ne te voie pas me faire honte devant Dame MeilThimas, compagne du Roi Tocsand, ou alors je te coupe les oreilles. Nous sommes en visite chez des gens de qualité !

Guenuche happa la carotte avec un plaisir évident, laissa échapper un pet bien sonore et partit au petit trot sur le chemin tandis que Sabyl l'injuriait de sa mauvaise conduite. Les trois compagnons restèrent un moment figés sur place, puis MeilThimas éclata de rire, une hilarité joyeuse et sincère qu'Eldwen ne lui connaissait guère depuis fort longtemps.

– Eh bien, fit-elle, il ne nous reste plus qu'à suivre ce Sabyl, n'est-ce pas ?

– Décris-moi donc un peu ce Vrainain pour le moins... spécial, demanda Eldwen à MeilThimas, tandis que les trois compagnons se hâtaient pour rejoindre Sabyl.

– Oh, c'est un Vrainain bien ordinaire, court sur pattes, les traits tout en rondeur rappelant une figure d'enfant, les joues imberbes, les cheveux roux bouclés qui lui font une grosse boule sur la tête. Les sourcils sont broussailleux et montent en pointe vers les tempes. Les oreilles sont grandes et pointues comme celles de tous les Vrainains. Sabyl est un nom qui me revient maintenant. Lors d'un campement en la

Forêt des Nains, nous entendîmes parler de lui en des termes flatteurs. Malgré ses célèbres engueulades avec son âne, Sabyl est reconnu pour sa franchise, son dévouement et sa bonne humeur. Si ma mémoire ne me trompe pas, Sabyl doit être de la Famille des Chefs et même certainement l'un des Vrainains parmi les plus respectés par les siens.

Sur ces paroles, les cavaliers atteignirent le poste de garde du Temple du Roi et des Sages. Une garde bien symbolique en fait, car les gens allaient en toute liberté parmi les nombreuses tours et constructions formant le Temple. Pour interdire l'accès à un endroit, il suffisait d'en fermer la porte, sans même avoir besoin de serrures puisqu'en Pays de Santerre, le Roi, les Princes et les Sages sont au service de tous. Le Temple demeure sans cesse ouvert à chacun. Seuls quelques appartements sont réservés exclusivement à certaines personnes.

Comme à l'accoutumée, la Place du Peuple grouillait de Gens de Santerre venus pour les affaires les plus diverses, ainsi que des étrangers profitant de cette halte pour conclure des accords au nom de leurs peuples, pour négocier, se renseigner ou tout simplement se reposer. MeilThimas fut accueillie selon son rang de compagne du Roi et elle se dirigea sans attendre à ses appartements. Bien qu'elle ne se mêlait pas à l'administration du pays, elle acceptait certaines tâches pour seconder Tocsand, À son arrivée, elle avait beaucoup à faire et elle quitta immédiatement ses compagnons. De leur côté, Eldwen, Alios et Sabyl se rendirent à la Salle des Enseignements, là où les Prétendants reçoivent leur instruction de la part des Sages. L'endroit était désert en ce moment de la journée et Eldwen voulait s'entretenir le plus rapidement possible avec le Vrainain. La porte fut fermée et le trio s'installa près de la vasque d'où montait continuellement une flamme procurant aux lieux une chaude lumière aux ombres dansantes. Dans cette salle circulaire, sans fenêtres, se trouvaient accrochées sur les murs toutes les capes des Prétendants ayant été nommés Princes en Pays de Santerre. À la suite de celle d'Ardahel qui s'y trouvait depuis maintenant vingt ans, on pouvait voir trois nouvelles capes : celles de Rahilas, de Jeifil et de Gravelas, les derniers Princes appelés à siéger auprès du Roi.

Sabyl s'installa confortablement sur le sol, utilisant quelques coussins pour s'installer bien à son aise, et il attendit en silence que viennent les questions d'Eldwen et d'Alios assis face à lui sur un banc de bois.

– Alors, Sabyl, commença le membre de la Race Ancestrale, explique-moi comment tu peux connaître mon identité alors que seuls ceux qui m'accompagnent pouvaient savoir qui je suis. Et ne me dis pas que tu es l'envoyé des compagnons de route que nous avons quittés plus tôt. Jamais ton âne n'aurait pu nous rejoindre aussi rapidement !

– En cela, tu as bien raison, cette damnée bourrique est d'une lenteur désespérante. Pour te répondre, sache que tu aurais pu te dissimuler sous quelque forme que ce soit, Hunil Ahos Nuhel, membre de la Race Ancestrale, j'étais certain de m'adresser à la bonne personne. Je savais que tu arrivais du Nalahir, le Domaine Caché d'Ardahel le Santerrian, en compagnie de MeilThimas la Autegentienne et surtout de Dame Eldwen, qui est la chair de ta chair.

Le Vrainain avait fait ces révélations d'un ton détaché, puis il s'était tortillé sur les coussins afin de se replacer plus confortablement. Il se racla discrètement la gorge, se gratta le cou, puis croisa les mains sur son ventre en attendant la réaction de ses interlocuteurs. Comme ils demeuraient silencieux, pétrifiés par la surprise, Sabyl poursuivit ses explications avec encore le même détachement.

– Je vous dis tout cela, mais en fait j'en ignore totalement la signification. Celui qui m'envoie vers Dame Eldwen m'a tout simplement recommandé de prononcer ces paroles pour avoir la certitude que vous me prêteriez attention.

– Et qui t'envoie ? demanda Alios, inquiet et visiblement dérouté par le Vrainain.

– Euh, c'est délicat à dire... Comment répondre ?...

Sabyl hésitait, cette fois vraiment mal à l'aise devant cette question.

– Cela vous paraîtra idiot, mais je ne le sais pas. Il est venu vers moi, m'a donné ses instructions et il est reparti. Alors, je suis venu sur Guenuche, car il me semblait qu'il n'y avait pas d'autre chose à faire.

– Penses-tu vraiment me faire croire cela ? s'emporta Alios. Les Vrainains ne quittent leur forêt qu'avec de sérieuses raisons et toujours à contrecœur. Ce que tu dis est insensé.

Le membre de la Race Ancestrale avait perdu sa retenue habituelle. Il se dégageait de lui une agressivité mal contenue devant cette situation qu'il ne pouvait ni comprendre, ni contrôler. L'attitude d'Eldwen contrastait avec celle de son parent. L'aveugle conservait son calme et une écoute attentive. Elle posa la main sur le bras de Maître Alios pour lui intimer le silence, puis elle questionna Sabyl en manifestant une curiosité sincère.

– Dis-moi tout ce que tu peux me dire sur celui qui t'envoie, je t'en prie.

Le Vrainain s'était renfrogné devant Maître Alios, mais il retrouva son naturel avec Eldwen à qui il décida de se confier totalement.

– Je ne saurais le décrire. Je dormais, chez moi, lorsqu'une lumière très intense me réveilla. Il n'était pas cette lumière, mais *dans* la lumière, cela j'en suis certain bien que je n'ai rien vu d'autre. Il m'a donné ses instructions, puis il est reparti et le sommeil m'a gagné à nouveau. Au matin, j'ai voulu en faire part à mon épouse, mais elle n'avait eu connaissance de rien, pas plus que les enfants d'ailleurs.

Sabyl s'interrompit un instant, se gratta le cou nerveusement, respira profondément, puis il continua son récit.

– Tout ce que je savais, c'est que je devais venir te rencontrer, Eldwen, et te guider où tu dois te rendre. Cette mission est en moi et je sais que je dois la remplir. Voilà tout.

J'ignore quel chemin prendre, cependant je sais toujours où me rendre. Je trouve ma route sans même la connaître, ni la chercher...

Eldwen pesa un moment les paroles du Vrainain. Puis elle lui sourit.

– Je te crois, Sabyl. Ardahel doit se rendre à l'auberge de Bober, puis au bac de Noak. Dès qu'il sera de retour au Temple, je te suivrai là où tu me conduiras.

Le Vrainain remarqua le ton particulier qu'avait pris la jeune femme, un mélange de suffisance quant à l'importance qui lui était accordée et en même temps de défi envers Alios. Sabyl fut immédiatement sur ses gardes, mais il n'en laissa rien paraître. Il se contenta de poursuivre de la façon la plus neutre possible.

– Il n'est nul besoin d'attendre Ardahel puisque toi seule dois me suivre.

– Alors, nous partirons dès demain matin, décréta Eldwen.

– Mais c'est de la folie ! s'écria Alios. Qu'est-ce que tout cela ? Il doit se cacher un piège sous les propos de ce Vrainain.

– Maître Alios, déclara posément Sabyl, n'as-tu pas dit toi-même que ce combat n'était pas le tien, ni celui de la Race Ancestrale, mais bien l'affaire des gens de ce monde ? Que la conclusion n'en revenait ni à toi, ni à Vorgrar ? Tu t'es offert pour conseiller et non pour diriger. Alors, laisse Dame Eldwen agir selon ce qu'elle considère comme juste et accepte-le.

Une profonde stupeur marqua les traits de Maître Alios. Il était stupéfié par les paroles du Vrainain. Comment pouvait-il connaître toutes ces choses ? Ce fut presque dans un murmure craintif qu'il questionna encore le Vrainain.

– Pour moi, as-tu un message ?

– Oui, fit le Vrainain. Ne cherche pas à comprendre ou à juger la route que dessine ton Maître, car ses pensées sont insaisissables. Toute ta sagesse n'est rien devant la sienne.

Sabyl fit une pause, puis il conclut avec un grand sourire.

– Je ne sais pas qui est ton maître, mais je crois deviner qu'il ne fait qu'un avec celui qui me confia cette mission.

Puisque MeilThimas ne prenait que rarement part aux affaires du Pays de Santerre, les Sages et les Princes avaient été très étonnés que l'épouse de leur Roi les convoque d'urgence à la Salle des Paroles du Palais Royal dès son retour avec Eldwen et un vieil inconnu.

La Autegentienne appréciait cette salle où le Roi recevait en compagnie des Sages et des Princes tous les gens du pays ou ceux de l'étranger qui le désiraient. C'est là que se trouvait le Trône d'Alahid, un simple banc de bois équarri à la hache. Derrière, une tenture blanche descendait du plafond, passait sous le trône et se terminait aux pieds du Roi. Elle était habituellement brodée selon le sigle que le Roi avait eu durant son apprentissage. Puisque Tocsand n'avait pas porté de cape de Prétendant, il avait choisi comme symbole le puma qui ornait son casque de guerre contre les Sorvaks. Il avait cependant opté pour une représentation évoquant le calme et la force tranquille de l'animal qui veille sur les siens.

Les sièges des Princes formaient un arc de cercle du côté Cœur du trône, tandis que ceux des Sages étaient disposés selon la même symétrie du côté Raison. L'ensemble formait un demi-cercle autour de la carte du Pays de Santerre peinte en or et en argent sur les dalles de marbre du sol. Pour s'adresser au Roi, il fallait se tenir debout, à l'entrée du demi-cercle, la carte de Santerre séparant le Roi de son interlocuteur, les Sages et les Princes pouvant tout entendre de la conversation. C'est à cet endroit que se tenait MeilThimas.

– Sages et Princes du Pays de Santerre, je laisse ordinairement le soin au Roi Tocsand d'annoncer toute nouvelle d'importance pour le pays. Cependant, il voyage en compagnie du couple Royal de Gueld et du Prince Ardahel.

Il sera donc absent encore quelques jours. Or, ce que j'ai à vous apprendre ne peut attendre son retour. Le siège du Sage Delbon est libre et celui-ci ne viendra plus y prendre place. Notre ami a été gagné par le Repos Éternel, que son âme soit en paix.

– Et qu'il partage le Festin d'Elhuï, répondirent les Sages et les Princes selon la coutume.

Toutes les voix trahissaient l'incrédulité. Ce fut Cordal l'Aînée qui exprima le sentiment général.

– Dame MeilThimas, loin de moi l'idée de mettre en doute ta parole. Cependant, cette nouvelle nous paraît si inconcevable. Pourrais-tu nous donner des précisions, nous dire ce qui est arrivé à notre compagnon Delbon ?

– Il nous accompagnait au domaine du Prince Ardahel. Je n'étais pas présente lorsqu'il quitta ce Monde. C'est pourquoi je vais céder la parole à un Sage étranger qui est revenu avec moi de ce voyage. Voici Maître Alios, un ami très proche et très cher à Delbon qui l'accompagna en ses derniers instants. Je vous demande de l'écouter aussi attentivement que vous le faisiez pour Delbon et de lui accorder la même confiance. Vous pouvez vous ouvrir à lui de la même manière qu'à notre ami. Vous pouvez lui faire partager toutes paroles avec sincérité et sécurité. Ainsi aurait parlé Delbon lui-même.

Sur ces mots, Maître Alios fit son entrée dans la Salle des Paroles. Parmi les murmures surpris et intéressés, il s'avança pour prendre place près de MeilThimas.

– Vénérables Sages et Nobles Princes du Pays de Santerre, je dois à mon tour confirmer les paroles de Dame MeilThimas. Je tenais la main de mon vieux compagnon et ami Delbon dans ses derniers instants. Je suis pour vous un inconnu, mais je vous connais tous au travers de notre camarade, car des liens très forts nous unissaient. Ne pleurez pas son départ ; au contraire, réjouissez-vous qu'il soit demeuré aussi longtemps avec vous. Pensez à lui sereinement, car il goûte enfin un repos qu'il souhaitait depuis fort longtemps. Je peux vous assurer qu'il a quitté ce monde heureux, l'âme en paix. Voilà ce que je devais vous dire et ces paroles sont la vérité.

Le silence succéda aux propos de Maître Alios. Une grande tristesse se lisait dans les regards, car Delbon était aimé et respecté des membres des deux Conseils. Finalement, Cordal reprit la parole.

– Cette perte laisse un grand vide en Pays de Santerre, car nul ne peut prétendre posséder la sagesse et l'expérience de notre vieux compagnon. Le Conseil des Sages ne sera plus le même sans les avis du Sage Delbon.

– Et il est bien qu'il en soit ainsi, coupa Maître Alios. Delbon faisait partie du passé du Pays de Santerre. Vous devez maintenant vous attacher à ce qui est à venir. Ne considérez pas ces paroles comme un discrédit envers Delbon, mais comme une marque de confiance envers vous. Au terme de sa route, Delbon vit qu'il avait accompli son rôle selon ce qu'il pouvait vous donner de meilleur et que désormais, il vous revenait de prendre sa place. C'est pourquoi il a quitté ce Monde en toute paix, sans regret, sachant sa tâche terminée.

Ces paroles déconcertèrent encore une fois les membres des deux Conseils, allant même jusqu'à en irriter certains. Féror l'Artan se leva, la voix portant sa colère.

– Comment oses-tu, étranger, venir parler en ces termes de Delbon ?

– Je me fais uniquement l'interprète des sentiments de votre vieux compagnon qui fut aussi le mien dans une dimension que vous ne pouvez imaginer. J'espérais que mes paroles seraient un réconfort et non une source de colère, car elles révèlent tout l'amour que Delbon vous portait et aussi le droit pour lui de savourer la paix qu'il recherchait. Si vous gardez le sentiment qu'il vous a abandonnés, au lieu de reconnaître que sa tâche était accomplie, ne croyez-vous pas que ce soit faire injure à sa mémoire ?

– Tu parles sagement, Maître Alios, et tes paroles ont les accents de la vérité, déclara Golbur le Sage.

Le puissant Sage Culter, qui siégeait toujours à côté de Delbon, se leva et imposa le silence. Sa voix était l'une des plus influentes au sein des deux Conseils et auprès du Roi.

– Je reconnais en toi un véritable ami de Delbon et j'aimerais t'inviter à te joindre à ceux qui furent ses camarades les plus intimes, Cordal, Féror et moi, pour mieux te faire connaître et partager ton amitié.

Cette invitation concrétisait ce que Maître Alios souhaitait obtenir le plus rapidement possible, car seuls les Sages de Santerre les plus proches du Roi et les plus fiables pouvaient l'entendre pour l'instant. Le membre de la Race Ancestrale voulait éviter les discussions en présence des Conseils et d'oreilles indiscrètes pouvant se tenir à l'écoute dans cette vaste salle où il était facile d'écouter sans être vu. MeilThimas sentit l'empressement de Maître Alios à se retrouver seulement avec quelques Sages, car elle reprit la parole pour évoquer les cérémonies à tenir en hommage au Sage Delbon.

Inexorablement, le Pays de Santerre commençait à tourner une page de son histoire.

Après avoir quitté la Salle des Enseignements, Eldwen avait fait conduire Noiras aux écuries, puis elle s'était rendue à ses appartements pour se rafraîchir et se restaurer. Elle avait demandé à rester seule pour se reposer un peu du voyage et elle avait donné rendez-vous à Sabyl plus tard dans la soirée. Cela accommodait le Vrainain, car il désirait lui aussi prendre un peu de repos, manger un solide repas et s'occuper de son âne.

Un peu avant l'heure fixée pour recevoir son visiteur, Eldwen se trouvait seule dans la suite à sa disposition au Palais du Roi. Perdue dans ses pensées, elle tentait de comprendre à quel rendez-vous elle était convoquée. Sabyl ne pouvait que la conduire devant le maître d'Alios et cela, sans que le membre de la Race Ancestrale soit invité. Cette perspective l'enivrait. Elle, Eldwen l'aveugle, obtenait préséance sur son parent, le respecté Hunil Ahos Nuhel, le plus grand de la Race Ancestrale. Elle, qui avait autrefois été rejetée, qui était encore comptée comme moins importante par tant de Sages et de Princes, elle dirigeait les actions d'Ardahel, le porteur du Glaive Nouveau. Oui, elle dictait sa volonté au Santerrian même s'il avait été accueilli en Royaume d'Elhuï pour y recevoir l'enseignement d'Alahid, le premier Roi du Pays de Santerre.

En Pays de Gueld, c'était encore elle qui avait conseillé la Reine Lowen la Juste ; elle avait orienté les décisions de l'Assemblée du Pays de Gueld qui jouissait maintenant d'une paix heureuse avec les Sorvaks. Héritière du Nalahir, compagne du Santerrian, écoutée des plus importants Sages du Pays de Santerre, respectée des membres de la Race Ancestrale, Eldwen pesait ses gestes et ses décisions, certaine d'avoir agi jusqu'à ce jour avec sagesse et justesse.

Aujourd'hui, voilà que Celui qui était le maître du puissant Alios l'appelait, elle ! C'est elle qui était convoquée de si mystérieuse façon. Un large sourire éclaira le visage de la jeune femme. En ce monde, n'y aurait-il donc qu'Elhuï lui-même qui soit plus grand qu'elle ?

Un bruit la tira de ses pensées ; quelqu'un cognait à sa porte. Elle crut qu'il s'agissait de Sabyl légèrement en avance, mais il s'agissait d'Alios. Il venait avec l'intention de convaincre sa fille de renoncer à partir avec ce guide étrange. Il exprima ses doutes et ses craintes, faisant valoir les embûches d'un voyage de la sorte avec un Vrainain. Eldwen demeura sourde aux arguments de son parent. En fait, plus il tentait de la dissuader, plus elle savourait l'importance qui lui était accordée.

Le membre de la Race Ancestrale tenta de s'approcher d'Eldwen, de passer son bras sur son épaule. L'aveugle le repoussa fermement et lui répondit presque avec dédain.

– Ma décision est prise, Alios, et tu ne la feras pas changer. Je sais que je dois y aller et le plus tôt sera le mieux. Pour ta part, tu feras un message à Ardahel. Tu lui rappelleras qu'il trouva un jour les réponses à ses questions par un bien étrange chemin. Son absence fut douloureuse pour moi, mais elle fut profitable. Je sais que je ferai un voyage aussi fructueux. Dis-lui cela, Alios, et Ardahel me comprendra. Il aura l'âme en paix et ne craindra aucunement pour moi. Maintenant, va-t'en !

Le cœur triste, Alios quitta les appartements de sa fille. Il la voyait changer rapidement, s'accorder une valeur démesurée et afficher une suffisance désagréable. Tout cela, Alios s'en tenait responsable. En effet, sous une attitude de froide supériorité, l'aveugle tentait assurément d'étouffer la peine qu'il lui causait, comme si la seule manière d'échapper à ses tourments était de se convaincre de son importance exceptionnelle.

Sur son chemin, Alios rencontra Sabyl qui se rendait voir Eldwen à son tour. Le Vrainain allait de sa démarche sautillante, affichant une fort belle humeur, et le membre de la Race Ancestrale fut sur le point de le mettre en garde contre l'attitude de la jeune femme. Il eut aussi la tentation de l'interroger afin de connaître ses pensées profondes, mais finalement il se ravisa. Il se contenta de laisser passer Sabyl en silence, esquissant à peine un geste de salutation. Le Vrainain ne parut pas remarquer le manque de courtoisie d'Alios et il continua son chemin. Parvenu devant les appartements d'Eldwen, il se gratta la tête, hésitant un moment à frapper.

« Par mes ancêtres de la Forêt des Nains, pensa-t-il, me voilà au seuil d'une aventure étrange. Je ne sais rien à l'avance, mais tout me vient à point nommé. On me charge de guider Dame Eldwen à un important rendez-vous sans que je sache quelle route prendre. Or, j'ai la certitude que je la trouverai. En réalité, c'est Dame Eldwen que l'on conduit par guide interposé. Quel est donc mon rôle dans tout cela ? Pourquoi ce mystérieux maître ne vient-il pas lui-même à la rencontre de cette aveugle ? Tout cela me dépasse... Allons bon ! il doit y avoir des raisons pour expliquer cela et elles ne me sont pas encore évidentes. Alors, je n'ai qu'à faire de mon mieux et voir venir. »

Le Vrainain haussa les épaules en soupirant, puis il frappa à la porte. Eldwen lui cria d'entrer. En l'entendant, Sabyl fut immédiatement sur la défensive.

« Oh, oh ! Cette voix charrie la suffisance, maintenant. Je ne laisserai certes pas cette Dame Eldwen prendre des airs supérieurs avec moi, oh que non ! »

Sabyl passa la porte et salua l'aveugle avec jovialité. Il commença par affirmer qu'il trouvait ce Temple fort agréable et bien aménagé. Toutefois, pour vérifier l'humeur de la jeune femme, il glissa quelques remarques sur les petits défauts de ces constructions pour enfin en venir à rouspéter, car il n'avait pas mangé à sa faim. De plus, Guenuche ne trouvait pas la nourriture à son goût. Les récriminations de Sabyl irritèrent rapidement Eldwen.

– Ton âne semble beaucoup trop difficile, fit-elle brusquement. Tu monteras sur mon cheval, avec moi. Noiras file plus vite que le vent et peut facilement nous porter tous deux. Ainsi, le voyage sera court.

– Pas question, répliqua le Vrainain. Je ne me séparerai pas de Guenuche, sous aucun prétexte. D'ailleurs, il n'importe guère que ton guide soit rapide. Ton voyage n'est pas une distance à couvrir le plus rapidement possible. Cette route que tu dois emprunter, Dame Eldwen, tu dois la vivre et non la parcourir.

– Qu'en sais-tu ? Tu dis ne même pas savoir où me mener...

Le ton se mit à monter entre le Vrainain et Eldwen. Soudainement, Sabyl changea de sujet, décidant de préparer le bagage et de choisir ce qu'Eldwen emporterait. La jeune femme fit un effort pour contenir sa colère, mais elle obtempéra, désignant au Vrainain à quel endroit trouver les vêtements et les divers effets personnels susceptibles d'être utiles en voyage. Un lourd silence s'installa pendant que Sabyl ouvrait des coffres pour en examiner le contenu et faire son choix.

« Quel drôle de guide que voilà ! pensa Eldwen. Pourquoi cette mission ne fut-elle pas confiée à un Sage ? Alios lui-même, tant qu'à faire. Nous aurions pu tenir des conversations plus enrichissantes que celles qui seront possibles avec ce Vrainain. »

Durant près d'une heure, Sabyl fit l'inventaire des effets personnels de l'aveugle jusqu'à ce qu'il ait constitué le bagage qu'il croyait le mieux adapté aux situations qu'ils pourraient rencontrer.

– Tiens, déclara enfin le Vrainain. J'ai tout mis sur ton lit : un minimum d'effets pouvant convenir à un maximum de situations. C'est ce que tu emporteras demain.

– Et tu crois que je n'ai rien à dire en cela ? riposta Eldwen.

L'aveugle se mit à examiner de ses mains le linge et les objets choisis par le Vrainain. Ses gestes trahissaient son exaspération. Un faux mouvement lui fit renverser le contenu de son sac de voyage. Comme Sabyl n'intervenait pas, Eldwen dut se mettre à genoux et décrire de grands cercles avec ses mains, retrouvant peu à peu les objets dispersés autour d'elle. Elle imagina son visiteur qui devait la contempler d'un air moqueur et suffisant.

– Maudite cécité, rageait l'aveugle. Tu dois être bien content de me voir ainsi. Tu dois savourer cette vision, n'est-ce pas ?

– Oh que non, répondit le Vrainain. Je vois une femme trop orgueilleuse et je trouve cela triste.

– Comment oses-tu m'insulter !

Eldwen se laissait submerger par la colère tandis que Sabyl continuait à répondre avec calme et douceur.

– Je ne veux aucunement t'offenser. Pourquoi le ferais-je ? Parce que je serais d'un rang inférieur au tien et que je profiterais de l'occasion pour laisser couler mon fiel ? Parce que tu crois que mes conversations n'auront pas la profondeur de celles des Sages du Pays de Santerre ? Parce que je suis plus petit de taille, que je ne monte pas un animal aussi noble que le tien, et que cela m'irrite ? Je t'insulterais parce que je ne peux prétendre posséder ta prestance ? Mais cela ne me dérange aucunement. Je ne t'en tiens pas rigueur, car rien de cela ne m'importe. Je te conseille d'adopter une semblable attitude d'ici à notre départ !

– Insolent, s'écria Eldwen.

Excédée, mais aussi déroutée par le Vrainain, la jeune femme se rendit à une fenêtre pour respirer l'air de la nuit. Ses gestes étaient brusques et elle fit tomber sans le vouloir quelques objets décoratifs posés sur le rebord de la fenêtre. Encore une fois, elle dirigea sa colère contre Sabyl.

– Regarde ce que tu me fais faire ! Et puis, qu'importe ? Ces bibelots n'ont aucune valeur !

Eldwen appuya les mains sur le rebord de la fenêtre ; elle demeura immobile, en silence, toute sa personne dégageant une colère pesante, comme un sentiment profond longtemps retenu.

Sabyl prit place sur le bord du lit. Il tira une petite flûte d'une poche intérieure de sa chemise et il commença à jouer un air apaisant. C'était un instrument de bois que le Vrainain tenait de travers devant sa bouche pour en tirer des notes d'une sonorité très spéciale, douce et envoûtante. Sabyl jouait sans vraiment faire attention aux notes qu'il tirait de son instrument, improvisant jusqu'à ce qu'une douce mélodie lui vienne à l'esprit. Il la confia à sa flûte et il n'eut plus besoin de souffler. Il lui suffisait de tenir la flûte qui jouait elle-même les notes inspirées par le musicien.

Des paroles s'imposèrent à Sabyl, composant un chant qu'il nomma tout naturellement *Chanson pour Eldwen*.

Objets épars sur le sol
Vous criez la colère
D'une dame presque sage
Servie plus souvent que servante
Objets brisés sur le sol
Vous criez la détresse
D'une dame qui ne sait plus voir
Ce qui forge sa vraie valeur

Pourquoi, pourquoi
Est-ce si difficile d'être certain
Pourquoi, pourquoi
Faut-il toujours lutter
Contre l'obscurité de son cœur

Objets abandonnés sur le sol
Vous souffrez d'injustice
Servant sans rien demander
Sachant votre valeur à votre usage
Blessés d'être mis de côté
Par celle qui se détourne
Du bonheur à ses pieds

Pourquoi, pourquoi
Grimper des échelles
Pour cueillir la beauté des fleurs
Couvrant le sol avec simplicité
Pourquoi oublier
Que ni le temps, ni l'espace
Ne grandissent les gens

Objets engloutis par l'oubli
Vous êtes silencieux
Votre souvenir perdu
N'a de poids et d'importance
Que par la leçon donnée
Ardue à accepter
Votre appel à l'humilité

La nuit avait fait cesser la clameur des activités du Temple du Roi et des Sages, laissant la mélodie de Sabyl occuper tout l'espace autour d'Eldwen. Le Vrainain laissa les notes se répéter durant encore quelques mesures, puis il se remit à souffler dans sa flûte à la recherche d'airs nouveaux. Tout à coup, un mouvement silencieux le tira de ses rêveries. Eldwen s'était approchée tout doucement.

– J'ai écouté ta chanson, Sabyl, et j'en retiens beaucoup de leçons. Permets que je m'assoie près de toi et parlons ensemble si tu le veux bien.

Eldwen s'installa sur le lit et s'approcha du Vrainain jusqu'à sentir son épaule contre la sienne. Ses gestes ainsi que sa voix révélaient sa gêne. Elle se mordillait les lèvres et les paroles furent longues à quitter sa bouche.

– J'aimerais t'offrir mon amitié, Sabyl, et je te demande de m'accorder la tienne. J'ai tant à apprendre en prenant le temps de te connaître.

– J'accepte avec plaisir, Dame Eldwen, car je sais que tu es sincère.

– Pardonne mon attitude. Je pense que je commençais à me regarder de haut et à croire que je n'avais pas besoin des autres.

L'aveugle fit une pause pour chercher la main du Vrainain. Elle retrouva une voix douce et posée.

– Tu es venu en disant avoir pour mission de me conduire devant celui qui m'appelle. J'ai dit que j'irais et j'ai trouvé normal que tu sois mon guide. Cependant, ce soir, j'ai une requête à exprimer. C'est une demande que j'aurais dû te faire dès le début... Sabyl, acceptes-tu de me conduire à l'endroit où je suis convoquée ?

Un sourire lumineux éclaira le visage de Sabyl.

– Oui, Dame Eldwen. Je te conduirai...

Les deux compagnons discutèrent encore un long moment, apprenant à se connaître et à s'apprécier. Sabyl ne posait aucune question, se contentant de ce qu'Eldwen voulait bien lui confier. Le Vrainain savait qu'elle ne pouvait tout dire à propos de sa tâche en Monde d'Ici. Toutefois, au gré de la conversation, il devenait de plus en plus convaincu de l'importance de mener cette aveugle imprévisible là où elle devait se rendre.

En lui-même, Sabyl se jura que ce but passerait avant tout, même si cela devait se révéler fatal pour lui.

Chapitre neuvième
Le chemin

Sabyl n'avait pas hésité un seul instant sur la direction à prendre. Après une série d'injures bien senties adressées à Guenuche, le Vrainain lui avait donné quelques carottes et l'âne s'était décidé à partir au petit trot. Eldwen suivait en silence, laissant Noiras la porter tranquillement, peut-être trop lentement au goût du cheval du Nalahir qui aimait se lancer à fond de train au travers des champs. Parfois, Noiras s'élançait de son puissant galop, décrivant un large cercle qui le ramenait enfin derrière Guenuche, et la monotone randonnée se continuait en silence. La journée s'étira de la sorte jusqu'au soir. Comme Sabyl ne voyait pas d'habitations dans les environs, les voyageurs se contentèrent d'allumer un feu au bord de la route et de s'enrouler dans leurs chaudes couvertures de voyage.

Après le repas, Eldwen questionna le Vrainain sur les habitudes de ceux de sa race. Sabyl devint enthousiaste comme toujours lorsqu'il parlait des siens. Il expliqua comment il meublait son esprit durant les heures de route, comment il méditait à la manière des Vrainains en faisant le vide dans ses pensées pour ensuite s'attarder sur une partie de son corps. Bouche, oreilles, jambes ou genoux, des cheveux à l'estomac, tout y passait. En même temps, Sabyl se concentrait en évoquant le plus précisément des événements heureux ou bénéfiques reliés d'une manière ou l'autre à la partie du corps en question.

– De cette façon, affirmait le Vrainain, on prend conscience de son corps tout entier dans une perspective réjouissante. C'est un secret du bonheur des Vrainains et une bonne manière de passer le temps lors de longues randonnées.

Le jour suivant, le ciel se chargea de lourds nuages gris poussés par un vent froid venu de la Mi-Nuit. Sabyl allait toujours devant sans hésiter, mais Guenuche courbait la tête et les oreilles telle une bête fatiguée. Noiras aussi ne se montrait plus aussi fringant, demeurant sagement derrière l'âne. Puis la pluie se mit à tomber, d'abord finement, ensuite en grosses gouttes froides se jetant sur le sol en rangs serrés. Le chemin se transforma rapidement en une vaste mare de boue.

Enfin, l'orage passa, cédant la place à une bruine tenace qui fit frissonner les voyageurs. Partout où Sabyl regardait, il ne voyait qu'une lande plate à l'herbe rachitique où ne s'élevait nul arbre ni habitation.

– Voilà qui ne ressemble guère au Pays de Santerre tel que je le connais, surtout pas en la Région des Récoltes...

– Je connais bien les environs du Temple du Roi et des Sages à plusieurs jours de chevauchée, s'inquiéta Eldwen. Jamais Ardahel ne me décrivit un tel endroit. Surtout ici, les terres devraient être riches et bien entretenues, les habitations rarement distantes les unes des autres. Nous devrions voir un paysage vallonné, des champs bien découpés par des rangées d'arbres touffus, des routes dallées bordées de rigolets drainant les eaux de pluie vers les champs... Voilà qui me semble bien étrange et guère rassurant.

– Ne nous inquiétons pas outre mesure, philosopha Sabyl. Je ne peux pas me perdre puisque j'ai mission de te guider et il n'est nulle raison d'imaginer que ton rendez-vous soit un traquenard.

Malgré le ton rassurant du Vrainain, l'idée d'un guet-apens se mit à hanter Eldwen. Pour s'en débarrasser, elle décida d'essayer l'exercice mental des Vrainains. De nombreux souvenirs heureux surgirent en son esprit, accompagnés de l'image d'Ardahel et de ses gestes de tendresse. Le Prince de Santerre occupa toute l'imagination de la jeune femme et une scène lui revint en mémoire, cette vision fugitive du Santerrian revenant de son séjour au Royaume d'Elhuï. Comment avait-elle pu, elle l'aveugle, voir un instant de ses yeux son compagnon éclatant d'une douce lumière ? Puis une autre vision occupa l'esprit d'Eldwen. Elle avait aussi vu les murailles de Vorka briller lorsque Mitor Dahant l'Alisan avait déchaîné ses pouvoirs contre le dernier repaire Sorvak. Poursuivant l'exercice proposé par Sabyl, Eldwen se concentra sur ses yeux à la recherche d'événements heureux. Bientôt, elle ne fit que s'interroger sur les raisons de sa cécité. Rarement s'était-elle révoltée de ne plus posséder la vue, mais en ce jour, cela commençait à lui peser fortement.

Elle ne put s'empêcher de poser la question à Sabyl.

– Pourquoi faut-il que je sois aveugle ?

– L'es-tu vraiment ? questionna doucement le Vrainain.

– Mais bien sûr, que je le suis, s'emporta Eldwen. Jour ou nuit, yeux ouverts ou fermés, je n'ai que des ténèbres à contempler. Voilà une sotte question de ta part !

Les voyageurs continuèrent leur route en silence, Eldwen se réfugiant dans ses pensées moroses. Pourquoi une autre personne n'avait-elle pas été appelée ? Tant de gens qu'elle connaissait se seraient sûrement montrés plus aptes et plus dignes d'aller à ce rendez-vous. Elle se mit à évaluer leurs mérites. Évidemment, ce pourrait être Ardahel, si puissant et si pur, qui pouvait compter sur les pouvoirs magiques du Glaive Nouveau, des Fioles et des Cassettes remises par Alahid. Ce pourrait aussi être Tocsand-Ofras, ce Roi qui savait toujours peser le pour et le contre des gestes à poser. Ou alors Laulane la Sagace, la sœur du Roi, plus sage que bien des Sages du Pays de Santerre. On pourrait aussi considérer Loruel de Gueld, bâtisseur de grand mérite, ou Lowen la Juste, son épouse, qui savait distinguer le vrai du faux sans erreur. Par-dessus tout, il y avait Alios, puissant membre de la Race Ancestrale, qui aurait tant mérité de se rendre à un tel rendez-vous. Pourquoi elle, Eldwen l'aveugle, qui ne pouvait même pas se présenter seule, qui avait toujours besoin d'un guide ?

La jeune femme se sentait démunie devant la mission à accomplir. Comment combattre Vorgrar, le plus puissant du Monde d'Ici, sans même pouvoir distinguer quoi que ce soit ?

– Pourquoi moi ? s'écria soudain la jeune femme. Qui suis-je pour m'engager sur ce chemin ? Peux-tu me le dire, Sabyl ?

Éclatant dans le silence, la question d'Eldwen avait été si soudaine, si chargée de détresse, que le Vrainain ne put qu'avouer son impuissance en bredouillant.

– Non, Dame Eldwen. Je suis bien incapable de répondre à cette question.

– Qui alors saura me répondre ?

– Celui que tu vas rencontrer, je n'en doute pas, répondit le Vrainain avec un peu plus d'assurance dans la voix.

L'encouragement de Sabyl n'apaisa aucunement les tourments d'Eldwen et la jeune femme se réfugia de nouveau dans son mutisme morose. La bruine cessa, laissant la place à un pâle soleil qui tardait à assécher la route. De nouvelles heures s'écoulèrent en silence, durant lesquelles se leva un vent chaud qui réconforta quelque peu les voyageurs.

Soudain, la brise leur apporta les notes d'un air qu'un voyageur sifflait au loin. Sabyl le vit bien avant qu'ils ne soient à sa hauteur et le décrivit à l'aveugle.

– C'est un marcheur assez âgé comme en témoignent sa barbe et ses cheveux gris. Il est vêtu d'habits de voyage très simples et il porte sur le dos un sac retenu par de grosses courroies. Il tient à la main un bâton de marche décoré de motifs compliqués. À son allure, je le crois joyeux et bien paisible.

L'étranger fut bientôt tout près. Il fit des salutations d'un large geste de la main, s'adressant aux deux compagnons d'une voix enjouée.

– Bien le bon jour, voyageurs ! Quelle belle fin de journée pour parcourir le chemin, n'est-ce pas ? Le vent est chaud et le soleil ne brûle pas la tête, voilà un état de choses fort agréable. Je me nomme Dalfe. Honoré de vous rencontrer.

– Bien le bon jour à toi, Dalfe. Je suis Sabyl, du Peuple des Vrainains, et voici Dame Eldwen, du Pays de Santerre. Nous sommes nous aussi honorés de te rencontrer.

– Dis-nous, Dalfe, où te rends-tu ainsi ? questionna Eldwen.

– Oh ! Quelque part par là, répondit le voyageur en montrant la route devant lui.

– Et d'où arrives-tu ? insista l'aveugle.

– Bah ! De par là-bas, fit-il encore en montrant le chemin derrière lui.

– Peux-tu nous dire ce qu'il y a devant nous, sur cette route ? reprit Eldwen.

– Le chemin, jeune femme. Que veux-tu qu'il y ait d'autre ?

– Je veux dire au bout de cette route. Ce chemin, où conduit-il ?

– Je ne comprends pas. Ce chemin est le chemin. Il mène à lui-même et nulle part ailleurs.

– Mais il doit bien commencer quelque part et finir en un endroit, sinon il tourne en rond, soupira Eldwen.

– Que tu es donc étrange, jeune femme. Ce chemin ne tourne pas en rond, pas plus qu'il ne débute ni se termine puisqu'il est le chemin. C'est le chemin, voilà tout.

– Ce que tu dis ne tient pas debout. Un chemin est fait pour mener d'un point à un autre !

– Parfois, jeune dame, parfois ! En effet, il existe des chemins pour aller de là à ici, et inversement. Certains conduisent à un but, d'autres viennent de quelque part. Mais ce chemin est le chemin. Tant que l'on y chemine, il se déroule devant soi, tout simplement.

Dalfe semblait sincèrement consterné par le raisonnement de l'aveugle. Ce qu'il disait était tellement évident ; comment cette jeune femme ne pouvait-elle pas comprendre ? Déjà découragée par ses sombres réflexions, Eldwen n'avait pas le goût de débattre avec ce Dalfe à qui la raison manquait de toute évidence. L'aveugle se réfugia encore dans un mutisme découragé tandis que Sabyl poursuivait la conversation.

– Et pour ta part, parcours-tu cette route depuis longtemps ? questionna le Vrainain. Espères-tu arriver à un endroit précis, rencontrer une personne en particulier ?

– Je marche ainsi depuis ma toute jeunesse sans souhaiter arriver en un lieu précis ou attendre une rencontre qui mettrait un terme à ce parcours. J'avance sur cette route qui est le chemin, voilà tout. Pourquoi se compliquer l'existence ? Ce que je vis me convient parfaitement.

– Tu te contentes de bien peu, railla Eldwen. N'as-tu jamais pensé à faire autre chose de ta vie que de marcher sans but devant toi ?

– Tu es cruelle, jeune dame. Cruelle et ignorante ! pesta le marcheur.

Dalfe demeura un instant à chercher des mots qu'il ne trouvait pas pour expliquer cette route. Tout à coup, le fracas d'un groupe de chevaux au galop se fit entendre. Le marcheur s'écarta du chemin pour aller attendre sur le bord. Instinctivement, Sabyl fit la même chose, poussant aussi Guenuche et Noiras sur le côté. Le bruit de chevauchée s'amplifia rapidement et une dizaine de cavaliers surgirent derrière le petit groupe. C'était des jeunes gens habillés de vives couleurs, affichant des visages fermés, sans émotion. Ils montaient des chevaux racés qui paraissaient en sueur, galopant avec effort, l'écume à la bouche. Dans un grand bruit, ils passèrent sans s'arrêter, continuant leur chemin dans la direction d'où venait Dalfe.

Le vieux marcheur les regarda disparaître en haussant les épaules.

– Encore des excités qui ne comprennent rien à rien. Il ne sert à rien d'aller à fond de train. Ils feront plus de route, mais ils n'en arriveront pas moins nulle part. L'important est de parcourir le chemin, non pas de tenter d'aboutir quelque part !

– Alors cette route est sans issue ? se désespéra Eldwen.

– Mais pourquoi aurait-elle une issue ?

Dalfe avait dit cela d'un ton signifiant que la question lui paraissait dénuée de fondement. Il continua son explication en laissant paraître son agacement.

– Je viens de vous le dire, ce chemin ne sert pas à se rendre d'un endroit à un autre. C'est le chemin, voilà tout ! Chacun le parcourt à sa guise, à son rythme. D'aucuns s'arrêtent et se gaspillent en une halte facile ; d'autres vont à toute allure et brûlent leurs forces dérisoirement. Mais moi, je connais la vérité et je profite de chaque jambé, de chaque miljie de la route, de chaque instant de mes déplacements. Jamais je ne reviens en arrière, car cela serait inutile. Jamais je ne me préoccupe de ce qui vient devant, car je n'y suis pas rendu. Jamais je ne demeure longtemps au même endroit, car demain est devant avec ses richesses et ses joies… Bon, je vais continuer. Bien le bon jour à toi, Sabyl, ainsi qu'à toi, l'aveugle. Je crois que nous n'avons guère plus de choses à nous dire.

Dalfe se remit à siffloter en reprenant la route, mais il lui fallut quelques moments pour retrouver son ton enjoué. Bientôt, il disparut au loin et sa musique fut balayée par le vent. Sabyl se tourna vers Eldwen en se grattant la tête. Il s'apprêtait à faire une remarque sur le compte de Dalfe, mais en voyant l'expression de profond découragement de l'aveugle, le Vrainain n'osa parler le premier.

– Mais qu'est-ce que cette route sans issue ? murmura Eldwen. Une vie entière à y marcher et ce Dalfe n'a abouti nulle part !

– Il y a certainement un sens à cela, répondit doucement Sabyl.

– Dans ce cas, trouve-le donc ! s'emporta encore Eldwen. Trouve une issue, tu es le guide !

La voix de l'aveugle portait son désespoir. Elle avait crié d'un ton suppliant, puis elle avait enfoui son visage entre ses mains pour retenir ses larmes. Ne sachant quoi dire, Sabyl proposa d'arrêter pour la nuit.

– Établissons notre campement ici même et nous réfléchirons à tout cela. S'il n'y a pas d'issue pour Dalfe, cela ne signifie en rien qu'il n'y en ait pas pour nous. Je crois que Dalfe pense selon une logique différente de la nôtre. Il ne conçoit pas d'issue, donc il n'en cherche pas et il ne peut donc pas en trouver...

– J'aimerais croire que tu as raison, fit Eldwen. Moi, je ne comprends rien à tout cela.

De nouveau, l'aveugle sombra dans ses pensées moroses, estimant ne pas être de taille devant cette route et se demandant pourquoi un autre qu'elle n'avait pas été convoqué à ce mystérieux rendez-vous.

– Prenons une bonne nuit de sommeil, décida Sabyl. Nous tenterons d'y voir clair demain. Au réveil, nous ne serons pas plus loin, mais certes plus avisés.

Sabyl s'occupa du campement et du repas tandis qu'Eldwen s'employait à dételer les montures ainsi qu'à les étriller. Toutefois, la jeune femme ne frottait pas avec la vigueur nécessaire pour bien nettoyer le pelage des bêtes. Elle se sentait abattue. Dans son esprit tourbillonnaient en une ronde désespérante ses faiblesses et sa cécité, ainsi que les qualités et les forces de ses amis. Eldwen se força à manger ce que le Vrainain avait préparé, puis elle s'enroula dans sa couverture de voyage, s'installant le plus confortablement possible pour la nuit.

L'idée de tout abandonner occupait les pensées de la jeune femme. C'est alors que Sabyl commença à jouer de sa merveilleuse flûte. Le Vrainain chercha un bon moment un air satisfaisant qu'il confia à son instrument. Puis des paroles se précisèrent et il intitula sa chanson *Confiance pour Eldwen*.

Être seul, être perdu
Parmi tous ces gens sur le chemin
Des voyageurs sans problème
Qui luttent si facilement
Qui possèdent tant d'atouts

Celui-là est plus grand
Celui-là est plus jeune
Celui-là est plus fort
Celui-là est plus rusé
Celui-là est plus vieux
Celui-là est plus beau
Celui-là est plus agile
Celui-là est plus sage
Celui-là est plus brillant
Et mes pieds qui s'enlisent
Car je ne suis pas de taille
Car je n'ai pas leur valeur
Quelle est donc leur force

Puis soudain un cri
L'un dit que j'avance vite
L'autre affirme peiner plus que moi
Oh, qu'ai-je donc à envier
Si je n'ai mieux, je n'ai pire
Mon pas est différent, c'est le mien
Et je vais, et je marche, et j'avance
À mon propre pas

C'est moi que l'on attend
Pas l'image d'un autre
C'est à moi de m'y rendre
C'est moi que l'on attend
C'est moi qu'il me faut présenter
Moi et seulement moi
Car c'est moi, comme je suis moi

Les notes de la flûte virevoltèrent encore un instant autour des deux voyageurs. Eldwen releva la tête, un large sourire éclairant son visage. Elle aurait aimé voir Sabyl en ce moment, mais elle se l'imagina à sa manière. Lorsque la jeune femme parla, sa voix était apaisée.

– Mais quel démon es-tu, Sabyl le Vrainain ? D'où tires-tu ces chansons qui m'enseignent tant de choses ?

– Ce ne sont que des mots qui me viennent à l'esprit.

– Ils portent tant de sagesse sans grandes formules compliquées.

– La sagesse n'a nul besoin de se dissimuler sous des voiles prétentieux. Des mots simples venant du cœur avec un sourire portent souvent plus que tous les discours savants des sages qui pèsent si longuement leurs paroles et démontrent en toute raison qu'ils connaissent la vérité. Car si l'intelligence peut connaître beaucoup, le cœur en sait plus encore.

Ces paroles furent les dernières de la soirée. Près du feu de leur campement en bordure du chemin, Eldwen s'endormit rapidement, veillée par le Vrainain. Il constata avec soulagement que l'aveugle avait trouvé un sommeil paisible. Cependant, il cherchait en vain à dormir à son tour et son regard allait de la route au ciel qui se vidait de ses nuages pour laisser briller la lune de tout son éclat. La nuit déjà avancée et Eldwen endormie profondément, Sabyl décida de marcher un peu aux alentours. Finalement, il s'éloigna passablement pour voir ce qui les attendait plus loin à leur réveil.

Il marcha ainsi près d'une heure, le visage grave, marqué de rides soucieuses. Le chemin surplomba une vallée où, tout au loin, le Vrainain pouvait distinguer les lumières d'un village. Un long moment, il demeura indécis, puis il décida de rebrousser chemin.

« Aussi bien attendre à demain pour rencontrer ces gens. Beaucoup détestent les intrus qui se présentent de nuit... surtout lorsqu'ils ne connaissent pas la Race des Nains. »

Des idées et des sentiments contradictoires se bousculaient dans son esprit tandis qu'il marchait d'un pas étonnamment rapide pour ses petites jambes.

« Qu'est-ce que cette aventure dans laquelle je me suis embarqué ? À quoi tout cela va-t-il me mener ? Cette Dame Eldwen n'est guère facile à accompagner ! Et d'où me viennent ces chansons et ces paroles dont je l'instruis ? Tout ceci me dépasse... »

Une sensation de présence derrière lui fit soudain arrêter Sabyl. Il se retourna brusquement pour se retrouver face à face avec lui-même.

– Par mes ancêtres, qu'est-ce que cette sorcellerie ? Qui es-tu, toi qui portes mon visage et mes vêtements ?

– Je suis Sabyl, répondit l'autre personnage.

– C'est impossible, répondit Sabyl. Tu ne peux être moi, car je suis moi et que tu es différent de moi...

– Pourtant, nous sommes identiques. Il le faut, puisque nous sommes Sabyl le Vrainain. Je suis autant Sabyl que tu puisses l'être... Enfin... je crois.

Sabyl ne se sentait aucunement apeuré par cette apparition. Cet autre lui-même le déroutait, mais le Vrainain sentait confusément qu'il n'était pas directement en danger. Du moins, pas dans l'immédiat.

– Si tu es moi, que fais-tu devant moi ?

– Je pourrais te poser la même question puisque tu es moi et que tu te trouves devant moi !

– À la différence que c'est toi qui es venu à moi et non moi qui suis venu à toi.

– Cela ne prouve rien puisque l'un de nous devait se voir en premier et aller vers l'autre, c'est-à-dire vers soi.

– Comme dans un miroir donc, le reflet existe même si l'on ne le regarde pas.

– Et voilà, tu as trouvé. Tu es mon reflet !

– Mais non, c'est toi qui es mon reflet, et non moi qui suis ton reflet.

– Pourquoi en serait-il ainsi ? demanda le nouveau Sabyl. Je sais que je suis moi et non ton reflet. Je suis vraiment moi, c'est évident.

– En vérité, je ne crois pas que l'un de nous soit le reflet de l'autre, ni que tu sois moi ou que je sois toi.

– Je ne comprends pas. Ne sommes-nous pas le même Sabyl ?

– Montre-moi donc ton épée que je la compare avec la mienne.

Le nouveau Sabyl tira son épée du fourreau et la tendit au Vrainain. Ce dernier examina le pommeau sur lequel étaient gravées des inscriptions en langage Vrainain. Sabyl eut un sourire triomphant.

– Tu vois ces inscriptions, elles sont identiques à celles sur mon épée.

– Cela n'a rien de surprenant, répondit le nouveau Sabyl, puisque l'un de nous est le reflet de l'autre.

– Oh que non ! fit le Vrainain tout en assurant les deux armes dans ses mains. Si tu étais mon reflet, tout serait à l'envers, comme dans un miroir. La gauche à la droite et la droite à la gauche. Or, le texte est écrit dans le même sens sur les deux armes. Alors, il ne peut s'agir d'un reflet.

– Donc, l'un de nous est le double de l'autre, reprit le nouveau Sabyl sans se démonter et en tendant la main vers son épée.

– Redonne-moi mon arme, car tu ne me frapperas pas, sinon tu te frapperais toi-même.

– Et toi, me frapperais-tu ?

– Mais non. Pour quel motif t'attaquerais-je ?

– Tu es mon double et tu es venu à ma rencontre sur ce chemin. Cela peut être pour prendre ma place auprès de...

Sabyl arrêta sa phrase, il venait de comprendre une partie de la nature de ce nouveau lui-même. Il interrogea à nouveau son double.

– Pourquoi es-tu venu à ma rencontre ?

– C'est toi qui es venu à ma rencontre. J'accompagne Dame Eldwen sur sa route et j'étais allé de l'avant en éclaireur. À mon retour, je me suis vu sur le chemin, ou plutôt je t'ai vu, enfin... Je suis venu vers toi... ou vers moi... selon que tu es moi ou non !

– Je crois bien que tu es moi comme je suis toi, mais qu'il n'y a qu'un de nous qui retournera vers Dame Eldwen.

– C'est pour cela que tu gardes mon arme, afin de me frapper ! Mais je saurai bien me défendre.

Le nouveau Sabyl avait dit cela tout en faisant un geste rapide pour récupérer son épée et la brandir bien haut. Toutefois, le Vrainain conservait son calme. Il remit son arme au fourreau.

– Range ton épée, nous ferions un combat bien inutile.

– Tu ne cherches qu'à me tromper !

Le nouveau Sabyl s'élança, l'arme haute. Le Vrainain esquiva l'attaque d'un bond de côté tout en tirant à nouveau son épée du fourreau. Le combat s'engagea entre les deux Sabyl. Une lutte féroce qui ne laissait prévoir aucun gagnant, car les deux adversaires se trouvaient de même force et de même habitude, connaissant chacun les mêmes attaques et les mêmes parades. Sabyl se battait contre lui-même. Toutefois, le nouveau Sabyl frappait avec plus de vigueur, poussé par la peur, tandis que le Vrainain ne cherchait pas à blesser cet autre lui-même, à se blesser. Tout en maniant son arme, il cherchait à faire cesser ce combat absurde.

– Cesse de m'attaquer, de t'attaquer. Nous y perdrons tous deux !

– Tu tentes de me tromper, tu veux m'empêcher de retourner d'où je viens.

Les épées continuèrent à siffler dans l'air frais de la nuit, le nouveau Sabyl faisant reculer sans cesse le Vrainain. Cependant, ce dernier conservait l'esprit plus lucide, plus calme que son adversaire.

« Crotte de Guenuche, il risque de gagner, pensa le Vrainain. Cela serait l'échec de ma mission. De cela, pas question ! »

Sabyl le Vrainain était décidé à en finir et il cessa de reculer. Ses coups se firent plus ardents, son épée fendait l'air rapidement, cognant de plus en plus pesamment l'arme adverse. La peur qui donnait au début l'avantage au nouveau Sabyl se retourna contre lui et lui fit faire des erreurs dont le Vrainain profita. Soudain, un coup puissant désarma le nouveau Sabyl qui tomba à la renverse sur le sol, à la merci du Vrainain. Celui-ci retint le geste final. Au lieu de frapper son adversaire vaincu, il remit son épée dans le fourreau.

– Tu vois ? Ce combat était inutile. Je n'ai aucune raison de vouloir te frapper.

Le Vrainain aida le nouveau Sabyl à se relever. Puis il le questionna.

– Qu'aurais-tu fait une fois rendu auprès de Dame Eldwen ?

Le nouveau Sabyl tentait de soutenir le regard du Vrainain, mais il baissa rapidement les yeux. Sa voix était désespérée et il laissa éclater les craintes qui couvaient en son cœur.

– Ce voyage dément me fait peur. Je veux retourner dans la Forêt des Nains avec ma famille. Qui sait ce que nous allons rencontrer comme épreuves sur ce chemin maudit ? Allons-nous errer jusqu'à la fin de nos existences ? Quel prix sera exigé pour le quitter, voire même pour nos vies ? J'ai peur. Je ne suis pas un aventurier, seulement un Vrainain paisible !

Sabyl regarda son double se laisser tomber sur le sol, en proie au découragement et à l'envie de tout abandonner. Il comprenait bien son désespoir puisque c'était le sien.

– Oui, tu es un Vrainain paisible, car tu es moi et je suis toi. Nous sommes tous les deux Sabyl qui souhaite aller de l'avant pour accomplir son devoir et en même temps qui désire tout laisser tomber !

– Mais pourquoi sommes-nous deux puisque nous sommes un ?

– Ce chemin est un bien étrange chemin. Je suis allé de l'avant, puis je suis revenu sur mes pas. Évidemment, car j'allais en éclaireur et non pour suivre ma route. J'ai voulu connaître le futur avant qu'il ne soit le moment et le fait de revenir sur mes pas m'a fait te rencontrer, ou plutôt me rencontrer. En ce moment, il y a deux Sabyl. Or, il n'y en a qu'un seul qui soit vrai. C'est celui qui retournera vers Dame Eldwen.

– Si c'est moi qui retourne, ma mission se soldera par un échec, tandis que si c'est toi, ma quête va se continuer, n'est-ce pas ?

– Exactement. Nous sommes tous les deux Sabyl, chacun avec des intentions différentes. Alors, sois certain que ce sera le Sabyl qui souhaite continuer qui va retourner auprès de Dame Eldwen.

Une lueur mauvaise traversa le regard du nouveau Sabyl.

– Qu'est-ce qui te donne cette assurance ? Pourquoi ne serait-ce pas moi le Sabyl qui sera de retour auprès de cette femme ?

– Parce que Sabyl le Vrainain a donné sa parole et jamais Sabyl le Vrainain n'est revenu sur la parole donnée. Alors, tu ne peux être réellement moi. Tu n'es qu'un sentiment en moi, un sentiment certes réel, mais que Sabyl n'écoutera pas.

Sur ces paroles, le Vrainain tourna le dos à son double et il reprit son chemin vers le campement. Il n'eut même pas besoin de regarder derrière lui pour savoir que le chemin était désormais désert. Sabyl le Vrainain haussa les épaules et retrouva son pas rapide jusqu'au campement. Eldwen dormait toujours profondément et il prit bien soin de ne pas l'éveiller. Il s'allongea sur sa couverture et laissa le sommeil le gagner.

Chapitre dixième
Gens de Larousque

Pour une raison qu'il ne pouvait pas vraiment s'expliquer, Sabyl préféra taire la rencontre avec son double. Une certaine gêne de son attitude, de son idée de tout abandonner, le pressentiment d'inquiéter inutilement Eldwen, tout cela le retenait. Le Vrainain ne tint donc que des propos bien banals en cuisinant un bon repas du matin, puis en préparant les montures. Comme d'habitude, Sabyl abreuva copieusement Guenuche d'injures bien senties pour décider l'animal à se mettre en route et les voyageurs reprirent leur chemin. Le soleil brillait, répandant une agréable chaleur qu'Eldwen goûtait avec plaisir.

Bientôt, les deux voyageurs parvinrent à l'endroit où Sabyl avait rebroussé chemin la nuit précédente. Le Vrainain décrivit le paysage à l'intention de l'aveugle.

– Nous surplombons une large vallée verdoyante parsemée de taches de couleurs automnales. Elle s'étire à perte de vue du Levant au Couchant. Ce côté-ci descend doucement et le chemin décrit quelques lacets qui le rendent facile à parcourir. Puis le chemin se perd parmi les arbres et je ne vois pas où il peut quitter la vallée, car l'autre côté n'est que falaises à pic et parois infranchissables.

– Peux-tu voir des gens ?

Sabyl hésita à répondre, car il ne distinguait rien. Cependant, il avait bel et bien aperçu des lumières durant la nuit.

– La trop grande distance ne me le permet pas, mais il me semble qu'il y a un village... De toute façon, nous verrons bien lorsque nous serons dans la vallée !

Autant le paysage était rude et désert sur les hauteurs, autant il était luxuriant et animé dans la vallée. Les voyageurs pénétrèrent dans une forêt aux arbres immenses, aux troncs si massifs qu'on aurait pu y creuser un passage sans les affaiblir. L'endroit grouillait d'une vie bruyante, oiseaux espiègles, écureuils effrontés, cerfs et lièvres hardis se laissant facilement approcher. Les coassements des grenouilles montaient de petits étangs propres en se mêlant aux cris des canards et autres habitants des lieux. La route s'enfonçait droit devant, méticuleusement entretenue. Ce décor ressemblait à celui de la Forêt des Nains et Sabyl aurait certainement apprécié la randonnée, n'eut été de la désagréable impression d'être constamment épié. Son regard exercé lui permettait de repérer des aménagements bien précis quoique dissimulés le mieux possible. Les gens vivant dans cette forêt utilisaient la voie des cimes pour se déplacer, un peu comme les Vrainains, mais en prenant soin de soustraire aux regards les câbles et les passerelles permettant de passer d'un arbre à l'autre.

Durant quelques heures, les voyageurs s'enfoncèrent dans la vallée sans s'accorder de halte. Sabyl décrivait les lieux à la jeune femme, mais il ne faisait aucune allusion à ces présences qu'il sentait continuellement autour d'eux. Finalement, excédé de se sentir épié, Sabyl décréta une halte pour se restaurer. Le Vrainain affirma bien fort à Eldwen qu'il allait chercher de l'eau fraîche. Toutefois, dès qu'il eut quitté le chemin, Sabyl déploya toute la ruse et l'expérience de la forêt propre à sa race. En peu de temps, il avait repéré un arbre servant de liaison avec les autres et auquel il pouvait grimper discrètement. Se déplaçant sans même qu'un frôlement trahisse sa présence, Sabyl passa d'un arbre à l'autre jusqu'à revenir au chemin. Il se trouvait cette fois derrière une personne qui observait Eldwen depuis une branche basse d'un érable.

De petite taille, vêtu de vert sombre, l'inconnu ne portait aucune arme. Sabyl laissa donc son épée au fourreau.

– Comme ça, on espionne les honnêtes voyageurs ! tonna brusquement le Vrainain.

La surprise faillit faire chuter le guetteur qui s'agrippa au dernier instant à sa branche, les jambes pendantes dans le vide. Le Vrainain se précipita à son aide, mal à l'aise de son attitude. Il ne se serait pas pardonné d'avoir ainsi causé un accident. Eldwen avait entendu son compagnon et elle s'approcha pour écouter ce qui se passait.

– Laisse-moi t'aider, je ne te veux aucun mal. Pardonne-moi de t'avoir fait sursauter, mais je n'apprécie guère d'être espionné en silence durant des heures.

L'inconnu semblait effrayé au plus haut point par le Vrainain et il le regardait avec de grands yeux, incapable de parler. Plus grand que Sabyl mais sûrement plus petit qu'Eldwen, le guetteur devait approcher un âge vénérable parmi les siens, à voir les rides profondes de son visage osseux ainsi que la blancheur presque immaculée de sa barbe et de ses cheveux coupés très ras. Ses grands yeux bruns ne trahissaient aucune malice et Sabyl se fit le plus rassurant possible.

– Allons, tu n'as rien à craindre de moi. Nous ne sommes que de paisibles voyageurs... Mais comprends-tu la langue que j'utilise ?

– Oui, je comprends, bredouilla enfin l'inconnu d'une voix étonnamment claire. Pardonne-nous de vous épier ainsi, mais c'est la première fois que nous voyons un être tel que toi. Es-tu un dieu ?

Des bruits tout autour attirèrent l'attention de Sabyl qui se vit soudainement entouré d'une dizaine de gens qui le considéraient eux aussi avec crainte.

– Un dieu, certes non, s'exclama joyeusement le Vrainain. Je me nomme Sabyl, membre de la Race des Vrainains et...

– Un Vrainain ? Qu'est-ce que cela ? Ceux de ta race sont-ils tous aussi petits ?

Sabyl se gratta la tête, dérouté que ces gens ne connaissent aucune famille de Nains.

– Bien sûr et je suis même fort bien bâti parmi les miens. Serait-ce la première fois que vous rencontrez un Nain, qu'il soit Vrainain, Conteur, Tzigit, Fouisseur, Petit-Génie, Natricien, Sauteur, Poilu, Nageur ou autre ?

– Ainsi que tu le dis. Il est vrai toutefois que nous ne quittons guère cette vallée et que nous entretenons peu de contacts avec d'autres peuples. Que venez-vous faire en ces lieux ?

Sabyl préféra ne pas s'étendre sur le sujet pour l'instant.

– Le chemin nous a menés ici... Mais descendons rejoindre Dame Eldwen pour poursuivre cette conversation.

– Vous viendrez donc dans notre village, décida le guetteur. Nos maisons sont chaudes, assez propres pour y recevoir du monde, mais assez sales pour y avoir du plaisir.

« Curieuse invitation, pensa Sabyl. Ma maison resplendit toujours de propreté et l'on s'y fait beaucoup de plaisir... »

Le Vrainain sauta sur le sol, suivi des inconnus. D'autres habitants de la forêt descendirent aussitôt des arbres et les deux voyageurs furent rapidement entourés d'une petite foule de gens qui parlaient tous en même temps. Ils étaient tous vêtus de modestes habits dont le motif ressemblait à des taches vertes ou brunes disposées au hasard. En fait, les pantalons bouffants, attachés à la cheville sur des bottes de cuir noir et les chemises amples s'avéraient un excellent camouflage dans la forêt. La plupart avaient les cheveux et la barbe de couleur foncée, brun ou noir, taillés très ras. Ils avaient le teint généralement assez sombre et quelques-uns ajoutaient des taches noires dans leur visage afin de se rendre encore plus difficiles à distinguer lorsqu'ils se cachaient. D'autres se contentaient de se couvrir la tête d'une sorte de grand bonnet qui pouvait se rabattre de manière à couvrir la figure. Sabyl tenta de décrire la situation de son mieux à l'aveugle.

– Nous sommes invités à leur village. Je crois préférable d'accepter. Ces gens ont l'air bien paisibles malgré leur... disons... discrétion !

Une femme s'avança en faisant signe aux autres de se taire. D'âge adulte, le corps solide et le visage agréable, bien dégagé par ses cheveux aussi très courts, elle parlait avec autorité.

– Je me nomme Doldana la généreuse, responsable jusqu'aux prochaines Neiges du Peuple de Larousque. Vous êtes les bienvenus parmi nous. Sabyl s'est présenté, membre du Peuple des Vrainains. Et toi, qui es-tu ?

– Je me nomme Eldwen, du Pays de Santerre, membre du Moyen Peuple. Je te remercie de ton invitation pourvu que nous puissions voyager au sol. En effet, mes yeux ne voient pas. Vous suivre dans les arbres serait trop périlleux pour moi.

– Une aveugle ! s'exclama Doldana tandis que des murmures montaient chez les autres Larousquais. Quelle chance que tu sois venue en ces lieux !

– Pardon ? s'étonna Eldwen. Je ne comprends pas le sens de tes paroles.

– Mais voyons, les aveugles ont toujours beaucoup à donner...

Sabyl interrompit fort judicieusement la conversation.

– Mille excuses, gente Doldana, mais pourrais-je te demander une faveur ? En tant que guide de Dame Eldwen, je lui décris les lieux et les gens que nous rencontrons. Toutefois, je dois toujours comparer avec ce qu'elle connaît et il est impoli chez les Vrainains d'agir ainsi en présence de leurs hôtes. Cependant, parler en cachette est une autre impolitesse. Alors, si tu veux bien nous guider jusqu'à ton village tout en nous laissant à quelque distance derrière, je pourrai instruire Dame Eldwen.

– Ta franchise me plaît, demi-gens. Nous ferons donc ainsi. Nous prendrons un sentier du sol et Dame Eldwen pourra nous suivre sans problème.

Les Larousquais s'enfoncèrent dans la forêt, suivis d'Eldwen et de Sabyl qui maugréait en lui-même contre l'expression de « demi-gens » utilisée par Doldana pour le qualifier.

« Les Vrainains ne sont pas des moitiés de personne, tout de même ! »

Gens du Chemin, les Larousquais ne s'aventuraient plus guère sur cette route étrange. Depuis bien des générations, ils avaient apprivoisé cette vallée qui leur fournissait gîte et nourriture en abondance. Peuple confortable et peureux, les Larousquais regardaient le chemin avec appréhension, examinant ceux qui y passaient, parfois avec un peu d'envie, mais demeurant bien sagement dans leur vallée sans histoire. Pourquoi aller voir ailleurs, pourquoi changer quoi que ce soit ? se disaient-ils. Rien ne prouvait qu'ils obtiendraient mieux ailleurs.

Parfois, certains se prenaient à rêver des merveilles que leur racontaient des voyageurs du chemin. Ils se laissaient séduire et quittaient le village pour aller voir ailleurs ; jamais ils ne revenaient. À chaque génération, des projets refaisaient surface, des idées de quitter la vallée pour trouver un meilleur endroit, car si la forêt offrait de la nourriture en abondance, les Larousquais occupaient presque tout leur temps à la cueillette et à la chasse. Ils se savaient ignorants du Monde, menant une vie bien monotone, mais la peur de trouver pire, de perdre ce qu'ils possédaient déjà, les retenait toujours. Alors, les Larousquais affirmaient vivre leur existence sous le signe de la simplicité et du bonheur. Convaincus d'être heureux, ils regardaient le temps et les gens passer sur le chemin en étouffant le désir de partir qui montait parfois en eux. Les Larousquais avaient une pensée émue pour leurs ancêtres qui avaient parcouru le chemin en quête de trouver mieux et ils retournaient se blottir dans le confort de leur village.

La Communauté de Larousque comptait environ mille deux cents personnes. Leurs grandes maisons aux murs de bois et aux toits de chaume étaient serrées les unes contre les autres en un vaste cercle. Toutes les pièces vers l'intérieur du cercle communiquaient entre elles et permettaient, surtout l'hiver, d'aller partout dans le village tout en demeurant bien au chaud. À toutes les huit ou dix maisons, une grande pièce servait de salle commune pour les repas ou pour les jeux des enfants, les réunions du soir ou autres besoins quotidiens. Au Levant du cercle des maisons, une vaste porte d'arche permettait d'entrer dans le centre du village où étaient érigées les constructions communes, comme la forge, les entrepôts de vivres, les ateliers des artisans et, surtout, la Grande Maison, une immense salle couverte dont l'aménagement se transformait sans cesse au gré des activités ou des besoins de la communauté.

Dans cette solide construction de bois et de pierre, aux grosses poutres apparentes aux murs et au plafond, de grands feux de foyers dispensaient une bonne chaleur et des lampes à huile éclairaient abondamment un désordre indescriptible de tables couvertes de vaisselle et de victuailles, d'habits jetés négligemment sur de grands bancs couverts d'épaisses fourrures, d'objets d'amusement pour les enfants et d'instruments domestiques les plus divers, tout cela fort propre malgré tout.

Dès leur arrivée au village de Larousque, en fin de compte peu éloigné du chemin, Doldana guida ses invités dans sa propre maison. Elle se retira pour laisser les voyageurs s'installer, précisant qu'elle serait de retour pour les convier au repas du soir s'ils ne s'étaient pas présentés avant à la Grande Maison.

Lorsqu'ils furent seuls, Sabyl fit part de ses impressions avec bonne humeur et enthousiasme.

– Eh bien, les Larousquais me paraissent de bonnes gens, sans malice, mais plusieurs semblent avoir besoin de soins. J'imagine qu'ils n'ont pas un Sage de la médecine en permanence parmi eux. Voilà pourquoi ils se réjouissent de la venue d'une aveugle.

– Mais pourquoi ? s'étonna Eldwen.

– Les Larousquais doivent être une Race Ancienne et croire encore aux vieilles légendes du Monde d'Ici. On disait autrefois que les aveugles possèdent de grandes richesses en eux afin de compenser leur infirmité. Ils peuvent donner du temps, de la santé, de la guérison et d'autres choses du genre, car cela constitue leur richesse. Bien sûr, cela s'épuise un jour, mais les aveugles sont réputés en posséder beaucoup.

– Mais je n'ai aucun don de guérisseuse, s'exclama Eldwen, et surtout peu de temps à donner. Nous devons poursuivre notre route le plus rapidement possible. Il n'est pas question de s'attarder ici.

– Chacun peut apporter bien des guérisons s'il sait donner, répliqua doucement Sabyl. En ce qui concerne ton temps, toi seule peux juger...

L'aveugle et le Vrainain finirent de se préparer en silence, puis ils se rendirent à la Grande Maison. Tous les habitants du petit village semblaient s'être donné le mot pour accueillir les visiteurs. La plupart portaient de longues robes taillées dans un tissu bleu bien ordinaire. Plusieurs enfants se promenaient presque nus tandis que les quelques vieillards du groupe portaient des robes de meilleure qualité. Doldana fit les présentations et les voyageurs parlèrent de leur pays respectif à la grande joie des Larousquais qui appréciaient les histoires des pays étrangers. Lorsque arriva le moment du repas du soir, cette rencontre s'était transformée en une fête agréable et les invités reçurent des assiettes copieusement remplies qui les rassasièrent amplement. Toutefois, Sabyl remarqua que plusieurs ne mangeaient pas vraiment à leur faim. Ils se privaient certainement pour bien accueillir leurs hôtes.

Lorsque Sabyl et Eldwen eurent terminé le repas, au moment des boissons chaudes, des enfants vinrent s'asseoir près de l'aveugle jusqu'à prendre place sur ses genoux. Ils racontaient leurs petites blessures et demandaient à Eldwen de les soulager. Certains racontaient des sujets de disputes et voulaient un avis impartial. Eldwen tranchait ces menus litiges avec sagesse, donnait un baiser ou une petite caresse sur les blessures, frictionnait un bras douloureux ou massait un cou sensible. Elle se disait que ces enfants n'avaient besoin que d'un peu d'attention et d'affection de sa part. Cependant, à sa grande surprise, elle entendit des exclamations de joie, l'un se disant guéri d'un malaise qui durait depuis longtemps, un autre affirmant que sa cicatrice était disparue.

Puis ce fut au tour des adultes de commencer à s'approcher. Eldwen ressentit alors qu'elle donnait quelque chose d'elle à chacun, qu'elle sacrifiait une partie d'elle-même à chaque occasion. Or, les adultes demandaient encore plus de temps. L'aveugle pensa avec frayeur à tout ce qu'elle devrait donner d'elle et au temps nécessaire pour satisfaire toute la communauté de Larousque. Paniquée, elle chercha à reculer pour fuir les présences qu'elle sentait se presser devant elle.

– Vous êtes trop nombreux, je ne peux pas tout vous donner. Laissez-moi.

Cette fois, Sabyl s'empressa d'intervenir. Sa voix s'éleva pour couvrir celle d'Eldwen.

– Larousquais, Dame Eldwen doit s'arrêter quelques instants. Cela se comprend. Il lui faut respirer un peu d'air du dehors. Je vais la reconduire pour qu'elle se repose. En attendant son retour, je vais vous jouer des morceaux de musique avec ma flûte. Cela endormira les enfants et plaira certes aux plus grands !

Sabyl prit fermement la main de l'aveugle et l'entraîna dehors dans l'air frais de la nuit qui recouvrait le village. Aussitôt, la jeune femme s'en prit au Vrainain.

– Mais qu'est-ce que cette décision prise à ma place ? Je n'ai pas l'intention de continuer. Ils me vident littéralement. J'ignore ce qu'ils puisent en moi, mais je ne peux continuer à leur donner à ce rythme. Il ne me restera plus rien. Je n'ai pas envie d'être gagnée par le Repos Éternel en ces lieux. Et puis, au nombre qu'ils sont, je serai sollicitée combien de jours ?

Eldwen parlait en bougeant nerveusement sur place. Elle respirait avec peine et paraissait au bord des larmes. Ce fut presque une supplication qu'elle adressa à Sabyl.

– Tu vas rentrer et leur dire que nous devons partir immédiatement.

Le Vrainain prit une grande respiration pour conserver son calme. Il répondit le plus doucement qu'il le pouvait.

– Allons, Dame Eldwen, la nuit est arrivée. De plus, je crains fort qu'il commence bientôt à pleuvoir. Le ciel se charge de nuages menaçants. Tu dois sentir l'orage prochain aussi bien que moi ?

– Il suffit, Sabyl. L'obscurité ne me dérange pas et je préfère la pluie à leurs exigences.

– Tu décides, Dame Eldwen, mais je vais leur jouer un air de flûte avant de partir. Un Vrainain ne renie jamais ses promesses.

– Alors, fais rapidement, s'impatienta Eldwen. Qu'on puisse partir d'ici au plus vite !

Le Vrainain retourna à l'intérieur de la Grande Maison en prenant bien soin de laisser la porte ouverte. Il s'installa de manière à ce que l'aveugle entende sa musique. Encore une fois, Sabyl chercha pour trouver un air que la flûte reprit d'elle-même. Il commença alors un chant qu'il intitula *Autre chanson pour Eldwen*.

Bonnes Gens
Bonnes Gens que vous êtes
Votre porte ouverte
Votre table dressée pour l'étranger
Votre cœur ouvert

Bonnes Gens
Bonnes Gens que vous êtes
Donnant de bon cœur
Donnant sans compter
Pour l'importance de donner

Bonnes Gens
Bonnes Gens que vous êtes
Je n'ai que des notes à jouer
Je n'ai que des mots à donner
Je n'ai que peu à vous offrir

Bonnes Gens
Bonnes Gens que vous êtes
Acceptez cette chanson
Acceptez ce remerciement
Acceptez le peu que je peux donner

Bonnes Gens
Bonnes Gens que vous êtes
Ainsi que vous savez donner
Ainsi vous savez recevoir
Ainsi vous êtes heureux

Bonnes Gens
Bonnes Gens que vous êtes

La musique du Vrainain flotta encore un peu dans l'air tandis que les paroles résonnaient dans la tête d'Eldwen. Troublée et embarrassée par son attitude, elle courba la tête. Par la porte ouverte, elle entendait les Larousquais remercier Sabyl de cette délicate attention. La communauté appréciait sincèrement la chanson offerte par leur visiteur, car ce geste venait du cœur. Lorsque le calme revint, le Vrainain prit la parole.

– Notre route est longue, commença Sabyl. Il tarde à Dame Eldwen de reprendre...

– Sabyl, viens ici un instant, s'écria Eldwen. J'ai besoin que tu me guides pour retourner parmi les Larousquais. Je suis reposée maintenant.

✧ ✧ ✧

Eldwen l'aveugle demeura six jours entiers parmi les gens de Larousque à écouter chacun. Elle laissa parler son cœur pour donner les conseils qui lui étaient demandés et elle découvrit en elle d'abondantes ressources d'énergie pour apaiser les maux des Larousquais.

À quelques reprises, elle se sentit lasse, ressentant comme un grand vide en elle. Alors, elle sortait dehors pour se rafraîchir sous la pluie qui tombait depuis leur arrivée. Cela lui permettait de retrouver en elle la force nécessaire pour continuer. Une fois, Sabyl l'accompagna à l'extérieur.

– Rien ne t'oblige à persister, surtout pas moi, lui avait alors dit le Vrainain. Ne te crois pas en dette envers les Larousquais, car ils ne savent pas vraiment l'effort que tu fournis. Je peux leur expliquer qu'ils abusent de toi et...

Eldwen lui coupa la parole avec un grand sourire malgré sa fatigue.

– Non, Sabyl, cette tâche n'est plus un fardeau, mais un acte sincère. Pourquoi refuserais-je de leur donner un peu de moi ? On me demande et je suis en mesure de donner. Ne pas le faire serait me renier. J'ai compris beaucoup à m'ouvrir aux Larousquais, car s'il est vrai que je suis engagée dans une grande mission contre l'Esprit Mauvais de Vorgrar, tout cela ne signifie rien si je ne sais être attentive même à ceux que cette lutte ne concerne pas directement.

Au matin du septième jour, la pluie avait cédé la place à un soleil radieux. Eldwen s'éveilla épuisée, mais heureuse d'avoir pu répondre aux attentes de tous les Larousquais. Elle se leva lentement pour aller s'accouder à la fenêtre en respirant à pleins poumons l'air frais de la matinée. Sabyl ne tarda pas à venir la rejoindre.

– Comment te sens-tu ce matin, Dame Eldwen ?

– Complètement vidée de toute énergie et heureuse d'avoir agi ainsi. Les Larousquais m'ont fait redécouvrir comment donner sincèrement et aussi comment recevoir avec joie. Car je retire beaucoup de cette halte.

– Maintenant que tu as rencontré chacun d'eux, ta tâche est terminée...

– Oh ! il y aurait encore à faire ! Il y a toujours à faire. Cependant, je me sens libre de les quitter, car je n'ai oublié personne. Toutefois, nous ne partirons pas aujourd'hui. Je n'ai pas assez de forces.

– Je dois t'avouer que cela me fait plaisir de rester encore. J'ai commencé à montrer l'art de la flûte aux Larousquais et j'y trouve bien du plaisir.

Tout autant Eldwen que Sabyl se sentirent totalement justifiés de remettre à plus tard le moment de reprendre le chemin vers leur rendez-vous si mystérieux et si incertain.

Chapitre onzième
Nouveau départ

Sept journées entières passèrent encore avec les gens de Larousque. Eldwen refaisait ses forces, mais elle retardait le moment du départ. Elle trouvait toujours quelque chose à faire, un Larousquais à écouter ou à soigner, pour se justifier de rester encore dans ce village qu'elle appréciait de plus en plus. Sabyl n'insistait guère lui non plus pour repartir, car il avait trouvé en Velsa, une jeune femme enjouée, une élève fort douée avec qui il passait d'agréables moments. Les repas du soir se transformaient en fêtes auxquelles Eldwen participait avec de plus en plus d'entrain à mesure que ses forces revenaient. Ce soir-là, au plus fort des festivités, le Vrainain entraîna Eldwen, malgré ses protestations, à danser une folle ronde. Plus d'une fois elle tomba en riant. Bientôt, plusieurs Larousquais se chargèrent de l'entourer et de l'attraper lorsqu'elle perdait l'équilibre. La jeune femme se laissa guider dans cette danse effrénée, passant des bras de l'un à l'autre avec des mouvements de plus en plus gracieux qui faisaient naître les applaudissements et les cris d'admiration.

Finalement, exténuée, Eldwen retourna s'asseoir avec Sabyl tandis que la musique s'apaisait pour devenir des chants mélodieux et des ballades que tous reprenaient en chœur. Le Vrainain vit alors qu'une coupe passait de mains en mains, une sorte de petit vase à long col qui laissait s'échapper une fumée acre. Voyant sa surprise, Doldana lui expliqua.

– Ce sont les vapeurs de l'amitié. On place des braises au fond du vase sur lesquelles on dépose des herbes magiques cueillies dans la forêt. Il monte alors une fumée qu'il faut respirer bien à fond et retenir longtemps en soi.

Cela procure la détente et le confort. Toutefois, si vous n'en avez pas l'habitude, il est préférable d'en respirer peu la première fois pour, à la longue, apprendre à bien l'apprécier.

Lorsque Doldana lui confia le vase, Sabyl hésita un instant. Cela est bien connu en Monde d'Ici, les Vrainains se méfient de toutes les magies. De plus, Sabyl s'était bien promis de demeurer vigilant tout au long de sa mission. Cependant, l'atmosphère plaisante de la fête des Larousquais, les mises en garde de son hôte et la sincérité de l'offre poussèrent le Vrainain à humer les vapeurs de l'amitié. Eldwen fit de même et les deux compagnons ressentirent une douce torpeur s'installer dans leurs corps épuisés par la fête. Ils appréciaient tellement la sensation qu'ils voulurent respirer encore la fumée magique.

Doldana s'interposa avec douceur, mais avec une fermeté évidente.

– Amis, n'abusez pas pour cette première fois. Appréciez ce moment ainsi qu'il est.

La jeune Velsa commença à jouer de la flûte et ses doigts caressaient l'instrument pour créer une musique envoûtante au possible. Plus encore que les autres, Sabyl l'écoutait avec ravissement.

– Dommage qu'il faille repartir un jour, soupira-t-il. Cette jeune femme sera bientôt meilleure joueuse que tous les Vrainains de la Forêt des Nains !

– Cela m'attriste, moi aussi, de penser à un nouveau départ, continua Eldwen. J'aime cet endroit et les gens qui l'habitent.

– Pourquoi partir ? questionna Doldana. Cette route ne mène nulle part, ni ne débute, ni ne se termine. Il est inutile de la parcourir.

– Je suis appelée ailleurs et je dois m'y rendre, soupira Eldwen. Mon destin s'y trouve...

– Nul ne peut modifier son destin, reprit Doldana. Tu rencontreras finalement ce que doit ! Alors, pourquoi ne pas attendre ici au lieu de te fatiguer à courir à ses devants ? N'est-ce pas plus facile et plus agréable ?

– Je t'en prie, ne me retiens pas, supplia presque Eldwen. Il me sera si difficile de partir !

– Pour où aller ? Cette route ne mène nulle part !

« Il est vrai, songea l'aveugle, que je n'en suis pas à un ou deux jours près. Pourquoi ne pas faire halte quelque temps encore. Même Sabyl ne semble guère pressé de repartir. Nous pourrons toujours partir... eh bien... pas plus tard que la prochaine lune, promis ! »

La jeune femme s'enfonça confortablement dans les coussins, la tête légèrement vers l'arrière, tout le corps détendu. Elle laissait les sons de la fête l'engourdir doucement, s'abandonnant entièrement au plaisir de ne rien faire, de ne rien décider.

La jeune Larousquaise Velsa invita le Vrainain à jouer encore quelques morceaux. Sabyl se fit prier un peu, car il aurait aimé simplement écouter son élève tout en appréciant les effets des vapeurs de l'amitié. Finalement, il se laissa convaincre. Après quelques mesures pour assurer la flûte en ses doigts, sa musique s'éleva, tendre et grave à la fois. La mélodie surprit les Larousquais qui attendaient des airs légers de la part de ce Vrainain si espiègle et si animé dans les danses. Même Eldwen fut ébahie d'entendre comment le Vrainain créait une ambiance souverainement paisible.

Combien de temps joua-t-il ? Quelques minutes ou des heures, nul n'aurait pu le dire, car Sabyl avait créé sa propre magie musicale qui échappait au temps. Lorsque ses dernières notes s'estompèrent, le silence même qui suivit portait la saveur de la magie de Sabyl. Au bout d'un moment, une voix s'éleva, presque sacrilège de briser la beauté du silence.

– Joue encore ami, je t'en prie...

– Que Velsa reprenne sa flûte et nous jouerons ensemble, répondit Sabyl.

Le son des deux instruments s'imposa dans la nuit et leurs sonorités se fondirent agréablement ensemble. Les deux musiciens improvisaient en douceur, leurs instruments s'accordant parfaitement, tout en nuances délicates. C'est alors que la flûte de Sabyl se remit à jouer seule et que des paroles vinrent à l'esprit du Vrainain. Il improvisa encore une chanson qu'il nomma en sa tête *Chant pour Eldwen et Sabyl*.

Au fil d'un long chemin
Les pas se suivent
Sans raison apparente
Au fil d'un long chemin
S'avancent des aveugles
S'arrêtent des passants
Au fil d'un long chemin
Ne voit-on au loin
Que danser une illusion

Pourquoi marcher
Pourquoi continuer
Pourquoi peiner
Sans jamais s'arrêter
L'important à bien y penser
N'est pas d'y marcher
Que la manière d'y aller

Sur la route, retournons
Sur le chemin, marchons
En nos efforts, croyons
De ce chemin si long
Il n'y aura d'autre fin
Que d'y avoir avancé, d'y avoir peiné
Dire adieu à ceux qui disent bonjour
Dire partir à ceux qui disent rester
Dire non à ceux qui disent oui
Il n'est qu'au bout du chemin
Que cela sera en soi justifié

Au bout du chemin
Il y aura la raison
Pourquoi il fallait s'y trouver
Pourquoi il fallait y marcher

Lorsque le Vrainain eut terminé sa chanson, Eldwen poussa un long soupir. Elle se leva sans un mot, imitée par Sabyl. Ensemble, ils gagnèrent en silence la chambre qui était à leur disposition. Nul besoin d'échanger quelque propos que ce soit. Tous comprenaient qu'ils devaient reprendre la route.

Au matin, les voyageurs furent debout avant les Larousquais. Bien que le soleil fût déjà haut dans le ciel, le village demeurait étrangement silencieux. Il préférait reprendre vie après le départ de ses hôtes afin de ne pas briser leur volonté peut-être encore fragile de poursuivre leur chemin.

Sabyl terminait de préparer en silence les bagages lorsque Doldana vint les rejoindre.

– Dame Eldwen, tu mérites largement toute la reconnaissance de la Communauté de Larousque. Rarement visiteur nous donna autant de lui-même avec une si grande sagesse. Je voudrais que tu acceptes ce petit présent avant de partir. Prends ce flacon et garde-le précieusement. Il contient un baume issu de l'art du camouflage des Anciens Larousquais. Il suffit de le répandre sur toi pour te soustraire à l'attention des gens. Ainsi, de même que tu ne vois pas, tu ne seras pas vue. Comme cette situation t'est familière, tu auras alors l'avantage devant ceux auxquels tu voudras te dérober.

Eldwen voulut protester, mais Doldana ne lui en laissa pas l'occasion.

– Accepte ce cadeau. Tu as donné avec plaisir, reçois de la même manière. C'est le produit d'une magie rare, aujourd'hui éteinte, mais je sais que tu sauras en faire bon usage.

– Sois donc remerciée, répondit Eldwen. Je te prie de croire que rarement un présent me fit autant plaisir.

✧ ✧ ✧

Réchauffés par un soleil ardent, Eldwen et Sabyl reprirent la route après des adieux émouvants à la Communauté de Larousque. Guenuche se fit prier comme d'habitude, mais quelques carottes eurent raison de ses réticences. Le chemin continua à se dérouler devant eux, toujours semblable, bordé d'arbres majestueux d'où leur parvenait le chant d'une multitude d'oiseaux. Parfois, ils longeaient une clairière ou un lac ; des ruisseaux à l'eau pure surgissaient dans les détours et, souvent, Sabyl apercevait des animaux qu'il s'empressait alors de décrire à sa compagne de voyage : élans aux panaches majestueux, cerfs gracieux, lièvres curieux ou renards prudents, rien n'échappait au regard perçant du Vrainain.

– Tu vois parfois des renards, constata Eldwen. L'un d'eux donne-t-il l'impression de nous suivre ?

Sabyl considéra Eldwen avec étonnement.

– Un renard ? Nous suivre ? Je n'ai rien remarqué de tel. D'ailleurs, pourquoi un renard nous suivrait-il ?

– Il s'agit d'une longue et vieille histoire. Petite fille, un renard apprivoisé me guidait en Pays de Santerre. C'était l'époque de mes premiers enseignements et de mes premiers engagements.

Maître Alios était peut-être le renard de son enfance. Ainsi déguisé, il pouvait veiller sur sa fille. Eldwen chassa cette idée folle. Non, cela ne se pouvait pas. Pourquoi Ahos referait-il cela ? Il n'avait nul besoin de se dissimuler encore sous l'apparence d'un renard puisqu'elle le connaissait maintenant. L'aveugle demeura un long moment en silence, puis elle s'adressa de nouveau au Vrainain.

– Sabyl mon ami, je comprends maintenant le sens de tes paroles avant notre départ du Temple du Roi et des Sages. Tu disais que cette route n'était pas une distance à parcourir, mais plutôt à vivre...

– J'exprimais une intuition, non pas une certitude.

– Cependant, tu voyais juste. J'ai beaucoup changé depuis que tu me guides... Ou plutôt, je me découvre comme jamais auparavant. Je prends conscience de moi, de ma valeur réelle, et j'apprends à agir avec plus de justesse. Jamais auparavant je n'aurais donné aussi gratuitement que je le fis chez les Larousquais.

– Ainsi, nos sentiments se rejoignent, déclara Sabyl. Je crois que cette route sert à te préparer à ton rendez-vous.

– Je le crois aussi, car les ans ne se sont pas écoulés normalement pour moi. D'enfant, je suis devenue adulte en un instant dans le domaine de SpédomSildon, membre de la Race des Magomiens. Puis, durant vingt années, en Nalahir, je n'ai pas vieilli. Au total, mon corps est de dix ans plus jeune qu'il ne le devrait et je suis une jeune femme qui n'a pas vécu le passage à l'âge adulte...

Sabyl se gratta la tête, perplexe, s'interrogeant comment une personne pouvait ainsi se soustraire au déroulement normal du temps.

– Je ne peux pas concevoir comment cela se produisit, mais je comprends que tu sois parfois si difficile à connaître et que tes réactions soient imprévisibles.

La conversation se termina ainsi. Les heures continuèrent à se succéder, toujours semblables, et une nouvelle nuit vint recouvrir le chemin. Sabyl s'occupa encore une fois du campement ; lorsque le repas fut terminé, Eldwen le pria de jouer de la flûte avant de dormir. Toutefois, le Vrainain refusa, se disant fatigué et à court d'inspiration. Les deux compagnons s'installèrent rapidement pour dormir et leur sommeil fut calme.

Le lendemain, Sabyl dormit très avant dans la matinée. Eldwen attendit son réveil en pensant à Ardahel et à ses compagnons. Que faisaient-ils présentement en Pays de Santerre ? Ils devaient se rendre chez Bober l'aubergiste, puis au bac afin que Loruel puisse revoir Noak et Irguin.

L'aveugle aurait tant aimé se trouver avec eux pour célébrer ces heureux moments, pour s'amuser avec son époux, pour sentir ses caresses et s'abandonner à ses étreintes. Puis, elle retourna et retourna dans sa tête les événements des derniers jours. Une conviction s'installa en elle, la certitude que cette route étrange possédait une dimension encore plus grande que la lutte contre Vorgrar. Ce qu'elle connaissait des Paroles Oubliées lui revenait à l'esprit et Eldwen en venait à conclure que la fin de la lutte contre l'Esprit Mauvais ne serait pas la fin de sa mission, pas plus que celle d'Ardahel. Alahid n'avait-il pas affirmé à son fils que le Glaive Nouveau n'avait encore que son nom d'inédit, qu'il ne mériterait d'être qualifié de nouveau qu'après la chute de Vorgrar ?

À son réveil, le Vrainain constata à quel point Eldwen était absorbée par ses pensées. Il tenta d'engager la conversation, mais la jeune femme répondait distraitement pour se réfugier aussitôt dans ses réflexions.

– J'ai encore des expériences à vivre et des enseignements à recueillir sur cette route, déclara finalement Eldwen. En effet, tout n'est pas clair en mon esprit !

– Prends garde à ne pas commettre d'erreurs en pensant qu'il te faut tout essayer de ce qui pourrait t'être proposé, Dame Eldwen. Tout ce qui est nouveau n'est pas nécessairement une valeur positive.

– Ne suis-je pas ici pour découvrir, pour apprendre ?

– Peut-être, soupira Sabyl. Cependant, cela n'exclut pas la prudence et le discernement.

La route traversait la forêt pour aboutir enfin au pied des falaises que le Vrainain avait vues avant de descendre dans la vallée. C'était une haute muraille de roc tourmentée, marquée de passages et de corniches, d'avancées colossales et de renfoncements profonds qui devenaient des grottes tantôt immenses, tantôt à peine assez grandes pour y cacher quelques renards. La vallée verdoyante venait brusquement se terminer sur cette masse aride, comme si un monde voisinait l'autre sans aucun échange. Le chemin hésitait, longeait la falaise, puis se dispersait en sentiers à peine tracés.

À l'endroit où ils se trouvaient, le sommet de l'escarpement n'était pas plus haut qu'une cinquantaine de tails. Plusieurs choix s'offraient au guide, car il pouvait décider d'escalader la paroi rocheuse, de longer la base dans l'espoir de trouver un endroit plus praticable, ou bien de s'enfoncer sous terre par la voie de cavernes qui s'ouvraient devant eux. Sabyl, comme tous les Vrainains de la Forêt des Nains, répugnait à s'engager dans des grottes, mais il savait qu'il devait passer par ce chemin. Une mystérieuse certitude lui indiquait cette voie et c'est à contrecœur qu'il prépara des torches en quantité suffisante pour s'éclairer durant des heures, voire durant des jours entiers.

Guenuche sentait la nervosité de son maître ; l'animal hésita à pénétrer dans la large faille qui coulait dans la falaise, obscure et inquiétante.

– Espèce de tête dure, avance où je te chauffe les fesses à la semelle de mes bottes !

Sabyl eut finalement gain de cause et l'âne se mit en marche, suivi de Noiras qui se faisait prier lui aussi pour avancer. Eldwen lui flatta l'encolure en murmurant des paroles rassurantes ; malgré cela, le cheval du Nalahir avançait nerveusement.

Des chauves-souris furent dérangées par la lumière et, surtout, par la fumée de la torche que brandissait Sabyl devant lui. Elles s'envolèrent par centaines, plus effrayées que menaçantes, frôlant les voyageurs de leur vol désordonné. Puis, à mesure que les deux compagnons s'enfonçaient dans le réseau de vastes cavernes, toute trace de vie disparut. Aussi loin que la lueur de la torche permettait de voir, Sabyl ne distinguait qu'un dédale de stalactites et de stalagmites humides. Des bruits d'eau se mêlaient à l'écho des pas des montures sur le sol rocheux, créant un fond sonore qui enlevait aux voyageurs le goût de converser. Des galeries étroites succédaient à de vastes salles où la lumière de la torche se perdait, éclat dérisoire dans ce monde de ténèbres épaisses. Parfois, le sol allait en descendant, puis il remontait pour enfin s'étendre longuement sur un même niveau. Malgré tout, Sabyl estimait monter plus souvent que l'inverse et cela lui donnait confiance d'aboutir assez rapidement à l'air libre.

Le Vrainain n'hésitait jamais sur la direction à prendre et il forçait l'allure, pressé de quitter ces cavernes qui le mettaient mal à l'aise. Eldwen, pour sa part, ne disait rien. Ce monde de noirceur ne faisait aucune différence pour elle. N'eût été de la fraîcheur et de l'humidité des lieux, la jeune femme aurait apprécié cette randonnée, car le son des cavernes lui rappelait l'époque de son enfance pendant laquelle Ogi s'était présenté. Selon son souvenir, elle avait reçu l'enseignement intensif de ce mystérieux personnage pendant au moins trois mois, sinon quatre ou même plus. La mémoire de l'enfant qu'elle était lui jouait des tours. Elle avait vécu si étrangement dans l'obscurité. Cela avait été un séjour combien riche pour l'esprit, mais d'où Eldwen était ressortie aveugle.

Après plusieurs torches consumées, Sabyl décréta à regret une halte.

– Il doit faire nuit au-dehors, déclara-t-il. Je ne me sens plus les bras à force de tenir toujours cette torche. Essayons de dormir quelques heures.

Le Vrainain planta quatre torches sur le sol pour former un grand carré lumineux. Les voyageurs s'installèrent au centre de la lumière pour chercher un peu de sommeil. Cependant, cette halte se transforma en une longue série d'heures inconfortables pour Sabyl qui ne trouva qu'un sommeil inquiet, interrompu sans cesse par le moindre bruit. Lorsqu'il fut vraiment incapable de se rendormir, le Vrainain décida de repartir. Les deux cavaliers reprirent la route dans cet univers obscur qui s'ouvrait un instant devant eux pour se refermer aussitôt sur leur passage en une éternelle nuit opaque.

Les heures continuèrent à défiler, monotones. Tout à coup, Sabyl crut distinguer une faible lueur devant lui, à une certaine hauteur. Il pressa l'allure jusqu'à ce que les voyageurs se retrouvent devant deux routes possibles. L'une descendait profondément dans les ténèbres tandis que l'autre montait doucement devant eux. Le Vrainain vit clairement un reflet lumineux découper les parois rocheuses. Il devint tout excité de quitter enfin ces cavernes.

– La couleur de cette lumière ne peut être que celle du jour, affirma Sabyl. Nous serons bientôt à l'air libre !

Le Vrainain eut alors une drôle d'impression ; son instinct lui indiquait de prendre le premier chemin, celui qui descendait encore dans l'obscurité. Il hésita, considérant les deux directions, tiraillé entre ce qu'il estimait devoir ou vouloir faire. Finalement, la hâte de revoir le jour l'emporta et Sabyl se dirigea vers la lumière.

Guenuche se mit à courir, encouragé en cela par son maître, et les cavaliers atteignirent rapidement la sortie des cavernes. Le fracas d'une rivière tumultueuse les accueillit et obligea Sabyl à crier pour décrire l'endroit à sa compagne de voyage.

– Nous sommes dans une gorge très étroite aux parois à pic qui s'élèvent haut vers le ciel. Trente, trente-cinq tails... Je ne peux l'évaluer avec exactitude. La rivière coule avec force dans un lit tourmenté qui tourne brusquement sur notre gauche comme sur notre droite. Au printemps, lors de la crue, le niveau de l'eau doit être passablement plus élevé. À ce moment de l'année, l'eau est plus basse, ce qui rend les berges praticables.

Sabyl hésita sur la direction à prendre, car cette fois, il ne ressentait aucune certitude pour le guider. Il décida de partir sur sa droite, estimant que cela correspondait à la direction générale qu'il suivait depuis leur départ. D'après la lumière et les ombres, Sabyl évalua que la matinée ne faisait que débuter. Ils profiteraient donc de tout le jour afin de trouver un endroit pour quitter cette gorge.

La progression s'avéra le plus souvent très pénible entre les quartiers de roche fracassés sur la rive. S'ils profitaient à l'occasion de minces bandes de rive couvertes de sable ou de galets pour avancer, ils devaient le plus souvent escalader ou contourner des rochers qui s'avançaient assez loin dans l'eau. Seul, le Vrainain aurait pu s'en tirer sans trop de problèmes. Cependant, l'âne et le cheval avaient de la difficulté à trouver pied. Guenuche devenait de plus en plus récalcitrant, ce qui déclenchait de longues tirades d'injures de la part de Sabyl. Même Noiras peinait à porter Eldwen dans ces conditions. L'aveugle s'agrippait de son mieux tant que sa monture pouvait avancer avec elle, sinon elle descendait pour se laisser guider par Sabyl. Passer par-dessus un rocher humide de la hauteur d'une personne devenait une aventure périlleuse pour l'aveugle que le Vrainain aidait tant bien que mal.

Parfois, Sabyl explorait seul ce qui lui paraissait être un endroit propice pour enfin gravir la paroi rocheuse, mais il devait déchanter et revenir sur ses pas. Vers le milieu du jour, Sabyl dut admettre qu'ils ne pouvaient aller plus loin.

– À partir d'ici, la rivière coule en ligne droite, expliqua-t-il à Eldwen. Aussi loin que je puisse voir, la falaise tombe directement dans le courant, ne laissant aucune possibilité de passer. Nous ne pouvons plus avancer...

– Comment cela se peut-il ? se désola Eldwen. Tu as toujours trouvé un chemin praticable jusqu'ici ! Jamais tu ne t'es trompé.

Le Vrainain s'assit sur une roche en se tenant la tête à deux mains. Il mit du temps à répondre, la voix brisée par la honte d'avoir failli par sa faute.

– J'ai choisi cette route parce qu'elle quittait les cavernes, avoua Sabyl. J'ai cru que cela reviendrait au même. Pardonne-moi, Dame Eldwen, ce n'était pas ce qui m'était indiqué.

– Et tu nous as perdus ! s'exclama la jeune femme avec colère.

Le silence qui suivit était lourd de reproches. Eldwen crispait les poings pour s'empêcher de s'en prendre à son guide, mais son amertume était presque palpable. La tête enfoncée dans les épaules, les yeux pleins de larmes, Sabyl prenait totalement le blâme pour son erreur.

– Je n'aurais pas dû m'écarter de la route même si ces cavernes me donnent des frissons. Rebroussons chemin sans tarder. Il vaudrait mieux être de retour à la caverne avant la nuit.

En fin de compte, le chemin du retour fut plus rapide, Sabyl connaissant les meilleurs endroits pour passer. Malgré tout, la nuit était arrivée lorsqu'ils parvinrent à destination. Ils étaient trempés, leur bagage était humide et le froid les gagnait lentement.

– Tâchons de nous installer au sec à l'entrée de la caverne, proposa Sabyl, et nous retournerons dans les grottes demain matin.

– Il faudrait faire un feu pour sécher nos vêtements. La nuit s'annonce trop froide pour supporter ces habits détrempés...

– Mais il n'y a pas de bois ici, soupira Sabyl. Je n'ai que les torches préparées dans la vallée et nous en aurons besoin pour nous éclairer.

Sabyl fit tout de même un petit feu, jugeant bon de sacrifier quelques torches pour tenter de sécher le linge. Puis le Vrainain fit coucher Guenuche et les deux voyageurs se blottirent contre l'animal pour profiter le plus possible de sa chaleur.

Encore une fois, la nuit s'écoula péniblement. Le matin les trouva transis et c'est en grelottant qu'ils préparèrent leur départ. Eldwen était parcourue de frissons fiévreux. Sabyl ne se sentait guère en meilleure forme et c'est en pestant contre lui-même qu'il s'enfonça à nouveau dans les galeries obscures. Affectées elles aussi par l'humidité, les torches brûlaient mal, dégageant une épaisse fumée incommodante.

Les deux compagnons recommencèrent à errer dans le noir, perdant bientôt la notion du temps. La pauvre lumière de la torche chassait à peine la noirceur, procurant un bien maigre réconfort. Le froid des cavernes les engourdissait et Sabyl commença lui aussi à trembler de fièvre. La tête lourde, l'esprit embrouillé, le Vrainain laissait Guenuche aller droit devant, prêtant de moins en moins attention au chemin qu'ils parcouraient.

Vint le moment où Sabyl réalisa qu'ils étaient complètement perdus dans ce dédale souterrain. Le Vrainain fit arrêter sa monture et il se laissa tomber sur le sol.

– Faisons une halte ici. Il faut refaire nos forces avec la nourriture qu'il nous reste...

Eldwen vacillait sur sa monture tandis que les idées les plus bizarres hantaient son cerveau délirant de fièvre. Des pensées incohérentes se bousculaient en elle. Elle voyait Ardahel s'adresser à Maître Alios, mais lorsque le Sage voulait répondre, il ne pouvait qu'imiter les pets de Guenuche. Puis la voix de SpédomSildon se faisait entendre, alors qu'elle était devenue Sayfaime pour courtiser Guelnou. Loruel et Tocsand essayaient alors de prévenir le vieux Saymail, mais Lowen et MeilThimas éclataient de rires débiles qui couvraient les paroles du Sage Delbon, maintenant en paix éternelle et amusé de voir les vains efforts d'Eldwen pour échapper à Caragol qui venait de s'installer dans ses appartements du Temple du Roi et des Sages. Puis JadThimas chassa la bête pour interroger la jeune aveugle. Elle insistait pour lui faire préciser si un Monde est ce que l'on en voit, ou si ce que l'on voit n'est qu'une partie des Mondes. Eldwen répondit par une nouvelle question, demandant à l'Autegentienne si ce qui nous entoure existe vraiment, ou si nous nous entourons de ce que nous voulons voir exister. Cette ruse oratoire enchanta Eldwen, ce qui fit monter un rire nerveux à ses lèvres.

L'écho des cavernes multipliait les éclats de la jeune femme qui résonnaient lugubrement. Sa tête tournait en tous sens pour s'arrêter brusquement, le menton appuyé sur une épaule. Puis, l'envie de rire reprenait l'aveugle et ses épaules tressautaient, relançant la tête dans toutes les directions.

Eldwen eut soudain un cri dément qui fit se cabrer Noiras et elle tomba lourdement, inconsciente. Sabyl, qui s'était précipité, réussit à amortir la chute de la jeune femme. Il s'écroula sous elle et sombra lui aussi dans l'inconscience.

Chapitre douzième
Lieux de plaisir

Émergeant lentement de sa torpeur, Eldwen sentit qu'une douce chaleur l'enveloppait. Elle demeura sans bouger à tenter de comprendre ce qui se passait. Progressivement, elle prit conscience qu'elle était étendue sur une surface ferme, confortable, douce au toucher et légèrement inclinée. Cette position permettait d'avoir la tête hors du liquide dans lequel elle baignait. D'une consistance rappelant celle de la crème, il était chauffé à une température agréable. De plus, le liquide embaumait l'air de senteurs exquises. Elle était nue et elle sentait les mains de deux personnes lui frictionner le corps avec ces gestes savants qui savent détendre les muscles.

Malgré son esprit encore embrouillé, l'aveugle prit soin de ne pas manifester son éveil. Elle se mit à réfléchir tout en s'abandonnant aux attentions de ses hôtes, goûtant avec délices leurs soins savoureux. Eldwen supposa qu'il s'agissait de guérisseuses d'un peuple vivant dans les cavernes. Elle se réjouit de leur science qui effaçait la douleur et faisait tomber la fièvre. L'idée que son réveil pourrait interrompre le traitement renforça sa résolution de se laisser faire en feignant l'inconscience. En effet, les guérisseuses sont souvent ainsi, tendres et dévouées lorsque cela ne se sait pas, mais pudiques et fermes lorsque autrui a connaissance de leurs gestes.

Eldwen se sentit délicatement retournée sur le dos et le traitement se continua en silence. Une personne soignait son visage tandis que l'autre lui massait les jambes en partant des pieds pour remonter savamment vers les cuisses. Le jeu des mains se fit langoureux, les mouvements devenant sensuels et le plaisir rendant la respiration d'Eldwen de plus en plus ample. Une voix chuchota, très douce, trahissant l'excitation de celle qui parlait.

– Ce qu'elle est belle ! Les dieux l'ont conduite vers nous...

– Oui, quelle splendeur que ce corps tout entier destiné aux étreintes de qualité...

La dernière voix était masculine et, tout en parlant, le soigneur avait laissé glisser ses mains encore plus haut entre les cuisses d'Eldwen. L'aveugle se cabra en criant et, d'un bond, elle tenta de s'asseoir sur la surface inclinée. Des mains, elle chercha les rebords de ce qu'elle croyait être une sorte de baignoire, mais elle se rendit compte que les deux soigneurs se trouvaient debout dans le même liquide qu'elle. Elle était sur une sorte de brancard flottant dans un bassin. Dans son énervement, Eldwen le fit renverser. Prise par surprise, au bord de la panique, l'aveugle fut un moment immergée complètement. Elle eut peine à reprendre pied, toussant et crachant le liquide qui lui descendait dans la gorge.

Les soigneurs voulurent l'aider. Apeurée, Eldwen se recula jusqu'à sentir qu'elle se tenait dans un coin du bassin, s'enfonçant dans le liquide jusqu'au cou et croisant ses bras devant elle pour tenter de se dissimuler à la vue des inconnus.

La guérisseuse s'approcha de nouveau en lui parlant tout doucement.

– Calme-toi, étrangère, tu n'as rien à craindre ici. Nous ne te voulons aucun mal, bien au contraire. N'es-tu pas guérie de ta fièvre et ton corps libéré de ses souffrances ?

Eldwen sentit les bras de la femme l'enlacer pour la soutenir tandis qu'elle reprenait son souffle. L'inconnue continuait à parler tout en collant son corps contre le sien. Eldwen réalisa qu'elle était nue elle aussi. Ses lèvres frôlaient celles de l'aveugle, sa voix se faisait envoûtante.

– Ce lieu est un endroit de plaisir pour ceux qui y parviennent. Ne te révolte pas et goûte la jouissance de notre compagnie. Ici, tu découvriras des sensations rares, des extases qui transportent tout le corps dans un univers merveilleux de volupté. Tu pourras te délecter d'ivresses fabuleuses, jouir sans contrainte ni retenue de tout ce qu'un corps comme le tien est en droit d'attendre. Ta peau est douce, invitante aux caresses. Laisse-moi déguster tes lèvres et savoure les miennes. Oublie tes pensées, abandonne-toi aux attentes de ton corps et découvre combien il peut te combler de plaisir sans limites.

Eldwen se trouvait prise entre l'inconnue et son compagnon qui s'était approché, découvrant deux corps racés aux muscles fermes et à la chair douce. Tous deux faisaient valser leurs mains avec adresse en caresses sensuelles qui excitaient l'aveugle. Un moment, elle céda sa bouche à l'inconnue, mais soudain Eldwen se lança sur le côté, disparaissant à nouveau sous la surface du liquide pour ressortir un peu plus loin encore haletante. Elle trouva le rebord du bassin où elle s'agrippa fermement.

– S'il vous plaît, laissez-moi reprendre mes esprits. Je suis aveugle et je ne sais pas du tout en quel lieu je me trouve, ni depuis quand. Je voyage avec un compagnon qui m'importe beaucoup. Est-il ici ? Attendez, je vous en supplie, j'ai besoin de savoir...

L'inconnue répondit avec une voix bienveillante.

– Bien sûr, prends ton temps et ne sois pas si craintive. Tu es ici avec des amis et tous tes désirs seront respectés. Ton compagnon de voyage récupère très bien et il se repose actuellement dans une autre salle. Vos montures aussi sont bien soignées.

L'inconnue s'était de nouveau approchée. Elle passa un bras autour de la taille d'Eldwen.

– Laisse-moi te conduire à la sortie du bassin, je vais te sécher. Je me nomme Migal Orahen. Tu te trouves en la demeure de Kadil Orahen, mon père. Pour le moment, il n'y a ici que mon jeune frère Lodas Orahen et moi. Le reste de la famille devrait arriver très bientôt avec quelques invités car, ce soir, nous célébrons l'âge adulte de notre petite sœur Carel qui pourra désormais porter le nom d'Orahen.

Tout en parlant, Migal avait guidé l'aveugle hors du bassin, vers un banc confortable où elle la fit asseoir pour la peigner.

– Tes cheveux sont vraiment superbes, d'un noir qu'on ne connaît pas ici. Nous avons tous les cheveux très pâles. Et toi, comment te nommes-tu ?

– Eldwen, compagne du Prince Ardahel du Pays de Santerre. Je voyage avec un Vrainain du nom de Sabyl qui me guide sur le chemin. Je souhaite qu'il soit en bonne santé afin que nous puissions reprendre rapidement notre route.

– Quelle importance ? fit Migal. Tu es bien vivante, belle et désirable. Tout ce que tu peux demander en surplus, tu le trouveras ici pour ton plus grand plaisir. Je vais même demander à père de t'accepter comme ma sœur, car tu me plais énormément. Tu n'as donc aucune raison de te soucier de quoi que ce soit. Ici, nourriture et boissons abondent ; je t'enseignerai si bien ton corps que tu auras l'impression de le découvrir pour la première fois. Je suis certaine que tu ignores tous les trésors d'extase que peut te procurer chaque petite parcelle de ta chair !

Sur ces dernières paroles, Migal offrit un tendre baiser à l'aveugle que celle-ci ne put faire autrement que savourer, tant les paroles et les gestes de la jeune fille étaient grisants.

Une fois séchée et vêtue d'un mince voile de satin, Eldwen avait été conduite dans l'une des pièces consacrées aux plaisirs, celle nommée Salle de Partage. La jeune femme put manger à sa faim, savourant des mets qui lui étaient pour la plupart inconnus. Des breuvages onctueux accompagnaient le repas, certains rappelant les vins de Santerre, d'autres évoquant le miel par leur consistance et leur arôme.

Ces boissons devaient posséder des vertus aphrodisiaques, car Eldwen ressentait un profond désir de se trouver avec Ardahel et de l'étreindre de toutes ses forces. Parfois, tout en servant leur invitée, Migal et Lodas frôlaient doucement l'aveugle qui frissonnait alors d'un ravissement trouble. Le repas terminé, la jeune fille invita l'aveugle à s'étendre pour que son frère puisse la coiffer tandis qu'elles discuteraient ensemble.

– Vois-tu, expliqua Migal, nous vivons une existence heureuse, toujours en quête de nouveaux plaisirs. Nous avons élaboré une science très poussée des jouissances du corps. Chez nous, le temps ne compte pas ; nous vivons pour le plaisir présent. N'est-ce pas la vie idéale ?

– Mon compagnon et moi vivons dans un domaine où le temps n'existe pas non plus, répondit Eldwen. La vie y est fort agréable, quoique très différente de la vôtre. Ah ! comme j'aimerais qu'Ardahel soit ici, avec moi, en ce moment...

– Pourquoi ? Il y a Lodas, il y a moi, et bientôt le reste de la famille sera ici. Tous peuvent assurément te satisfaire bien plus que ton compagnon.

Eldwen se rebiffa à cette idée.

– Mais je suis unie à lui, nous nous sommes engagés l'un envers l'autre !

– Foutaises ! railla Migal. Ces liens ne sont que boulets aux pieds. Nous, les Volupiens, connaissons les attaches créées par les sentiments. Toutefois, nous les étendons à tous ceux que nous connaissons. Par contre, ces liens ne vivent que par la présence des gens tout près l'un de l'autre. Une personne absente ne peut avoir d'autres liens que ceux du souvenir. Alors, pourquoi les entretenir inconsidérément et se priver des plaisirs à la portée de la main ? N'apprécies-tu pas les caresses de Lodas, la douce chaleur de mes mains, l'ivresse des boissons que nous te servons ? Pourquoi te préoccuper de ce qui fut, t'inquiéter de ce qui sera ou ne sera pas ? Abandonne-toi au présent.

À la fois prisonnière de son obscurité d'aveugle et de la délicieuse présence de ses hôtes, Eldwen tentait de résister en opposant sa raison.

– Tu me demandes beaucoup ; ma pensée diffère tellement de la tienne.

– Tu n'as pas appris à apprécier, intervient Lodas. Pourtant, tu es aveugle, tu devrais donc estimer les sensations du corps. Même ce qui est souffrance peut devenir jouissance lorsque l'on sait apprécier !

Les deux Volupiens continuèrent d'infirmer tous les arguments d'Eldwen, l'étourdissant de leurs paroles et de leurs gestes.

– Tu cherches des raisons de réfuter notre pensée, fit Lodas. Pourtant, tu ne la connais pas. Abandonne-toi pour un temps à tes désirs ; ensuite, tu pourras juger. Je suis certain que tu ne voudras plus connaître autre chose. Ce que je te propose n'est-il pas la voie de la raison ? Connaître pour juger.

– En effet, répondit Eldwen sans conviction. Tu parles juste. Mais j'ai une tâche à accomplir ; je suis attendue en d'autres lieux...

– Tout peut attendre, répliqua Lodas. Ce qui doit arriver arrivera bien, si cela est inévitable. Alors, rien ne t'empêche d'acquérir la connaissance que nous t'offrons.

Lodas parlait bien, certain de la justesse de son propos. Sa voix et ses gestes séduisaient l'aveugle qui se dit finalement qu'elle avait tout à gagner, et rien à perdre, en séjournant quelque temps avec les Volupiens.

Plusieurs familles de Volupiens habitaient les cavernes. Celle des Orahen comptait parmi les importantes de cet univers souterrain de grottes toutes reliées entre elles, parfois sur de grandes distances. L'aménagement rappelait le Taslande, ce domaine souterrain des Tanês qu'Ardahel et Eldwen avaient traversé avec la Compagnie Frett et les Saymails pour se rendre en Kalar Dhun. Cependant, le Volupas débordait de vie. Les endroits habités étaient décorés avec art en utilisant au maximum les minéraux et les métaux disponibles sur place, ainsi que du bois et des tissus achetés aux peuples voisins vivant « au-dehors ». En effet, les métaux précieux abondaient dans les mines du Volupas, ce qui permettait aux Volupiens d'acquérir facilement tout ce dont ils avaient besoin.

Le plus souvent, une famille de Volupiens occupait trois grottes principales et plusieurs secondaires. Il y avait la Salle de l'Initiation, la Salle de Partage, la Salle d'Échanges ainsi que les salles réservées aux activités quotidiennes, aux repas et au repos. Ces pièces étaient éclairées par un système sophistiqué de globes lumineux projetant une lumière chaude, tamisée, qui n'éblouissait jamais. Dans une ambiance perpétuelle de clairs-obscurs mystérieux, les motifs des boiseries et des tissus paraissaient d'une richesse fabuleuse. La plupart des créations reprenaient le thème des étreintes amoureuses sous toutes leurs formes. Si le réseau de corridors souterrains était entretenu sommairement à l'écart des lieux habités, il affichait un grand luxe dans les sections conduisant aux résidences. Chaque famille rivalisait d'adresse dans la création de mosaïques murales et de sculptures aux abords de leurs lieux de vie. Certains corridors souterrains étaient tellement chargés d'ornements au plafond, sur les murs et au sol qu'ils devenaient partie intégrante des propriétés familiales.

Kadil Orahen, chef de sa famille, avait invité tous ses parents Volupiens à se rassembler pour la fête de l'initiation de Carel, sa plus jeune fille, qui arrivait à l'âge adulte. Un tel événement était une occasion privilégiée de réjouissance pour les Volupiens. Ce fut un groupe d'invités en chemin vers la demeure des Orahen qui découvrit les deux étrangers gisant inconscients et malades dans les ténèbres de leur monde souterrain. Éblouis par la beauté d'Eldwen, Migal et Lodas, enfants de Kadil, obtinrent de s'occuper personnellement de la jeune femme. Sabyl, de son côté, soulevait la curiosité des autres Volupiens. Comme les gens de Larousque, les habitants des cavernes voyaient un membre du Peuple des Nains pour la première fois. Kadil Orahen brûlait d'impatience d'interroger ce visiteur étrange. Le Vrainain fut soigné avec grande attention, les Orahen déployant toute leur science des soins du corps pour que leur hôte se rétablisse promptement et complètement.

Lorsque le Vrainain ouvrit les yeux, il constata qu'il était entouré d'une vingtaine d'individus curieux et silencieux. Personne n'osait parler et Sabyl finit par rompre le silence.

– Bien le bon jour, Nobles Gens. Que ce jour en soit un de gaieté, de prospérité et de santé pour vous tous !

Tout en parlant, Sabyl rassemblait ses idées. Il se sentait en pleine forme et il conclut que ces inconnus l'avaient soigné.

– Soyez remerciés de tout mon cœur pour vos bons soins !

Bien qu'il affichait une allure joyeuse, il ne se sentait guère à son aise, se rendant bien compte à quel point il surprenait ses hôtes, effrayant même les plus jeunes. Tout en avalant discrètement sa salive, Sabyl continua à les regarder en souriant de son mieux, attendant une quelconque réaction. Ceux qui l'entouraient étaient grands, élancés, aux traits élégants et à la peau très claire. Ils avaient tous de longues chevelures apparemment douces et soyeuses, d'une couleur blanche aux reflets bleus, cendrés ou dorés. Ils portaient tous de grandes robes amples aux teintes dominées par le rouge, finement brodées de motifs représentant des corps enlacés. Un maquillage que Sabyl estimait outrancier soulignait les yeux et la bouche. Les plus âgés, d'aussi belle prestance que les plus jeunes, avaient de petits anneaux en or qui pénétraient dans la peau en entourant les sourcils. Cela leur donnait un regard étrange, autoritaire malgré la douceur de leurs yeux.

Finalement, celui dont les sourcils étaient le plus complètement enveloppés d'anneaux d'or, le plus grand et certes le plus âgé du groupe, se décida à répondre.

– Salutations à toi, étranger. Je me nomme Kadil Orahen. Ceux-ci sont des membres de ma famille ainsi que des invités qui vous ont découverts en venant ici, ta compagne et toi.

La mention d'Eldwen finit de réveiller le Vrainain. Il se redressa brusquement, affolé, pour questionner son hôte.

– Où se trouve Dame Eldwen ? Comment est-elle ?

– Tu n'as rien à craindre pour elle, deux de mes enfants la soignent en ce moment. Elle sera rapidement pleine de vie et de vigueur... Euh ! pardonne notre hésitation à te rendre ton salut, mais nous voyons un être tel que toi pour la première fois. Qui es-tu ?

Ces paroles détendirent le Vrainain. Il retrouva le sourire tout en soupirant d'aise.

– Je me nomme Sabyl, membre de la Race des Vrainains et guide de Dame Eldwen de Santerre, membre du Moyen Peuple.

Tout en continuant d'examiner l'endroit où il se trouvait, Sabyl expliqua dans ses grandes lignes la raison de sa présence dans les grottes, éludant toute explication sur le but du voyage d'Eldwen. Le Vrainain était bien enveloppé dans une chaude couverture, sentant que tout son corps avait été massé et enduit d'onguents odorants qui lui procuraient un grand bien-être. Il se trouvait dans une pièce aux murs couverts de grandes toiles peintes représentant des corps s'étreignant dans toutes les positions imaginables. De délicates sculptures de bois ornaient les murs et les meubles luxueux de la pièce. Les sources de lumière l'étonnaient au plus haut point. Dans des globes de verre, une nuée lumineuse tournoyait sans cesse en créant un éclairage doux, tout en nuances et en reflets colorés.

Puis, comme Kadil l'interrogeait sur ceux de sa Race, le Vrainain donna avec entrain toutes les précisions utiles sur sa Race. Le Volupien sembla rassuré.

– Donc, tu n'es pas un dieu, constata Kadil, mais un être fort semblable à nous, quoique de plus petite taille et vivant selon des coutumes différentes.

– Voilà qui est comme tu le dis, fit Sabyl, amusé de la méprise. De toute manière, je ne peux pas être un divin personnage puisqu'il existe un seul Dieu, Elhuï, le Créateur...

– Mais non, s'offusqua le Volupien. Que fais-tu des dieux de l'air, de la terre, de l'eau, de la lumière, du plaisir, de l'abondance ?

Kadil se lança dans une longue énumération de tous les dieux auxquels il croyait et s'adressait régulièrement. En tant que chef de famille, Kadil Orahen se devait de connaître à fond ce sujet, de mémoriser toute l'organisation divine, les rôles précis des dieux dans la vie ainsi que les prières destinées à chacun. Pour sa part, Sabyl ne s'était jamais vraiment interrogé sur ce sujet, acceptant sans discuter l'idée du Dieu Elhuï Créateur du Monde d'Ici.

Le Vrainain ne possédait donc que des connaissances restreintes en la matière, se fiant surtout à son bon sens tranquille de Vrainain pour répondre à Kadil. Rapidement, tous deux se piquèrent au jeu de l'argumentation, chacun se faisant un honneur de défendre sa position et d'en prouver la supériorité. Cependant, si cet échange passionné retint un moment l'attention des autres Volupiens, ils se lassèrent bientôt et firent savoir à Kadil qu'ils avaient tous hâte de commencer la fête.

Le chef de la famille Orahen approuva et il commanda de trouver des vêtements volupiens pour Sabyl. Ensuite, le groupe se rendit à la Salle de l'Initiation. Chemin faisant, d'autres Volupiens se joignirent à Kadil et ils furent près d'une cinquantaine à pénétrer dans la grande salle de fête. Pendant que chacun s'installait, Sabyl s'inquiéta de nouveau d'Eldwen.

– Suis-moi, fit Kadil, nous la trouverons probablement dans les appartements de ma fille.

Kadil Orahen mena le Vrainain à la découverte de sa demeure. Cette visite impressionna fort Sabyl qui estima que tout ce travail devait avoir exigé la participation de plusieurs générations tant il découvrait de salles diverses, de chambres démesurées et d'ornements luxueux. Tout en faisant les honneurs du domaine à son hôte, Kadil avait repris la conversation sur les croyances du Vrainain, cherchant sincèrement à mieux connaître ce visiteur étrange. Finalement, ils trouvèrent ceux qu'ils cherchaient. Eldwen était étendue sur une grande couverture de satin, vêtue d'une robe volupienne, appuyée contre Lodas qui lui peignait les cheveux, alors que Migal était assise devant l'aveugle. Dans la douce pénombre de la pièce, ils discutaient ensemble de la pensée des Volupiens.

– Dame Eldwen ! s'écria le Vrainain. Te voilà enfin ! En bonne santé, fort heureusement !

Les deux compagnons de voyage se donnèrent l'accolade, puis Eldwen reprit sa place sur la couverture tandis que Sabyl demeurait debout à observer tout ce qui se passait. Il souriait à Migal ainsi qu'à Lodas. Toutefois, il devenait de plus en plus sur la défensive.

– Oh ! mon ami Sabyl, ta présence me soulage. J'ai craint pour toi, même si Migal m'avait assuré que tu serais vite remis sur pied. Cet endroit n'est-il pas merveilleux ?

Le Vrainain se contenta d'une vague réponse à l'endroit de l'aveugle. Il s'était juré de conduire Eldwen à son rendez-vous, quoi qu'il advienne. Or, ce qu'il voyait ne lui plaisait guère. Sabyl pressentait qu'il aurait fort à faire pour combattre l'influence des Volupiens et convaincre la jeune femme de reprendre la route.

– Eh bien ! s'exclama Kadil, tout se dénoue fort agréablement. Les deux compagnons se sont retrouvés bien vivants. Venez donc avec nous à la Salle de l'Initiation. La fête en l'honneur de ma petite fille Carel va bientôt débuter !

La Salle de l'Initiation était l'une des plus grandes et certes la mieux décorée de tout le domaine de Kadil Orahen. Des panneaux de boiserie ou tendus de satin couvraient en entier le plafond et les murs. Le sol était couvert d'un tapis moelleux, agréable sous les pieds nus. Des colonnes couvertes de sculptures délimitaient une série d'alcôves douillettes sur le pourtour. Meublée de lits et de divans moelleux, il y régnait une pénombre invitante. Dans une section de la salle se trouvaient des bassins pleins d'un liquide ambré à l'arôme envahissant, des tables pour manger ou de grands coussins près desquels Sabyl voyait des instruments qui lui étaient totalement inconnus.

Le centre de la salle était aménagé en trois gradins circulaires entourant une sorte de banc d'honneur où prit place la jeune Carel. Les membres de sa famille et les invités à la fête passèrent tour à tour près d'elle pour lui glisser quelques mots joyeux à l'oreille, pour l'embrasser ou pour lui offrir des présents emballés dans du tissu fin. Enfin, tous prirent place dans les gradins pour festoyer. Eldwen et Sabyl se retrouvèrent entourés par plusieurs Volupiens curieux qui les pressaient de questions pendant que d'autres allaient et venaient dans la salle, se succédant devant Carel pour jouer un air de musique, chanter une chanson ou déclamer un poème exaltant les plaisirs à découvrir dans la vie adulte.

Ainsi débutait la fête chez les Volupiens, chacun prenant un instant pour divertir ou servir les autres, puis se préoccupant de son plaisir. Eldwen se sentait grisée par l'atmosphère de ces réjouissances. Ses sens n'avaient jamais été si agréablement sollicités tous à la fois. Les sons étaient ensorcelants, faits de musique prenante et de voix voluptueuses. Les odeurs capiteuses l'enivraient, tandis que alors que tout ce qu'elle portait à sa bouche semblait éclater en saveurs délicates. Les caresses furtives des Volupiens qu'elle ne pouvait voir lui procuraient des frissons excitants, la laissant chaque fois dans l'attente du geste suivant. Euphorique, toute pudeur envolée, elle tendait l'oreille pour écouter les gémissements d'extase des Volupiens qui s'étreignaient.

Kadil et les siens gardaient toutefois une certaine réserve devant le Vrainain, lequel conservait une attitude polie, mais distante. Les Volupiens étaient à la fois déroutés et un peu inquiets face à cet être qui leur paraissait si étrange. En hôte attentif du bien-être de ses invités, le chef de famille cherchait à intégrer Sabyl à la fête. Il eut alors l'idée de lui demander s'il avait un chant ou un poème à offrir à sa fille Carel.

– Je joue un peu de ma flûte, répondit le Vrainain. Cependant, je ne puis me comparer dans cet art à l'adresse des Volupiens. Je ne fais qu'improviser sur ce qui me passe par la tête.

– Voilà qui me paraît admirable, s'enthousiasma Kadil. Je t'en prie, offre-nous quelques notes de ton instrument.

Sabyl se rendit donc devant Carel en sortant son instrument qu'il avait pris soin de glisser dans les vêtements prêtés par les Volupiens. En son esprit, le Vrainain intitula son air *Chanson pour Carel et pour Eldwen*.

C'est une chanson
Pour celle qui possède
Toujours en son cœur
La vraie joie de vivre

C'est une chanson
Pour entendre rire encore
En éclats francs et purs
Surgis des vraies émotions

C'est une chanson
Pour celle qui sera
Celle qu'elle doit être
Au bout de cette nuit

C'est une chanson
Pour celle dont le corps sera parfait
Celle dont les bras sauront étreindre
Qui plus jamais ne sera comme avant

C'est une chanson
Qui raconte comment le bonheur
S'éloigne dans les plaisirs
Quand corps et âme ne font plus un

C'est une chanson triste
Car elle chante la fin du rire
Présent dans le cœur des enfants
C'est une chanson triste
Que je chante ce soir

Un silence hargneux suivit la chanson de Sabyl. La jeune Carel se mit à pleurer en silence, libérant un malaise qui la tiraillait depuis le début de la fête. Son père s'approcha d'elle pour la prendre dans ses bras d'un geste protecteur. Sa colère fusa entre ses lèvres crispées, dans un murmure froid et implacable.

– Étranger, tu viens de transformer en jour de douleur ce qui devait être le plus beau moment de la vie de ma fille bien-aimée. Tu devras en payer le prix... de ta vie.

Sabyl soutenait le regard furieux de son hôte. La tête un peu penchée, un sourire ironique sur les lèvres, le Vrainain ne se sentait aucunement intimidé. Au contraire, la situation était désormais claire pour lui : il n'aimait pas les Volupiens. Or, un Vrainain peut devenir un adversaire redoutable lorsque sa bonté naturelle s'évanouit. Cependant, Sabyl n'avait pas ses armes pour se défendre et contre-attaquer. Il n'était vêtu que de la robe volupienne mal ajustée à sa taille. À toute vitesse, il évaluait les possibilités pour prendre l'avantage de la situation. Malheureusement, le temps jouait contre lui. Pendant qu'il se tenait là, face à Kadil Orahen, des membres de sa famille et des invités quittaient la Salle de l'Initiation pour revenir à la hâte, les premiers avec des couteaux, d'autres avec des épées.

Sabyl, la jeune Carel et son père Kadil se trouvaient encore sur le gradin supérieur. Le deuxième avait été déserté, tandis que les Volupiens armés se pressaient sur le troisième niveau, les entourant ainsi à distance. Toute retraite s'avérait interdite au Vrainain qui cherchait désespérément comment franchir le cercle de lames pointées vers lui.

Seul le bruit des déplacements troublait le silence. Lorsque tous les gens eurent pris position, tout sembla figé dans l'attente du dénouement. Soudain, un dernier Volupien pénétra dans la pièce en portant haut devant lui une longue épée, mince lame courbe à double tranchant. Il traversa les rangs de ceux qui entouraient l'estrade et grimpa les gradins jusqu'à Kadil pour lui remettre l'arme. Enfin, il se retira en entraînant Carel avec lui, laissant le chef de la famille Orahen seul avec Sabyl sur le gradin supérieur.

Le Vrainain tenta d'en appeler à l'équité habituelle entre les adversaires qui se respectent.

– Je suis sans mon arme. Ne devrais-tu pas me la faire remettre afin que l'affrontement soit loyal ?

– Il ne s'agit pas d'un combat, mais bien d'un châtiment que j'exécute. N'espère aucune clémence de ma part.

Sans plus attendre, le Volupien s'avança vers Sabyl en levant son arme. La technique de combat de Kadil était bien connue du Vrainain. L'attaquant se déplaçait lentement, les deux mains sur le manche, éloignées du corps et à hauteur des épaules. La lame pointait vers le bas en se déplaçant continuellement avec des mouvements amples et lents. Tout semblait se dérouler au ralenti jusqu'à ce que le coup parte, brusque, incisif. Mortel.

Chapitre treizième

Chaud et froid

Le silence régnait dans la Salle de l'Initiation, une absence de bruit tendue, palpable. Le moindre son portait au point d'entendre le bruissement de la robe du Volupien. Un sanglot étouffé parvint aux adversaires, celui de la jeune Carel, qui gonfla encore plus de colère les yeux de son père. Un autre gémissement lui succéda, venant d'Eldwen, qui savait quelle scène se déroulait sur le gradin supérieur, mais qui ne pouvait qu'en attendre le dénouement sans la voir. Dans son obscurité d'aveugle, l'ignorance devenait une insoutenable angoisse.

Kadil se déplaçait de manière à contraindre son adversaire à demeurer au centre de l'espace supérieur des gradins. Toutefois, cela l'obligeait à tenir compte d'un obstacle. Le banc d'honneur où sa fille Carel prenait place l'instant auparavant permettait à Sabyl d'échapper à un assaut direct. Les deux antagonistes tournaient donc lentement autour de la frêle défense du Vrainain. Soudain, Kadil lança une première attaque. Ses bras se détendirent à une vitesse foudroyante et la lame faillit décapiter sa proie.

Le recul du Vrainain avait été assez rapide pour éviter le pire. Cependant, la lame l'avait touché près du cou et du sang coulait sur son épaule. Le même manège reprit, le Volupien préparant sa prochaine attaque qui ne tarda pas. Encore une fois, l'arme siffla dans l'air en direction de la tête. Une fois de plus, ce fut sans succès. Le regard de Kadil se chargea d'une lueur amusée. Il savourait maintenant le plaisir d'un jeu malsain qu'il pouvait étirer à sa guise. Une troisième fois, le coup partit brusquement, forçant le Vrainain à esquiver sans pouvoir riposter.

Sabyl passa la main sur son cou et la retira pleine de sang.

« Il n'aura pas la satisfaction de me dépecer comme une volaille », se dit-il.

Le Volupien s'avança pour une nouvelle attaque, visant manifestement toujours la tête. Cette fois, Sabyl fit mine d'être pris de court. Il donna l'impression de ne pas s'être réfugié assez rapidement derrière le banc qui représentait sa seule protection. Convaincu de son avantage, Kadil porta son coup de toutes ses forces. Avant même que son geste ne soit terminé, Sabyl s'était jeté au sol puis relevé à une vitesse étonnante pour sauter dans les jambes de son attaquant. Déployant une agilité et une force que son adversaire ne soupçonnait pas, le Vrainain lui saisit les chevilles qu'il tordit d'un coup sec en les tirant vers le haut. Emporté par son élan et déséquilibré, Kadil chuta lourdement, tête la première. Déjà, Sabyl sautait sur son bras pour lui faire lâcher son épée qu'il saisit promptement.

Le Vrainain se releva tout aussi vite, cette fois armé et prêt à frapper son adversaire étendu au sol, grimaçant de douleur et de surprise.

– Tu mérites rien de moins que le coup fatal, murmura le Vrainain. Je t'épargnerai si j'ai la certitude de quitter ces lieux en sécurité.

Un moment, le Volupien demeura sans réaction. Puis, l'expression de son visage passa de la colère à la résignation. Finalement, il se releva en se dressant de toute sa hauteur, le plus dignement possible.

– Parents et amis de la famille Orahen, déclara-t-il, qu'on laisse ce Vrainain partir sans l'inquiéter. La parole de Kadil Orahen est garante de sa sécurité. Qu'il puisse quitter notre domaine immédiatement, mais qu'il ne revienne jamais car sa tête tomberait alors.

À demi rassuré, Sabyl conserva l'épée prête à frapper pour descendre les gradins. Les Volupiens qui avaient formé un cercle menaçant baissaient maintenant leurs armes. Ils s'écartèrent en silence devant le Vrainain, le regard lourd de ressentiment.

Sabyl se dirigea vers Eldwen et l'interpella sans douceur.

– Je continue mon chemin, Dame Eldwen. Est-ce que tu m'accompagnes ou dois-je me présenter seul à ton rendez-vous ?

Des larmes coulaient silencieusement sur les joues de l'aveugle. Larmes de joie tout autant que de détresse, témoins éloquents de son désarroi après tant d'émotions. C'est à peine si les mots sortirent de sa bouche.

– Que l'on me redonne mes vêtements pour que je puisse suivre Sabyl...

Migal et Lodas tentèrent en vain de retenir l'aveugle. Sans ajouter un mot, Eldwen leur donna à chacun un doux baiser sur le front, puis elle tendit la main vers le Vrainain.

– Acceptes-tu de me conduire ? Je suis prête à partir.

Des chuchotements montaient de plus en plus dans la Salle de l'Initiation, des murmures chargés d'une sourde colère et d'une haine palpable. Malgré tout, Migal offrit son aide.

– Je vais vous mener à vos montures. Ensuite, je vous indiquerai le chemin pour quitter ces cavernes. Pendant ce temps, Eldwen, promets-moi de repenser à ta décision...

La Volupienne guida les deux compagnons à l'endroit où étaient gardés Noiras et Guenuche. Ils attendaient leurs maîtres, bien nourris, le poil nettoyé et visiblement fort satisfaits de leur sort. La monture du Vrainain commença par refuser de bouger, mais Sabyl s'emporta, réellement en colère cette fois.

– Toi, la bourrique, ce n'est pas le temps de faire des tiennes ! Grouille-toi le derrière, ça presse !

Le Vrainain n'eut pas à le répéter deux fois et l'âne obéit docilement. Migal guida les deux voyageurs, ou plutôt les deux fuyards, dans un véritable labyrinthe de longs tunnels. Aucun mot ne fut prononcé de tout le trajet. La Volupienne marchait devant, Sabyl suivait en se tenant sur ses gardes, scrutant autour de lui pour prévenir toute traîtrise possible. La dernière, Eldwen se laissait porter par Noiras, la tête courbée, l'âme triste, les yeux pleins de larmes. Ils débouchèrent finalement dans une grotte tout en longueur, au bout de laquelle brillait une lumière indiquant l'issue de ce monde souterrain.

Migal se rendit près de l'aveugle, toujours montée sur Noiras. Elle posa la tête contre la cuisse de la cavalière en lui parlant d'une voix déchirée.

– Je te regretterai, tu sais, et les paroles de ton ami Sabyl hanteront longtemps mon esprit.

La Volupienne tendit à Eldwen un petit sac de cuir contenant une sorte de bandeau de tête sur lequel de minuscules plaques métalliques formaient un motif géométrique complexe, un sachet de tissu fin ainsi qu'une étrange petite boîte de métal noir comme la suie.

– Prends ceci en souvenir de notre rencontre. Cela te sera très utile si ta route t'oblige à retourner dans un monde souterrain. Le bandeau sert à trouver son chemin dans les ténèbres. Tu n'as qu'à l'attacher à ton front et il te fait discerner les lieux et les mouvements. Tu ne verras pas, mais tu auras connaissance de ce qui t'entoure. La pochette de cuir contient des herbes magiques qu'il suffit de faire brûler pour trouver le meilleur chemin afin de quitter les cavernes ; quelques brins suffisent à produire une fumée que l'air extérieur attire inexorablement. Cela agit tel un guide infaillible. La petite cassette de métal peut réchauffer bien des gens et chasser l'humidité des grottes. Tu n'as qu'à la poser sur le sol et la frotter de tes mains.

– Pourquoi me donnes-tu cela ? demanda Eldwen.

– Parce que je t'admire et que je sais que tu as beaucoup à faire encore. Cela pourra te servir tandis que moi, qu'en ferais-je ? Ah ! si je pouvais t'accompagner...

Migal soupira et recula d'un pas.

– Prends cela et vas-t'en ! Vite.

– Tu n'as qu'à venir avec nous. Il n'y a rien de plus simple. Laisse là tes drogues et tes philtres et accompagne-nous.

– Tu sais bien que cela m'est impossible. Je n'ai pas ce courage. Va, ton guide t'attend...

Aussi loin que le regard du Vrainain pouvait porter, il ne discernait qu'une vaste étendue de boue séchée, un terrain craquelé d'où s'élevait un brouillard de chaleur qui effaçait l'horizon. Le soleil se faisait ardent, courbant la tête des montures, rendant lourde leur démarche dans cette fournaise qu'était devenu leur chemin. Souffrant de la chaleur qui n'encourageait guère les conversations, Sabyl et Eldwen demeuraient muets depuis qu'ils avaient abouti à l'air libre.

Maintenant que le soleil s'était déplacé dans le ciel, le Vrainain pouvait situer le Levant, le Couchant, la Mi-Jour et la Mi-Nuit, les quatre repères essentiels du voyageur. Il estima que quatre ou cinq heures passeraient encore avant que le soir ne vienne rafraîchir l'air. Après avoir été un moment désorienté, Sabyl avait retrouvé sa route et la certitude d'aller dans la bonne direction raviva son optimisme. Il examina plus calmement la situation et fouilla dans ses souvenirs pour trouver ce qu'il convenait de faire.

– Il faut mettre des habits amples et abondants, déclara subitement le Vrainain. J'ai déjà entendu des récits sur les gens vivant en Terres Brûlées. C'est en se couvrant le corps de plusieurs épaisseurs de vêtements qu'ils évitent de se faire brûler la peau et de se dessécher. De plus, nous attendrons la fraîcheur du soir pour continuer à avancer.

– Décide comme il te semble raisonnable, répondit Eldwen.

Sabyl bricola un abri leur procurant un peu d'ombre. Les deux voyageurs s'installèrent le plus confortablement possible pour attendre la fin du jour. Le Vrainain estimait que le mieux à faire était de sommeiller et il ferma les yeux. Il aurait aimé parler un peu, mais Eldwen gardait le silence, l'esprit visiblement encore avec les Orahen. Il était sur le point de s'endormir lorsque la jeune femme lui adressa la parole.

– Sabyl, dis-moi... Tu dois me juger sévèrement ?

Le Vrainain eut un sourire. Il prit son temps pour répondre, parlant d'une voix douce et amicale.

– Non, je n'ai pas à te juger, je n'ai pas ce droit. Et pourquoi le ferais-je ?

– Ce que je faisais n'était-il pas mal ? Ou alors, dis-moi que je n'ai pas mal agi...

– Mal agir ou bien agir... Je ne me pose pas la question en ces termes. Vois-tu, Dame Eldwen, je regarde les choses telles qu'elles sont et j'essaie simplement de discerner si cela peut être profitable ou non. J'ai des enfants, chez moi, dans la Forêt des Nains ; leurs rires heureux sont bien présents dans ma mémoire. Ils m'accompagnent partout. Or, pas un instant je n'ai entendu d'aussi beaux rires chez les Volupiens, sauf peut-être chez les plus jeunes, ceux encore trop petits pour comprendre la pensée de leurs aînés. Alors, si leur pensée détruit ce que je trouve de plus beau, je ne saurais m'accorder avec eux. Les Volupiens m'apparaissent comme des gens désabusés qui ne vibrent plus, qui n'ont plus le sens du merveilleux. Cela m'aurait rendu triste de te voir devenir ainsi...

– Les gestes de Migal étaient tellement agréables...

– Agréables, assurément. Ils donnaient du plaisir, mais donnaient-ils du bonheur ?

Eldwen garda encore le silence un moment, se mordillant la lèvre nerveusement. Ses pensées se tournaient vers Ardahel et, encore une fois, elle avait besoin de l'avis de Sabyl.

– Je voudrais que tu me dises... Tu sais... Je suis unie à Ardahel et... Sabyl, j'ai honte !

Cette fois, la jeune femme fut prise d'un sanglot profond, témoin d'une peine intense qui lui faisait mal au plus profond de son âme. Dans son obscurité d'aveugle, elle avait la vision de son compagnon, ainsi qu'elle imaginait ses traits, souriant et tendre envers elle. Tout son corps se raidit, ses mains se crispèrent dans le sable du sol sur lequel elle était étendue. De toutes ses entrailles monta un long hurlement, malheureux et libérateur à la fois.

Sabyl attendit que cesse le cri. Alors, il attira Eldwen pour qu'elle se blottisse contre lui.

– Ne te condamne pas, car je suis certain qu'Ardahel ne le ferait aucunement. Je n'ai pas tellement compris ton histoire d'années de vie volées par une Magomienne, de passage brusque à l'âge adulte, de temps arrêté dans le domaine de ton compagnon. Malgré tout, je crois saisir que tu n'avais jamais appris à désirer et à choisir. Tu viens de le faire très durement. De quoi aurais-tu honte ? D'avoir été tentée ? Je vois plutôt une femme qui a su faire les bons choix ! Finalement, à mon avis, tu t'en sors bien. Ne trouves-tu pas ?

Un sourire timide courut sur le visage ravagé d'Eldwen. Elle se roula en boule serrée sur le côté, presque frileuse malgré la chaleur, la tête appuyée sur Sabyl. Lentement, elle se détendit. Le Vrainain parlait avec sagesse, multipliant les leçons que la jeune femme méditait. Au bout d'un long moment, elle voulut converser encore, mais elle constata que son guide s'était assoupi.

– Dors bien, Sabyl, murmura Eldwen. J'envie ta simplicité et ta façon de voir la vie. Tu dois être un Vrainain très heureux...

Eldwen ne trouva pas le sommeil ; le souvenir de Migal la tourmentait sans cesse. Puis son sentiment envers la Volupienne se précisa.

« Elle a fait un choix conscient. Je lui ai offert de venir avec nous, mais elle a refusé. Elle vit dans son monde et moi dans le mien. Pourquoi alors tant me tourmenter ? Elle est libre ! »

La jeune femme se mit à méditer sur l'idée de liberté, cherchant une réponse aux questions qui montaient en elle. Pendant ce temps, Migal Orahen était retournée dans les profondeurs de son monde souterrain. Elle avait rejoint un couple d'invités de son père dans l'une des alcôves de la Salle de l'Initiation. La Volupienne avait eu une dernière pensée pour la séduisante aveugle de passage, puis elle s'était allongée avec les siens.

Le ciel du désert se teinta de rouge et une bouffée de fraîcheur se glissa sous l'abri. Le changement de température tira les voyageurs de leur engourdissement. Rapidement, ils furent prêts à reprendre la route. Sabyl nota les traits tirés et les yeux rougis de l'aveugle qui continuait à se torturer l'esprit.

Évidemment, Guenuche se fit prier. Sabyl ne se sentait pas le goût de discuter ; aussi fourra-t-il d'autorité quelques carottes dans la gueule de l'animal, puis la monotone expédition reprit son cours en silence. La douce fraîcheur du soir ne dura que peu de temps et bientôt lui succéda le froid de la nuit, un froid glacial qui surprit les deux compagnons tant il était vif. Dans le ciel sans nuage brillait une infinité d'étoiles que Sabyl ne reconnaissait pas. Étonné, le Vrainain n'identifiait aucun des repères célestes habituels. Se dirigeant de son mieux en ligne droite, il ne voyait autour de lui qu'un espace plat, s'étendant à perte de vue sans la moindre forme pour en briser la monotonie. Jamais il n'avait eu un tel sentiment de solitude, une telle impression d'être au centre de nulle part.

Les heures de route continuèrent mornement dans ce paysage, ou plutôt dans cette absence de paysage, jusqu'à ce que des lueurs dorées éclaircissent enfin l'horizon.

Avec une rapidité surprenante, le soleil se leva sur une nouvelle journée. Brièvement, la température se refit agréable, puis la chaleur revint, toujours aussi accablante. Les voyageurs continuèrent aussi longtemps qu'ils purent la supporter, puis le Vrainain dressa un nouvel abri. Il ne restait plus beaucoup de provisions dans les bagages et une partie était maintenant gâtée. Eldwen et Sabyl durent se contenter d'un repas très frugal, de même que leurs montures qui souffraient de la trop grande chaleur. Noiras, surtout, paraissait en mauvaise forme, son pelage sombre retenant douloureusement les rayons du soleil. Ironiquement, c'est Guenuche qui semblait le mieux s'accommoder de la situation.

Dans l'abri de fortune, la température devenait franchement insupportable. Incapable de se détendre, tenaillée par la soif, inconfortable dans son linge trempé de sueur, Eldwen avait besoin de bouger. Elle écouta attentivement la respiration de Sabyl et, constatant qu'il dormait profondément, elle renonça à le réveiller. Doucement, l'aveugle se glissa à l'extérieur de l'abri.

Malgré la chaleur écrasante, la jeune femme soupira d'aise. Cela la soulageait de pouvoir s'étirer sans craindre de bousculer le Vrainain et, aussi, de marcher un peu. Dans son monde de ténèbres, l'aveugle avait appris à percevoir son environnement d'une manière différente et à se situer dans ses déplacements. Or, après avoir fait quelques enjambées aux alentours, elle réalisa soudain ne pas être en mesure de s'orienter. Elle voulut revenir sur ses pas, mais elle fut incapable de retrouver l'abri. Pourtant, elle n'avait pas pu s'éloigner. Noiras et Guenuche devaient se trouver juste à côté. Elle appela sa monture.

– Noiras ! Viens me trouver, je t'en prie...

Aucun bruit, aucun signe de vie ne fit écho à sa demande.

– Sabyl, réveille-toi s'il te plaît !

Le silence demeura absolu. Terrifiant. Eldwen hurla son appel une nouvelle fois, en vain. Une sensation bizarre monta en elle, une impression angoissante de se trouver seule au milieu de nulle part.

S'interdisant de paniquer, la jeune femme s'efforça de reprendre une respiration paisible et régulière. Elle se concentra d'abord sur elle-même, mettant en pratique les trucs appris de Sabyl pour prendre conscience de chacun de ses membres. Cet exercice la calma. Puis, elle se concentra pour sentir le contact avec le sol, déployant toute la force de son esprit à se resituer dans le Monde d'Ici. Des enseignements de son maître Ogi resurgirent de sa mémoire alors qu'elle était enfant, perdue dans l'obscurité du puits où il l'avait éduquée à sa présence dans l'univers. Bribe par bribe, l'aveugle bâtissait dans son esprit ce que ses yeux ne pouvaient voir. Surgissant alors dans son imagination, une présence s'approcha d'elle. Indistincte, mais assurément féminine.

Eldwen attendit qu'elle soit près d'elle et l'interrogea doucement.

– Qui es-tu ?

– Soule, fit la nouvelle venue. Je suis fille du Peuple Absent.

Poliment, Eldwen se présenta, puis elle demanda des précisions.

– Je ne connais pas ton peuple. Voudrais-tu m'instruire ?

– Nous sommes les habitants de ce désert. Il est si rare que quelqu'un soit capable d'entrer en contact avec nous. Les voyageurs nous aperçoivent parfois, mais ils ne sont plus en mesure de nous voir dès qu'ils s'approchent. N'est-ce pas curieux ?

– Des mirages ! N'as-tu jamais entendu les voyageurs vous désigner ainsi ?

– Oui, en effet. Parfois, ils nous pointent du doigt et disent entre eux qu'ils voient des mirages. Mais toi, tu es différente. Tu es précieuse. Tu nous vois autrement.

Instinctivement, Eldwen se secoua pour reprendre contact avec la réalité. Un cri de détresse lui parvint.

– Non, supplia Soule, ne me chasse pas ! Je veux rester un peu avec toi, faire ta connaissance. Tu es si rare, Eldwen.

L'aveugle s'accrocha à la voix qui l'appelait. Calmement, elle retrouva l'état mental qui lui avait permis de laisser Soule venir à elle.

– Merci. Je suis de retour !

La fille du Peuple Absent ne revenait pas seule. D'autres présences l'accompagnaient. Ils étaient maintenant huit à entourer Eldwen.

– Voici les miens, précisa Soule. Mon aïeul, mes parents, mes frères et sœurs, ainsi que mon époux adoré. Toi, as-tu une famille ?

– Pas vraiment, soupira Eldwen. J'ai un époux que j'aime de tout mon cœur et de toute mon âme. C'est la seule personne qui compte pour moi. Il est ma seule famille...

– Tu n'as pas de parents ?

– Oh, j'ai un... *parent*... que je peux à peine considérer comme mon père. En fait, il n'a jamais été présent et il ne le sera jamais. Voilà qui est tout.

La mère de Soule s'approcha pour prendre les mains d'Eldwen, débordante d'amour maternel.

– Comme cela est triste ! Je veux t'adopter comme ma fille. Ainsi, tu auras une ascendance, une mère aimante, un père attentionné, des frères et des sœurs.

Les plus jeunes enfants de la famille entourèrent Eldwen avec des cris joyeux.

– Dis oui, Eldwen. Dis oui ! Nous aurons beaucoup de bonheur ensemble. On va jouer ensemble, tu nous conteras des histoires, on se confiera des secrets. Dis oui, Eldwen, deviens notre sœur.

– Tu es la bienvenue, approuva le père de Soule. Il suffit que nous proclamions ton adoption et tu seras membre de notre peuple avec tous les privilèges que cela comporte.

Bouleversée par cette proposition aussi inattendue que stupéfiante et par les sentiments généreux qui la portaient, Eldwen cherchait à retenir ses larmes. L'émotion l'étreignait, la privant de mots pour répondre à l'invitation. Cette famille du Peuple Absent lui offrait un trésor d'amour inespéré en lui offrant de l'accueillir en son sein.

– Tout cela est trop beau, sanglota-t-elle. Trop beau pour être vrai ! C'est un rêve. Un si beau rêve qui m'échappera toujours.

Soule entoura tendrement les épaules d'Eldwen, chaleureuse dans ses gestes et ses paroles.

– Comment notre accueil pourrait-il être *trop beau* ? N'est-il rien de plus naturel que de vivre en famille ? Tous ceux que tu connais n'ont-ils pas des parents à qui se fier, des frères ou des sœurs à qui se confier ?

– Mais comment me joindre à vous ? Il suffit que je quitte mon imagination pour que vous disparaissiez ! Comment faire pour garder le contact ? Pour demeurer ensemble ?

Cette fois, ce fut au tour de l'aïeul d'intervenir. C'était le grand-père de Soule, le père de son père, le Sage de la famille.

– Il est facile de te joindre à nous dès que tu le désires, chère Eldwen. Je vais t'enseigner le chemin. Donne-moi la main et suis-moi.

L'aïeul possédait une formidable force de persuasion. Sa poignée de main était franche et solide. Rassurante. Eldwen se sentait si bien en sa présence. Il lui rappela Noak, le père d'Ardahel, le batelier fort comme un chêne et serein comme une montagne aux neiges éternelles.

– Ardahel mon amour pourra-t-il me rejoindre bientôt ?

– Mais bien sûr, confirma Soule. Je suis convaincue que lui aussi sera très heureux avec nous.

Il y avait l'aïeul qui lui serrait doucement les mains, Soule qui tenait toujours Eldwen par les épaules, les plus jeunes enfants qui s'accrochaient à elle, les parents dont l'amour rayonnait et que l'aveugle recevait avec tant de délice. Un amour dont Alios l'avait toujours privée. En vérité, c'était lui, Alios, le Peuple Absent ! La famille de Soule, elle, était tellement présente.

– Montrez-moi le chemin, supplia Eldwen. Expliquez-moi ce que je dois faire pour rester avec vous.

La jeune femme avait à la fois les yeux remplis de larmes et un sourire radieux sur le visage. Une famille ! La puissance de son esprit venait de lui permettre de prendre contact avec le Peuple Absent. Par les routes de son imagination, elle pouvait quitter le Monde d'Ici et vivre enfin heureuse. Il fallait cependant qu'Ardahel soit là. Avec elle. Jamais Eldwen ne quitterait son époux qu'elle aimait plus que tout.

– Je veux Ardahel auprès de moi ! Allons le chercher.

L'aveugle se concentra de toutes ses forces sur l'image qu'elle se faisait de son amoureux. En même temps, elle voulut mieux distinguer sa nouvelle famille afin de la présenter à Ardahel. Elle s'efforça de reconstituer dans ses pensées l'image de Soule et des siens. Eldwen les vit enfin dans son imagination. Soule lui ressemblait tellement. L'aveugle découvrit avec ravissement que la fille du Peuple Absent était sa jumelle. Elle dévisagea les autres, réalisant qu'ils avaient tous les mêmes traits. L'aïeul, le père, la mère, les grands comme les petits frères et sœurs... Ils étaient tous ses jumeaux.

Abasourdie et ravie à la fois, Eldwen dévisageait cette famille extraordinaire. En pénétrant de plus en plus profondément dans son imagination, l'aveugle s'éloignait du monde des Présents et se préparait à s'unir au Peuple Absent.

Dans l'abri, Sabyl dormait de moins en moins bien. Une sourde inquiétude troublait son sommeil bien davantage que la chaleur du désert. Il ouvrit finalement les yeux et constata immédiatement l'absence d'Eldwen.

Le Vrainain sortit rapidement de l'abri pour scruter les environs. Immobiles, Noiras et Guenuche supportaient en silence la température écrasante. Autour d'eux, aussi loin que portait le regard, il n'y avait rien d'autre que ce sol desséché s'étirant jusqu'à l'horizon et ce ciel blanc à force de chaleur.

Sabyl se sentit vraiment nulle part. Pire encore, Eldwen n'était plus là.

Dans le monde du Peuple Absent, Eldwen obtenait une vision très claire de ce qu'elle désirait voir. Elle ressentait un bonheur intense en compagnie des parents de Soule. *Ses parents.* Son père et sa mère si elle le voulait ! Une fois adoptée par cette famille fabuleuse, elle n'aurait plus aucune crainte, aucune peine, aucune détresse, aucune épreuve. Plus rien ne la rendrait triste. Une fois réfugiée dans son imagination, Eldwen serait à son tour heureuse, libérée de ses tracas et des tâches que les autres lui imposaient.

Libre ! L'idée la séduisait encore plus intensément que tous les autres bonheurs à sa portée chez le Peuple Absent. Elle pouvait choisir la liberté et se défaire des chaînes imposées par Alios, ce faux père sans présence. Se défaire du poids mis sur ses épaules par Ogi, ce Guide lui aussi sans présence. Se défaire des requêtes des membres de la Race Ancestrale. Se défaire des attentes des Gens de Santerre. Se défaire des chaînes de sa cécité.

Eldwen entoura Soule de ses bras pour se serrer contre elle, heureuse d'avoir une sœur qui la comprenait. Cette sœur jumelle, sa plus merveilleuse amie. Cette autre elle-même qu'Eldwen savait aussi sa plus terrible ennemie.

– Je ne peux accepter, fit Eldwen d'une voix déchirée. Je ne peux pas m'unir au Peuple Absent.

Le regard de Soule chavira. Elle le plongea dans celui d'Eldwen, cherchant à comprendre cette volte-face soudaine alors que le bonheur se trouvait au bout des doigts.

– Pourquoi ?

Les yeux de l'aveugle se remplirent de larmes. Elle se serra un long moment encore contre Soule, puis elle l'écarta doucement. Il fallait à la jeune femme toute sa volonté et toute son énergie pour agir ainsi, pour prononcer ces mots.

– Parce que tout cela n'est qu'un mirage. Un si beau mirage, mais une illusion dans laquelle je ne peux pas m'enfermer.

– Que dis-tu ? s'offusqua Soule. Nous sommes bien réels. Nous existons.

– Oui, vous existez dans mon imagination, dans mes rêves les plus fous, dans mes désirs les plus refoulés.

– Alors, tu sais que tu seras heureuse en vivant avec nous.

– Oui. Vous m'offrez le bonheur. Si je me réfugie dans ton monde à toi, Soule qui est ma sœur imaginaire, je couperai tout contact avec ma réalité. Avec celle d'Ardahel, de mes amis de Santerre et de Gueld. Avec mon renard aussi...

– Qu'en ont-ils à faire ? s'emporta Soule. Qu'as-tu à te préoccuper d'eux ?

La fille du Peuple Absent s'approcha pour serrer encore plus fort Eldwen contre elle. Les autres membres de sa famille entourèrent l'aveugle en lui montrant toute l'intensité de l'amour qu'ils lui offraient.

Dans l'esprit de l'aveugle, un combat déchirant se livrait. La jeune femme affrontait tous ses espoirs déçus, tous ses rêves les plus invitants. Son imagination l'invitait à se réfugier loin de la réalité de ses épreuves, de ses douleurs et de ses déceptions. Eldwen faisait face à son pire ennemi : elle-même.

Stupéfait de ne pas voir Eldwen, le Vrainain décrivait des cercles de plus en plus grands autour de l'abri afin de trouver un indice, une trace sur le sol, une piste quelconque qui lui permettrait d'orienter ses recherches.

Soudain, il s'arrêta en se frottant les yeux.

– Mais qu'est-ce que cela ? Un mirage ! Eldwen, est-ce toi ?

Dans la chaleur du désert, les formes semblent si imprécises parfois. Puis elles s'éclaircissent, redéfinissent leurs contours et se font présentes. Ainsi, Eldwen s'approcha de Sabyl, répondant enfin à son appel.

– Je suis là, mon ami. Je suis de retour... pour rester avec toi jusqu'au bout de ce chemin.

Le Vrainain saisit la main que l'aveugle lui tendait et il la conduisit en silence vers leur abri. Il y avait dans le visage de la jeune femme tant de fermeté derrière laquelle Sabyl devinait une peine si immense. Il n'osait d'aucune manière demander des détails sur ce qui venait de se passer.

– Partons maintenant, demanda Eldwen. Je préfère ne pas attendre jusqu'au soir. Je t'en prie, Sabyl. Certaines victoires sont si fragiles...

Il y avait une lassitude résignée dans la voix de la jeune femme qui trahissait l'effort qu'elle venait de fournir pour triompher d'elle-même dans une confrontation qu'elle préférait ne pas expliquer à Sabyl. En effet, ce précieux Vrainain à l'esprit si sensé n'en viendrait-il pas à croire qu'il guidait une folle vers un rendez-vous absurde ?

L'abri fut rapidement défait et les deux cavaliers reprirent leur route en silence. Sans savoir ce qui venait de se passer, Sabyl avait la profonde conviction qu'Eldwen avait surmonté une épreuve significative. Or, cette fois, elle avait réussi seule, sans son aide. Le Vrainain aurait bien aimé savoir et son interrogation muette était si évidente que l'aveugle la devina. Elle esquissa un sourire, amusée par la pudeur de Sabyl, mais se sentant finalement redevable de tout lui expliquer.

– J'ai eu la tentation de me réfugier dans un monde imaginaire. Je crois que ce qui restait en moi de réticences à accomplir mon destin m'incitait à fuir la réalité.

Sabyl écoutait avec attention Eldwen lui raconter son affrontement avec elle-même. C'est alors qu'en regardant devant lui, le Vrainain distingua la silhouette de montagnes qui se découpaient à l'horizon.

– Dame Eldwen, je distingue des montagnes au loin ! hurla de joie le Vrainain. Nous ne sommes plus nulle part. Nous avons retrouvé notre chemin.

– Je sais, mon ami. Hâtons-nous d'y arriver...

– Tu sais, ce désert est bien étrange, fit soudain le Vrainain. Je me suis senti vraiment nulle part, totalement perdu. Je crois qu'ici, les frontières entre le réel et l'imaginaire sont bien floues. Je dois l'avouer, moi aussi, j'ai grande hâte d'arriver aux montagnes. Ça, c'est du concret. Du solide sur quoi on peut se fier !

L'aveugle eut un large sourire. Sabyl avait encore une fois les paroles qui savaient la réconforter après sa douloureuse victoire sur elle-même.

Le reste de la journée s'étira longuement puis, enfin, l'arrivée de la nuit soulagea les voyageurs et les bêtes. Ils continuèrent leur route en espérant arriver rapidement à la ligne des montagnes. Toutefois, le terrain trop plat ne permettait pas de bien juger les distances. Plus ils progressaient, plus le Vrainain se rendait compte qu'ils ne pourraient atteindre les montagnes avant le lever du jour. Leur but était beaucoup plus éloigné qu'il ne le croyait.

La froide nuit du désert faisait frissonner Eldwen. Noiras sentait l'inconfort de sa cavalière, lui-même supportant mal d'accorder son allure à celle de Guenuche. Il regardait les montagnes en piaffant d'impatience ; soudain, n'y tenant plus, il s'élança au galop, puisant dans ses dernières forces toute la vitesse dont était capable un cheval du Nalahir. Comme dans un rêve, le cheval sembla s'immobiliser alors que les montagnes se précipitaient à sa rencontre.

Loin derrière, le Vrainain eut la vision d'une ombre noire qui se fondait dans la nuit.

– Dommage que tu ne puisses te déplacer aussi vite, mon brave Guenuche. Je voudrais bien être déjà rendu, moi aussi.

Pour toute réponse, Guenuche s'arrêta un instant et laissa échapper un pet bien sonore, puis l'âne reprit sa démarche tranquille, avec le pas de ceux qui savent qu'ils arriveront bien un jour là où il se doit. Comme le froid se faisait plus mordant, Guenuche en parut stimulé et adopta un trot rapide que les exhortations de Sabyl ne pouvaient ralentir.

– Va donc moins vite, triple andouille, benêt inconscient. Diminue ton allure sinon tu vas tomber de fatigue. C'est très inconfortable pour moi... N'as-tu donc aucun respect pour mes vieilles fesses ? Oh ! ma douleur ! Arrête, canasson débile, aberration vivante, fourvoiement de ton espèce, insanité vivante...

La litanie d'injures se poursuivit sans que Guenuche daigne en faire autrement qu'à sa tête. L'animal se montra plus obstiné que son maître, obtenant à l'usure son silence sans avoir ralenti son trot.

Guenuche fonçait toujours droit devant pour atteindre au plus vite les montagnes. À la fin de la nuit, ils approchaient enfin des premiers contreforts et Sabyl exigea une halte.

– Prenons le temps de souffler et aussi de contempler le spectacle du soleil levant. De toute façon, il faut examiner ces montagnes avant de s'y engager...

Cette fois, Guenuche écouta son maître pour admirer avec lui l'aube naissante. Un large trait jaune perça les nuages et se déploya sur l'horizon, poudrant d'or les sommets. Ensuite, la lumière coula sur les pentes pour en changer l'ocre sombre de la nuit en une cascade de couleurs subtiles.

Les ombres mouvantes semblaient faire gonfler les parois rocheuses. Les couleurs s'épurèrent, un bleu pur s'imposant dans le ciel, chassant du coup les quelques longs nuages effilochés qui traînaient paresseusement sur les sommets. Les rochers conservèrent des nuances de brun teinté de rouge ou d'orangé selon les effets de la lumière. Le vert des conifères éclata soudain dans le paysage, mêlé des éclaboussures brillantes des arbres à feuilles déjà déverdis par l'automne.

Bientôt, la température changea, annonçant l'excessive chaleur du jour. Sabyl décida de repartir immédiatement. Guenuche fut du même avis, faisant savourer au Vrainain un départ sans injures ni colère. En approchant des montagnes, Sabyl distingua une route qui serpentait entre les massifs de granit aux teintes rougeâtres. Le Vrainain constata qu'il y avait relativement peu de feuillus tels que les érables ou les bouleaux, car en ces lieux régnaient surtout les sapins, mélèzes, pruchiers, résipins, côniers monumentaux et autres variétés résistantes aux froidures des hivers rigoureux.

Avant de s'engager trop avant sur la route, Sabyl se mit à la recherche de signes pouvant lui permettre de retracer Eldwen. De temps en temps, il criait le nom de la jeune femme et finalement, il eut une réponse.

– Par ici, Sabyl ! Je suis ici !

Un soupir de soulagement monta aux lèvres du Vrainain qui s'empressa d'aller rejoindre l'aveugle. Elle attendait patiemment, bien installée près d'une petite source. Noiras broutait avidement l'herbe grasse, visiblement bien reposé. Dès que Sabyl fut débarqué, Guenuche alla boire bien tranquillement, puis se mit à brouter à son tour, sans empressement apparent. Il choisissait avec soin les fleurs les plus succulentes et l'herbe la plus tendre.

Ce spectacle déclencha un joyeux fou rire de la part de Sabyl.

– Je n'aurais jamais cru qu'à sa manière, Guenuche pouvait se montrer aussi fier et digne !

Ensuite, le Vrainain s'approcha pour serrer l'aveugle contre lui de ses bras trop courts.

– Je dois avouer que j'étais inquiet. J'avais grande hâte de te retrouver, car je t'imaginais mal seule, chacun de notre côté dans ces montagnes...

– J'ai bien l'impression que tu devras me supporter encore quelque temps, répondit Eldwen en riant. Et j'en suis bien contente. Tes chansons me manqueraient !

Chapitre quatorzième
Dernières chansons

Pour ce premier jour dans les montagnes, Sabyl et Eldwen décidèrent de rester près de la source afin de s'accorder une halte reposante. Le Vrainain chassa une partie de la journée avec beaucoup de succès, ce qui permit de savourer un copieux repas et de refaire les provisions. Au pied des montagnes, la température se faisait plus agréable que dans le désert. Les deux compagnons de voyage purent profiter d'une excellente nuit après une journée finalement délassante.

Tôt le matin du deuxième jour, ils reprirent la route. Le chemin allait en s'élevant dans les montagnes, les côtes à gravir se succédant inlassablement. La température rafraîchissait sans cesse, heureusement sans les harassants écarts du désert. Le second campement fut encore assez confortable. Toutefois, le jour suivant, un vent froid rappela aux voyageurs que le Lentremers se préparait à l'arrivée de l'hiver. Les arbres à feuilles avaient perdu leur vert d'été, laissant éclater des taches jaune et ocre parmi le vert des arbres à aiguilles. Plus loin, plus haut devant eux, les premières traces de neige blanchissaient le sol.

Au début, Sabyl faisait des descriptions enthousiastes du paysage. Cependant, le chemin ne révéla bientôt plus aucune surprise. C'était toujours le même décor de grands conifères serrés et de bosquets de feuillus qui se faisaient rares. Le chemin, un mince sentier de terre battue, se déroulait en lacets sur les flancs de montagnes que le Vrainain ne voyait finalement que rarement, la végétation trop haute et trop dense interdisant les vues d'ensemble. Les voyageurs savaient qu'ils montaient ou qu'ils descendaient en suivant un trajet qui serpentait continuellement, multipliant par cinq ou six fois la distance en ligne droite.

Sept autres journées et huit autres nuits s'écoulèrent, monotones. La plupart du temps, Eldwen et Sabyl allaient en silence, obligés de se mieux couvrir chaque jour à cause du froid qui se faisait plus mordant. Guenuche se faisait prier plus que jamais pour avancer, mettant les nerfs du Vrainain à vif.

Quant à Eldwen, elle devenait morose. Elle devait chevaucher durant des heures, dans l'inconfort, sans rien voir du paysage. La jeune femme ne faisait qu'attendre : attente des arrêts pour laisser souffler les bêtes ; attente de repartir ; attente du campement du soir ; attente de s'endormir ; attente d'arriver enfin à ce rendez-vous improbable alors qu'elle imaginait Ardahel, Loruel, Tocsand et les autres en pleine action, peut-être en danger.

Toujours, enveloppant cette route fastidieuse, son obscurité d'aveugle se faisait d'autant plus pesante depuis qu'au Nalahir, durant des années, sa cécité n'avait plus été un fardeau. La jeune femme passait les heures de route à ne rien voir, à ne ressentir qu'un froid pénétrant, à ne humer que les pauvres odeurs de la terre gelée, à ne goûter qu'une eau insipide et, surtout, à n'entendre que le bruit lancinant des sabots sur le chemin. Alors, son esprit vagabondait, se remémorant les instants heureux au Nalahir ou les douces et riches sensations du Volupas. Puis, les épreuves revenaient à sa mémoire et la jeune femme tentait d'y discerner un chemin précis vers un quelconque but. Ses erreurs la hantaient ; elle tentait d'en tirer des leçons et de se convaincre de l'utilité de tout ceci. L'attente reprenait ensuite dans ses ténèbres habituelles jusqu'à ce qu'une halte lui change les idées pour un temps.

Noiras, comme toutes les montures du Nalahir, savait veiller à ce que sa cavalière soit solide et à l'aise. Toutefois, le cheval ne pouvait tout prévoir ; parfois, le bout d'une branche trop basse accrochait l'aveugle, la faisant sursauter peureusement. Dans une pente abrupte où ils avançaient plus rapidement, les épines d'une branche fouettèrent le visage d'Eldwen en pinçant douloureusement la peau rendue sensible par l'air glacial. L'aveugle eut un réflexe de protection qui la déséquilibra. Elle chuta lourdement de son cheval, cherchant à parer sa chute tant bien que mal, ignorante de l'endroit où elle tombait. La jeune femme se retrouva allongée sur le côté, l'épaule douloureuse, la hanche meurtrie. Ses mains se crispèrent sur le sol gelé, tandis que des sanglots de souffrance et de découragement lui montaient à la gorge. Sabyl s'était précipité pour l'aider, incapable de trouver les mots qui auraient pu soulager l'aveugle. Avec l'aide du Vrainain, Eldwen remonta à cheval en serrant les dents et les poings, retenant de son mieux les larmes brûlantes qu'elle sentait sur ses joues glacées.

La nuit suivant sa chute, Eldwen avait mal dormi. Toutes sortes de songes l'avaient éveillée à plusieurs reprises. Dans son dernier rêve, elle s'était retrouvée au Nalahir en compagnie d'Ardahel. Comme son compagnon lui manquait ! Elle aurait tout donné pour se tenir à ses côtés, le serrer dans ses bras, sentir sa douce étreinte d'amant. Au lieu de cela, elle se réveillait à même le sol, coincée entre un Vrainain et le bord d'un minuscule abri de voyage.

Comme chaque matin, l'aveugle attendit que Sabyl s'éveille. Ensuite, elle l'écouta s'affairer à tout préparer pour le départ, silencieuse, renfrognée, incapable de participer vraiment aux tâches quotidiennes. Encore une fois, elle attendit le signal pour s'approcher de Noiras. Le Vrainain tentait de se montrer enthousiaste, mais sa voix trahissait sa lassitude. La jeune femme mit les mains sur la selle de sa monture comme pour se préparer à monter. Pourtant, elle demeura immobile, incapable de se décider.

– La peste soit de cette route, éclata-t-elle soudain. Faudra-t-il la parcourir durant des années ? J'en ai assez ! Où que nous allions, il doit y avoir moyen d'atteindre ce but plus rapidement...

– Allons, Dame Eldwen...

– Et laisse faire tes précieux conseils, cria l'aveugle en coupant la parole à Sabyl. Je ne cesse de me les répéter à chaque heure depuis plus d'une semaine ! Monsieur la Sagesse ! Monsieur l'Allégresse ! Monsieur Tout-va-bien ! Tu ne vois pas qu'on peine en pure perte ? Ce ne sont pas tes beaux mots qui vont y changer quoi que ce soit...

– Alors, ne me casse plus les oreilles avec tes jérémiades ! répliqua sèchement Sabyl. J'ai assez de celles de Guenuche à m'occuper.

– Ne te gêne pas, compare-moi à ton âne, tant qu'à faire !

– Je n'oserais pas ainsi l'insulter, s'écria le Vrainain en colère.

Cette fois, Eldwen resta silencieuse. Elle courba la tête, honteuse de son attitude. Ce fut d'une voix presque implorante qu'elle s'adressa à nouveau à Sabyl.

– Pardonne-moi, je n'ai pas de raison de passer ma colère sur toi. Je suis idiote de réagir ainsi... Celui qui m'a fixé rendez-vous met ma patience à rude épreuve !

– Je te comprends. Moi aussi, j'ai hâte que tout cela soit terminé...

Jamais il ne serait venu à l'esprit d'Eldwen de pester contre celui qui l'appelait, car en Monde d'Ici, particulièrement en Pays de Santerre, les gens craignaient fort le poids de leurs paroles envers les êtres différents d'eux. De nombreuses légendes relataient les conséquences de propos irrespectueux envers le Dieu Elhuï ou envers des Races Anciennes. Les superstitions demeuraient tenaces même chez les Sages. On tenait souvent les muets pour des gens ayant parlé contre le Dieu Unique et certaines maladies relevaient, selon l'opinion générale, d'un juste châtiment pour des fautes commises par une personne.

Une légende vivace en Pays de Santerre racontait l'histoire de Silgard, un Baïhar vivant au temps du Roi Alahid. Lors des Grâces, après les Moissons, il ne voulait jamais pardonner les torts subis durant l'année et réparer ceux qu'il avait causés ainsi que le voulaient les préceptes religieux du Moyen Peuple. Hormis cela, Silgard était bien considéré parmi les siens, honnête et bon travailleur. Cependant, malgré ses efforts, jamais ses terres n'offraient un aussi bon rendement que celles de ses voisins. Il vivait bien, mais n'obtenait jamais ce petit extra que procurent les récoltes exceptionnelles. Un jour, alors que Silgard atteignait sa soixantième année et que son dernier enfant venait de quitter la demeure familiale pour cultiver sa propre terre, une violente tempête de grêle s'abattit sur la région. Elle détruisit la majeure partie des moissons. C'était un coup dur, mais cependant pas catastrophique pour les gens de la Région de la Baie. En effet, les récoltes précédentes avaient été abondantes et chacun jouissait de bonnes réserves. Tous, sauf Silgard.

Rapidement à court de nourriture, Silgard se vit dans l'obligation d'aller demander l'aide de ses voisins. C'est alors qu'il se rendit compte qu'il entretenait des torts avec chacun dans les environs. Il pouvait donc difficilement demander leur assistance. Lauguel, sa compagne, tomba gravement malade. En cette période austère pour Silgard qui se voyait obligé de se débrouiller seul, elle fut rapidement gagnée par le Repos Éternel. Furieux, le Baïhar se mit à injurier le ciel, à pester contre la dureté d'Elhuï à son endroit en employant des termes si révoltants que les Enfants du Dieu Unique ne voulurent pas que les paroles de Silgard parviennent aux oreilles de leur parent divin. Ils transformèrent donc ses injures en pierres. Chaque fois qu'elles sortaient de la bouche de l'irrespectueux personnage, elles retombaient sur sa terre.

Tous les champs de Silgard furent finalement couverts de roches noires aux arêtes mordantes, tranchantes comme les meilleures lames Artans. Cela rendit ses terres stériles à jamais. Quant à lui, chacune de ses insultes lui tenaillait la bouche en sortant. Morceau par morceau, tout le bas de sa figure fut emporté dans sa rage. Ne pouvant plus parler, Silgard cessa d'injurier Elhuï et, ne pouvant plus se nourrir, il fut à son tour gagné par le Repos Éternel après une longue agonie pendant laquelle la faim le torturait.

Même si, à l'époque d'Eldwen, il n'y avait plus de gens qui cultivaient la terre en Région de la Baie, les Culters le faisant pour tout le Pays de Santerre, les champs de Silgard témoignaient encore de la réalité de cette histoire. Rien ne poussait en cet endroit couvert de pierres noires aux contours émoussés par le passage du temps.

Ainsi, il ne venait pas à l'idée de l'aveugle de pester contre celui qui l'appelait à ce rendez-vous. Cependant, le chemin choisi lui pesait de plus en plus. La colère couvait en elle, prête à éclater au moindre prétexte. C'est dans cet état d'esprit qu'Eldwen avait repris la route ce jour-là. Les deux voyageurs venaient d'arriver dans le bas d'une pente lorsque, au détour du chemin, Sabyl vit une personne au loin. C'était leur première rencontre depuis le départ de chez les Volupiens.

Sabyl décrivit le nouveau venu à l'aveugle.

– C'est un marcheur solitaire. Il est grand de taille, bien pris, adulte mais encore jeune d'allure. Il porte un pantalon de cuir très pâle qui tombe sur ses bottes de même teinte. Son manteau est étrange. Il est très court ; il descend seulement au début des cuisses. On dirait de la peau de mouton blanc dont la laine est par l'intérieur et retournée à l'extérieur aux extrémités. Il porte aussi des gants de cuir clair et il va nu-tête. Ses cheveux ondulés, entre le blond et le roux, tombent à peine sur ses épaules. Sa barbe est très courte, comme une personne qui la laisse pousser depuis peu. Son front est large et haut, ses traits sont en rondeur, agréables et paisibles. Outre son bâton de marche à longue crosse, il ne semble porter rien d'autre sur lui, ni arme, ni bagages. Je ne pressens aucun danger.

Juste avant que les voyageurs n'arrivent près de lui, l'inconnu s'écarta du chemin pour s'asseoir sur une grosse roche. Il tira un petit couteau de ses poches et il se mit à travailler son bâton de marche. En quelques traits habiles, il ajouta les visages de Sabyl et d'Eldwen à ceux déjà sculptés sur la crosse.

– Bien le bon jour, l'inconnu ! lança poliment le Vrainain.

– Bien le bon jour à vous, voyageurs ! Les rencontres sont rares en ces lieux. Prenez donc le temps de faire une halte.

– Qui es-tu, étranger ? Arrives-tu de loin sur ce chemin ? demanda brusquement Eldwen.

– Oh là, belle dame ! Il me revient plus à moi de vous qualifier d'étrangers et de vous questionner. Je suis chez moi, en ces lieux. Nommez-vous d'abord !

L'inconnu parlait de cette voix calme des gens certains de leur fait et pour qui rien ne presse. Eldwen se ressaisit, mais sa voix trahissait son impatience.

– Je suis Eldwen du Pays de Santerre et voici Sabyl le Vrainain qui me guide sur cette route. Alors, qui es-tu ?

– Oh, cela dépend... On me nomme de bien des manières, mais disons... Emla, pour la circonstance.

Le ton badin de l'inconnu exaspérait l'aveugle qui n'avait aucune envie de faire des blagues ou de lancer des devinettes.

– Que cherches-tu à dissimuler avec ces propos ? Et si tu prétends habiter ces lieux, pourquoi cacher ton nom ?

– Mais je n'ai pas dit que j'habitais ici, belle dame. Je suis ici chez moi comme partout ailleurs.

Sabyl s'empressa de prendre l'initiative de la conversation avec politesse et bonne humeur, car il sentait venir la colère de sa compagne de voyage.

– Alors, tu connais bien cette route ?

– Bien sûr, puisque je connais toutes les routes. Donc, celle-ci, j'en connais évidemment l'origine et l'aboutissement.

– Ainsi, tu peux nous renseigner, s'exclama Eldwen. Approchons-nous du terme de ce chemin ? Arrivons-nous bientôt à destination ?

– C'est selon, répondit Emla en continuant à travailler les visages qu'il sculptait sur son bâton.

– Selon quoi ? s'impatienta Eldwen.

– Votre destination. Le bout du chemin peut se trouver ici comme ailleurs. C'est selon.

– Cesse de parler en énigmes et sois plus clair !

– Comment pourrais-je être plus clair ? Tels sont les faits...

– Tu te moques de nous. Tu n'en sais pas plus que nous-mêmes, s'écria Eldwen.

L'aveugle serrait les dents de dépit tout en se tenant la tête à deux mains. C'était leur première rencontre en près de dix jours et il fallait qu'ils tombent sur un illuminé aux propos confus. Emla conservait le même calme narquois en s'adressant à Sabyl qui se sentait de plus en plus mal à l'aise.

– Ta compagne me semble avoir bien mauvais caractère.

– Il faut la comprendre, Noble Emla. Elle vient de faire un voyage éprouvant et...

– Et je n'ai pas de temps à perdre avec des imbéciles !

La jeune femme venait de couper la parole à Sabyl. Les réponses évasives et sans signification de ce Emla ne faisaient qu'attiser la colère en elle.

– Viens, Sabyl, continuons notre chemin ! ordonna sèchement l'aveugle.

– Pour vous rendre en quel endroit ? Moi, je sais ce qu'il y a plus loin sur cette route.

– Et que trouverons-nous ? Raconte, cela peut s'avérer intéressant, railla Eldwen.

– En continuant, vous arriverez évidemment au Temple du Roi et des Sages du Pays de Santerre.

Eldwen demeura un instant interloquée. Puis ses paroles sifflèrent entre ses dents.

– Qu'est-ce encore que ces folies ? Le Pays de Santerre se trouve fort loin derrière nous.

– Oh ! devant, derrière, sur la droite, sur la gauche... Cela ne signifie rien sur ce chemin.

– Et toi, tu viens de nulle part, je suppose ?

– Si l'on veut. C'est selon.

– Assez ! hurla Eldwen en pleurant de rage. Ou tu réponds pour qu'on te comprenne, ou tu te tais. Nous avons plus important à faire qu'à perdre notre temps avec toi.

– Je ne vous ai rien demandé, moi. Je réponds le vrai à tes questions et te voilà en colère, belle dame. Ne vois-tu pas que ce serait à moi d'être offusqué ?

Toujours aussi calme, Emla avait pris soin d'insister sur l'expression « *ne vois-tu pas* », ce qui avait le don de faire rager l'aveugle.

– En voilà assez ! Viens, Sabyl, nous partons.

La jeune femme lança Noiras au galop tandis que le Vrainain tentait de la rejoindre en lui criant de revenir. La jeune femme fit bientôt arrêter sa monture, mais cela avait suffi au cheval du Nalahir pour parcourir une distance appréciable. Il fallut près d'une heure à Sabyl pour rejoindre l'aveugle.

Le Vrainain sentait la mauvaise humeur le gagner au point de vouloir laisser la jeune femme à son sort. Il fit cependant un effort pour se contenir, même si le ton montait rapidement entre lui et l'aveugle.

– Dame Eldwen, tu n'es pas raisonnable. Emla devait posséder un savoir indispensable pour nous. Chasse cette colère inutile et allons vite le retrouver.

– Je n'ai pas l'intention d'aller le supplier de nous faire partager ses si précieuses et si obscures connaissances. Ne vois-tu pas qu'il se moque de nous ?

– Non, Dame Eldwen. Je crois au contraire que nous avons énormément besoin d'Emla.

– Comment pourrait-il nous aider plus que toi ? Tu sais le chemin depuis notre départ.

– Justement. Depuis notre rencontre avec Emla, je ne sais plus où aller, s'écria Sabyl avec colère. Ou plutôt, je sais que ce chemin aboutit effectivement au Pays de Santerre. Je peux t'y mener immédiatement. Alors, tu auras passé tout droit à l'endroit de ton rendez-vous...

Cette fois, Eldwen cessa net de parler. Sa respiration se fit saccadée et sa voix tremblante d'urgence désespérée. Ce fut presque dans un râle qu'elle s'adressa à sa monture du Nalahir.

– Vite, Noiras, retourne où se trouve Emla...

Le cheval s'élança à nouveau de toute la vitesse dont il était capable pour s'immobiliser à l'endroit où avait eu lieu la rencontre avec Emla. Aussitôt, la jeune femme cria son nom de toutes ses forces.

– Emla, où es-tu ? Je ne te vois pas. Je ne peux pas te voir. Réponds-moi, je t'en prie. Es-tu là à me regarder te supplier ?

Seul le silence succéda à ses appels pathétiques. Eldwen se laissa glisser au sol ; les bras tendus devant elle, l'aveugle cherchait autour d'elle en appelant l'étranger d'une voix de plus en plus faible. Gauchement, elle explora les alentours, se heurtant aux arbres, trébuchant sur les roches jusqu'à tomber à genoux sur le sol. Alors, elle se mit à frapper la terre de ses deux poings en pleurant de désespoir et de rage contre elle-même.

Plus loin sur le chemin, Sabyl engueulait sa monture qui refusait d'avancer.

– Sale bourrique, vas-tu avancer ! Je sais que cela ne valait pas la peine de venir jusqu'ici pour retourner immédiatement là-bas, mais il en est ainsi. Alors, avance, vieille carne, erreur de la nature, tête vide, cervelle de souris ; bouge ou je vais te réchauffer le derrière à la semelle de mes bottes. Pousse-toi, gourde abrutie, véhicule inepte, patate, empoté...

Guenuche laissa finalement échapper une longue série de pets particulièrement bruyants. Il se remit à trotter, ce qui fit renaître un sourire sur le visage du Vrainain.

« Brave bête, pensa-t-il. Il y a longtemps que tu n'avais pété avec tant de vigueur. Tu pressens la fin de ce voyage. Nous serons bientôt de retour en notre forêt, cher camarade de voyage... »

Eldwen entendit de loin le pas de Guenuche. L'aveugle se tenait debout au milieu du chemin, la tête penchée, enfoncée dans les épaules. Elle se frottait doucement les mains, douloureuses d'avoir frappé le sol jusqu'à l'épuisement. Elle tremblait et pleurait silencieusement. Lorsque le Vrainain fut tout près d'elle, Eldwen laissa échapper un murmure pitoyable.

– Est-ce que tu vois Emla ? Il ne me répond pas.

– Non, il n'y a aucune trace de lui. Oh ! si, son bâton de marche est demeuré près de la roche où il était assis.

Sabyl alla chercher le bâton pour en examiner l'ouvrage. Il eut alors un cri de surprise.

– Mais ce sont nos visages qu'Emla a sculptés. Je reconnais aussi Maître Alios et celui de MeilThimas qui t'accompagnaient lors de notre rencontre...

Perplexe, le Vrainain tendit le bâton à Eldwen qui laissa glisser ses doigts sur l'ouvrage afin d'en examiner chaque figure du bout des doigts. Elle reconnaissait sans difficulté les formes qui recouvraient la crosse du bâton. Elle les identifia, tant pour elle que pour Sabyl.

– Voilà Ardahel près de moi ; ici, Loruel avec Lowen. Il y a Tocsand et MeilThimas, le Sage Delbon ainsi qu'Alios, Guelnou le Saymail...

Plus elle reconnaissait de visages, plus Eldwen maudissait son attitude envers Emla. Sa voix se faisait encore plus misérable en nommant les visages jusqu'à ce qu'elle ne fût plus capable de continuer. Elle s'écroula d'accablement, assise sur le sol avec le bâton serré bien fort contre elle, muette et prostrée. Emla ne pouvait être que celui qu'elle devait rencontrer et voilà qu'il était parti maintenant, par sa faute. Par sa seule faute.

Le soleil touchait presque l'horizon et il était dans l'axe du chemin. Ses rayons rouges commençaient à raser le sol, transformant le décor en formes claires-obscures aux teintes chaudes d'un côté, sombres de l'autre. Eldwen se trouvait face au soleil dont elle sentait la chaleur sur son visage. Ses cheveux noirs et ses sombres vêtements de voyage luisaient dans la lumière rasante, transformant sa silhouette recroquevillée sous le poids de l'amertume en masse à la fois de ténèbres et de lumière.

Sabyl s'assit lui aussi à même le sol, un peu de côté, pour profiter du soleil sans le cacher à la jeune femme. Tristement, Sabyl observait l'aveugle sans oser dire quoi que ce soit. Il regarda autour de lui, à la recherche d'une idée, d'un geste à faire pour briser cette atmosphère lourde de malheur. Guenuche broutait un peu plus loin dans un silence inhabituel, comme s'il ne voulait pas déranger les deux voyageurs. Noiras se tenait avec l'âne, totalement immobile, la tête penchée.

Même la forêt environnante était silencieuse. L'absence de bruit frappa soudain le Vrainain ; cela lui donna une idée. Il tira doucement sa flûte de ses vêtements.

– Peut-être cela calmera-t-il Dame Eldwen...

Sabyl porta l'instrument à sa bouche sans oser se décider à souffler dedans. Il demeurait immobile, la chevelure rousse flamboyant dans le soleil couchant, sa flûte brillante comme jamais. Enfin, il se décida. Alors, dans ce décor d'arbres gelés, de roches nues et de plaques de neige dans les recoins à l'ombre, une mélodie chaleureuse s'éleva que le vent porta dans toute la région.

Tandis que la musique de la flûte emplissait tout l'espace, les teintes chaudes du couchant perdirent de leur éclat au fur et à mesure que le soleil se dérobait derrière l'horizon. Un moment, le décor fut sans relief, puis des touches d'un bleu vif illuminèrent la scène lorsqu'une lune pleine et lumineuse monta dans le ciel, accompagnée d'un cortège d'étoiles brillantes.

Tout à coup, des paroles accompagnèrent la musique de la flûte. Cette fois, elles venaient d'Eldwen. Le Vrainain écouta la jeune femme et il intitula la chanson *Chant d'Eldwen pour elle-même.*

Ce soir les roches sont tristes
Les roches sous mon crâne
Celles dans ma poitrine
Autrefois pesantes de colère
Cette nuit libérées, mais non allégées

Ce soir les arbres tremblent
L'arbre de mon corps
Les branches de mes membres
De mauvaise sève nourris
Sève de colère, sève de douleur

Ce soir tombe la neige
Tourbillon de mes pensées
Rafale de mes sentiments
Les flocons sont figés, sont brisés
Maintenant la furie apaisée

Ce soir l'air veut respirer
Pour écarter mon vent vicié
Pour souffler le calme
Pour répandre sa pureté
Pour inspirer sa vérité
Le vent de ma colère est tombé

Je suis l'air libre
Je suis le feu protecteur
Je suis la terre fertile
Je suis l'eau nourricière
Je suis disponible
Enfin

Ne sachant que dire après de telles paroles, Sabyl préféra continuer à jouer de sa flûte. Les yeux fermés, il laissa glisser ses doigts de plus en plus rapidement sur son instrument, découvrant un air joyeux qui fit s'esquisser un sourire sur les lèvres d'Eldwen. Soudain, le Vrainain eut le sentiment d'une présence près de lui. Ouvrant les yeux, il vit Emla à ses côtés, souriant, qui lui faisait signe de ne pas parler et de continuer à jouer. Un nouvel air s'imposa au Vrainain, encore joyeux mais plus calme, plus grave en même temps. Des paroles vinrent à l'esprit de Sabyl, mais aussi à celui d'Eldwen.

Pour cette dernière chanson, les deux compagnons du chemin unirent leurs voix et le Vrainain l'intitula *Le septième chant d'Eldwen.*

(Eldwen)
Ce soir je m'ouvre
Enfin prête, enfin disponible
Ce soir je crois que je suis
Capable d'apprendre

(Sabyl)
J'ai vu tes pas sur le chemin
Des pas hésitants
Des pas éprouvants
D'une marche toujours sincère

Cette nuit l'épreuve ne compte plus
Comme la poussière du chemin
La douleur reste derrière
L'expérience reste devant

Tu veux apprendre
Tu veux recevoir
Tu veux posséder le savoir
Mais est-ce ta part

Je sais que je veux beaucoup
J'en fais le salaire du chemin
Je sais que je demande
Et j'ose le faire

Tu n'as pas à demander
Tu as à recevoir
Chaque peine mérite salaire
Je demande et demande encore

Car je sais maintenant
Que je ne sais rien
Alors moi aussi
Je crois que tu es prête

Le Vrainain joua encore quelques mesures, puis il laissa la musique se disperser dans la douce brise qui réchauffait les trois personnages. Sabyl regarda successivement Emla puis Eldwen. Tous les deux semblaient en attente, mais aussi en lien par l'esprit. La jeune femme releva lentement la tête et il sembla à Sabyl qu'un poids écrasant venait de quitter ses épaules.

– Te voilà enfin prête, Eldwen de Santerre, Eldwen l'aveugle, fille de Hunil Ahos Nuhel, compagne d'Ardahel le Santerrian, fils de Shan Cahal Tair et Porteur du Glaive Nouveau. Il est temps que je te conduise à ton rendez-vous, Eldwen la Désignée. Suis-moi.

– Je te suis, Emla. Conduis-moi.

La jeune femme se releva et tendit la main. Emla la prit avec autant de douceur que de fermeté. Ils allaient quitter le chemin pour pénétrer dans la forêt lorsque Sabyl se racla la gorge pour poser timidement une question.

– Et moi ?

– Reste ici et prépare un bon feu, répondit Emla. Je reviendrai te tenir compagnie.

Sabyl les regarda s'enfoncer dans la nuit. Un long moment, il demeura pensif. Puis, il s'approcha de Guenuche. Il flatta le cou de l'animal en lui parlant doucement.

– Et voilà ! Notre tâche est accomplie, mon cher compagnon. J'en suis heureux pour Dame Eldwen, mais aussi un peu triste que tout soit terminé. Je prenais goût à ces aventures et à ces soirées délicieuses où je me sentais utile par mes chansons et mes propos. Je t'avouerai que j'aurais même le goût de continuer...

Guenuche regarda son maître d'un drôle d'air et laissa éclater un magnifique rot, suivi d'une longue série de pets bien sonores. Puis l'âne s'écarta pour aller brouter quelques branches d'arbre à sa portée. Le Vrainain resta un moment sans réaction. Puis un fou rire irrépressible le secoua.

Et Sabyl riait, riait sous les étoiles.

Chapitre quinzième

Almé

Un bon feu et un repas copieux attendaient Emla à son retour, tard dans la nuit. Il mangea peu, laissant la meilleure part au Vrainain, mais il se servit de bon cœur à la gourde que lui tendait Sabyl. Il s'agissait d'un breuvage bien spécial dont seuls les Vrainains connaissaient le secret et que Sabyl avait conservé pour cette occasion. Transparent comme l'eau pure, onctueux comme le sirop de miel, cette liqueur légèrement alcoolisée réchauffait agréablement le corps sans troubler l'esprit. Autre avantage bien apprécié des Vrainains, ils pouvaient en boire à satiété et profiter tout de même de lendemains sereins.

Au début, Sabyl se sentit intimidé par Emla. Toutefois, celui-ci eut tôt fait de mettre le Vrainain à son aise par sa simplicité et son humour. La conversation devint rapidement amicale et propice aux échanges d'idées sur le chemin que les voyageurs venaient de parcourir.

– Ainsi, cette équipée se termine ici, commença Sabyl. En fin de compte, cette route se termine quelque part et nous...

– Se termine et ne se termine pas, c'est selon, interrompit Emla en souriant.

– Mais puisque nous arrivons en Pays de Santerre en continuant !

– Cette route n'existe pas vraiment tout en étant bien réelle, expliqua Emla en souriant encore. Elle est unique, mais des gens peuvent y cheminer jusqu'au Repos Éternel sans passer ici ni arriver en quelque endroit que ce soit. Vous n'êtes pas arrivés sur ce chemin à son origine puisqu'il ne débute pas, tout comme vous ne le quittez pas à son extrémité, car toujours il se déroule devant lui.

Sabyl se gratta la tête, puis il émit l'hypothèse qui lui paraissait logique.

– Il s'agit donc d'un chemin magique !

Emla eut un grand geste de la main, comme pour balayer l'idée sans l'écarter totalement.

– Pas au sens où tu conçois la magie. La langue des Vrainains ne possède pas de mot qui puisse décrire cette route, ni sa réalité. Le terme le moins faux serait celui de « symbolique ». Ainsi, tu pourrais parler d'un chemin symbolique qui va pour chacun selon qu'il mène sa vie. Pourtant, cela n'est pas vraiment exact, car en ton langage, le mot « symbolique » ne contient pas la notion de réel. Un symbole est une abstraction ; or, cette route est bien réelle.

Sabyl réfléchit un moment au sens des paroles d'Emla. Il trouvait cela intéressant, mais fort compliqué inutilement. Et puis, il ne lui semblait pas nécessaire de tout comprendre de l'existence du chemin. L'avoir parcouru lui suffisait amplement.

– De toute manière, philosopha le Vrainain, qu'importent les mots pour décrire cela puisque l'essentiel demeure bien vivant. Les enseignements que j'ai reçus en ces lieux ont été précieux. Mais dis-moi, Maître Emla, est-ce toi qui me soufflais les paroles que j'adressais à Dame Eldwen, surtout dans mes chansons ?

– Non, fit Emla avec un sourire admiratif. Tout cela venait de toi. Uniquement de toi.

– Mais je n'ai pas cette sagesse, objecta Sabyl. Tout ce que j'ai pu dire dépassait largement ce que je connaissais.

– Et pourtant, ces paroles venaient de toi. Tu puisais ton inspiration en toi-même. Seuls les mots que tu utilisais semblaient nouveaux à ton entendement. Cependant, ils n'exprimaient rien d'autre que ta pensée. Rappelle-toi lorsque Eldwen t'a demandé d'où tu tirais tes enseignements. La réponse que tu lui as faite devrait t'éclairer ! La sagesse ne s'exprime-t-elle pas par des mots simples, venant du cœur avec le sourire ? Ton cœur est bon et juste, Sabyl le Vrainain. Voilà pourquoi tu as été choisi et pourquoi tu as mené à bien ta tâche.

– Alors, me voilà bien récompensé de mes efforts, conclut Sabyl en bombant le torse. J'ai la certitude d'avoir bien fait et que cela fut valable.

– Tu n'aimerais pas récompense plus tangible ? demanda Emla. Je puis satisfaire tes requêtes...

– Non ! Pourquoi ?

Emla ne put qu'admirer le Vrainain.

– Qu'on te nomme Sabyl le Juste désormais ! Oui, je le sais, ta réponse est sincère. Tu mérites beaucoup et, pourtant, tu ne réclames rien en salaire, sinon ce que tu as déjà retiré de ta mission.

Pour sceller ces paroles, Sabyl but un long trait à sa gourde, puis il la tendit à Emla qui savoura à son tour cet élixir des grandes occasions. Le Vrainain se servit à nouveau, puis tandis qu'Emla l'imitait, il se racla la gorge pour finalement oser faire une demande.

– Dis-moi, Maître Emla... Tu affirmes avoir le pouvoir d'exaucer certains de mes désirs ?

– Certes. Demande et tu recevras !

– Bien, ce n'est pas tellement pour moi... C'est pour Guenuche...

– Tu l'aimerais moins réticente, supposa Emla. Je peux en effet faire cela.

– Oh non ! se défendit vigoureusement Sabyl. Je ne voudrais pas la changer pour toutes les richesses du Monde d'Ici. Je n'aimerais que lui rendre le voyage de retour moins fatigant. La pauvre bête... Vois-tu, elle n'a pas été ménagée, ces derniers temps !

Emla éclata d'un grand rire. Il posa la main sur la tête de Sabyl pour lui ébouriffer les cheveux.

– Ne change jamais, Sabyl le Juste. Tu seras toujours heureux !

Emla reprit son sérieux même s'il souriait toujours.

– Aimerais-tu te retrouver à l'instant même en ton logis et Guenuche en son étable ?

– Bien sûr. Mais... Dame Eldwen ?

– Elle n'a plus besoin de tes services. Sa monture la conduira où elle devra se rendre et tu ne pourrais la suivre rapidement.

– Pourtant, j'aimerais la saluer avant de partir !

– Pour lui dire quoi ? Tu n'ajouterais rien de mieux aux paroles de tes chansons.

– Il est vrai... Mais comment accompliras-tu ce prodige ?

– Ferme simplement les yeux et pense à ta maison...

Lorsque Sabyl le Juste ouvrit les yeux, il se trouvait devant chez lui. C'était la nuit, une belle nuit calme en Forêt des Vrainains. À la vue de son étable, Guenuche s'y précipita pour aller enfin se reposer. Heureux et rassuré, Sabyl pénétra dans son logis, sans faire le moindre bruit, savourant comme jamais auparavant le spectacle de ses enfants qui dormaient. Puis il alla dans sa chambre, quitta ses vêtements de voyage et se glissa sous ses draps en se serrant avec bonheur contre son épouse.

Ailleurs, en un autre endroit du Monde d'Ici, Emla repensait à ce Vrainain bien extraordinaire. Avec un malin sourire, il but une bonne gorgée à la gourde de Sabyl qu'il avait pris soin de conserver entre ses mains.

– À ta santé, Sabyl. Ta vie sera longue et prospère. Cela, tu le mérites amplement.

Emla avait guidé Eldwen sur une longue distance. Il l'avait quittée en lui disant d'attendre avec respect celui qui devait venir, puis il s'en était retourné rejoindre Sabyl.

Ne sachant trop quelle position adopter, l'aveugle resta debout, bien droite, essayant d'imaginer le décor qui l'entourait. Le vent soufflait, lourd et chaud comme le héraut d'un orage. Des sons familiers accompagnaient la brise, suggérant à Eldwen qu'elle se trouvait sur un promontoire bien dégagé au-dessus d'une montagne. Cependant, elle n'avait monté aucun sentier sous la conduite d'Emla. Elle devait donc se trouver au bord d'une falaise. Par contre, aucun son n'indiquait de terrain plat derrière elle. Troublée par les informations de ses sens et la logique de son esprit, Eldwen ne pouvait réaliser qu'elle se trouvait en son endroit favori du Nalahir, au plus haut sommet du Domaine Caché de son compagnon Ardahel.

Dans le monde d'obscurité qui était son lot d'aveugle, Eldwen de Santerre vit soudain une lueur devant elle. Une personne s'approchait, vision lumineuse semblable à l'apparition d'Ardahel lorsque le Prince était revenu du Royaume d'Elhuï, sept jours après avoir été frappé par la lance d'un Sorvak. Cependant, ce n'était pas une vision fugitive comme à cette occasion. Eldwen *voyait* clairement celui qui venait à sa rencontre : Almé, Enfant d'Elhuï, Enfant du Dieu Unique.

Saisie d'effroi, la jeune femme se jeta au sol, la figure contre terre.

– Relève-toi, Eldwen de Santerre, et n'aie crainte de te tenir droite devant moi.

Jamais Eldwen n'avait entendu pareille voix, sage et douce, apaisante mais aussi autoritaire sans être dominatrice. Une voix chantante, débordante d'amour et de compréhension. La jeune femme se releva, encore timide et indécise, mais toutefois comblée d'un merveilleux sentiment de bien-être. Elle laissa lentement remonter son regard vers la figure d'Almé, voyant son corps lumineux sans vraiment pouvoir le détailler. Si l'ensemble lui paraissait flou, le visage était plus précis, une figure noble mais sans prétention. Une longue chevelure éclatante se gonflait légèrement dans le vent. Une courte barbe à peine moins brillante soulignait le visage aux traits fins. Intimidée, Eldwen hésita un moment à plonger son regard dans celui d'Almé. Eldwen eut l'impression de se perdre dans ces grands yeux étincelants dont elle ne pouvait définir la couleur, car ils étaient lumière splendide, regard d'amour et de connaissance, regard de vie.

– Comme ce moment est bon ; comme j'aimerais qu'il dure éternellement, dit Eldwen. Je comprends ce qu'Ardahel tentait de m'expliquer de son séjour en Royaume d'Elhuï.

– Je suis ici pour t'apprendre à saisir encore plus, à comprendre plus clairement, Eldwen la Désignée. Selon que tu l'acceptes ou non, sur tes épaules reposera une tâche importante pour le Monde d'Ici.

– Mon choix demeure inébranlable, Maître. Je respecterai l'engagement que j'ai accepté librement.

– Alors, écoute bien mes paroles. Ensuite, laisse monter à tes lèvres toutes les questions qui occupent ton cœur et ton esprit, car tu obtiendras les réponses désirées.

Pour Eldwen, plus rien n'existait que la Parole d'Almé ainsi que son regard de lumière. Elle apprenait la Vie et la nature du Monde d'Ici plus clairement et plus justement que ne pouvaient l'appréhender tous les Sages de tous les Peuples du Monde d'Ici. Almé lui enseigna, ou plutôt fit surgir en elle la connaissance. Elle savait maintenant comment Elhuï était la Vie, dans une dimension inexprimable en mots de la langue du Pays de Santerre, ni en d'autres langues du Monde d'Ici ou des Mondes d'Ailleurs. La Pensée d'Elhuï devait guider la Vie. Malheureusement, en Monde d'Ici,

Vorgrar avait failli à sa tâche en voulant imposer sa propre Pensée. Or, ce que l'Esprit Mauvais ne comprenait pas, c'est que sa Pensée ne pouvait pas dominer la Vie ; elle ne pouvait que la détruire.

Étourdie de révélations et de compréhension, Eldwen interrogeait Almé sur tous les sujets qui lui venaient à l'esprit.

– Comment se peut-il qu'Elhuï nous ait donné la Vie et que nous n'agissions pas selon sa Pensée ?

– Nous sommes libres. Voilà la grandeur de l'Amour d'Elhuï. Or, la liberté implique l'apprentissage et la possibilité de choisir. Imagine que tu donnes un cheval à une personne que tu aimes. Seras-tu tous les instants de ta vie à ses côtés pour lui dire comment diriger sa monture, quels chemins prendre, quel repos s'accorder ? Non, tu regarderas la personne que tu aimes aller où bon lui semblera et tu seras heureuse du bonheur que tu lui procures.

– Si je donne un cheval à un ami, je lui dirai aussi comment le guider, quels gestes faire et quels gestes éviter. Je le préparerai avant de le laisser libre de partir !

– Ainsi Elhuï fit-il avec le Monde d'Ici en engendrant la Race Ancestrale pour enseigner aux Gens les gestes à faire, ceux à éviter. Orvak Shen Komi est devenu un mauvais guide. Il est devenu Vorgrar le Mauvais que le Moyen Peuple doit désormais écarter. Toi, Eldwen de Santerre, tu es Désignée pour lui porter le refus du Monde d'Ici.

Almé continua longuement à entretenir Eldwen, lui dévoilant la Pensée d'Elhuï de telle sorte qu'elle puisse l'opposer en toute certitude à celle de Vorgrar. D'autres questions se bousculaient en désordre sur les lèvres d'Eldwen, certaines trouvant leur réponse en elle-même, d'autres ne pouvant être satisfaites.

– Comment se porte Ardahel en ce moment ? Est-il sain et sauf ?

– Aucun danger ne le menace dans l'immédiat. Il se trouve avec ses compagnons au Temple du Roi et des Sages. Il t'attend. Pendant ce temps, tes amis préparent la riposte aux attaques des troupes de Vorgrar qui ont commencé à envahir les Terres à la Mi-Jour du Lentremers.

– Allons-nous réussir ?

– La connaissance du Futur ne t'appartient pas. Tout est possible, l'échec comme la réussite. Tes gestes et ceux de tes compagnons imposeront la conclusion.

– Comment se porte Sabyl le Vrainain ? Je lui dois tant !

– Il a déjà reçu la récompense qu'il souhaitait. Il profite maintenant d'un fort agréable repos avec sa famille en Forêt de Vrainains.

– Pourquoi la vue me fut-elle prise ?

– Ton Guide Ogi décida ce geste, ou plutôt le provoqua, car cela t'a menée à agir sur et avec l'esprit plutôt que sur et avec la matière. Cela a aussi permis de te protéger de SpédomSildon.

– À qui je ressemble tant, selon Ardahel. Pourquoi ?

– Sache que ton parent Alios, lorsqu'il t'engendra, avait tout l'esprit et tout le cœur occupés par l'image de SpédomSildon. En des âges reculés, dans les premiers temps de la race des Magomiens, Hunil Ahos Nuhel fut amoureux de la Magomienne. Elle est intelligente et d'une rare beauté. Elle avait une pensée pure qui envoûta Alios. Malheureusement, ce fut une relation tourmentée, car il ne pouvait en être autrement entre un membre de la Race Ancestrale et une Magomienne. Alios te voulait femme et il te voulait la plus belle. Comme SpédomSildon était pour lui l'image absolue de la beauté, il te donna ses traits sans même s'en rendre compte. La Grande Magomienne connaît une partie de l'histoire et elle désire avoir en son pouvoir la fille d'Alios.

– Pourtant, objecta Eldwen, elle me tenait entre ses mains en son domaine du Magolande. Jamais elle ne m'a vraiment parlé et, surtout, elle s'est empressée de me confier à l'Ancêtre !

– Elle ne pouvait concevoir que la fille d'Alios soit aveugle, donc diminuée à ses yeux. Elle ne te reconnut pas, mais la ressemblance la troublait. De peur de commettre un geste irréfléchi en te supprimant, elle a préféré te mettre à l'écart. Hunil Ahos Nuhel et SpédomSildon se fuient et se recherchent à la fois. Ils se craignent autant qu'ils se désirent.

Eldwen était avide de connaître toutes les histoires, grandes ou petites, de ceux qui participaient à la lutte contre l'Esprit Mauvais de Vorgrar. Almé lui donna les réponses désirées, lui dévoilant l'âme et le cœur de bien des gens du Moyen Peuple, comme des Races Anciennes et des Races Premières.

Lorsqu'il fut question de Tocsand, la jeune femme put mesurer toute la détresse du Frett, déchiré entre son devoir de Roi, sa mission avec Ardahel et son amour pour son épouse Autegentienne dont le comportement intriguait Eldwen.

– MeilThimas, l'épouse de Tocsand, pourquoi fuit-elle constamment nos discussions ? Pourquoi toujours se défiler devant les affaires du Pays de Santerre ?

– Ne rien savoir de vos plans demeure pour MeilThimas la meilleure garantie de ne pas vous trahir. En effet, elle est incapable de résister à sa mère. Or, elle sait que JadThimas a subi l'influence de la Pensée de Vorgrar et qu'elle désire votre perte.

– Mais son offre de réconciliation avec Ardahel ?

– Une simple ruse pour s'introduire au Nalahir et assouvir sa vengeance en détruisant ce Domaine Caché qu'elle convoitait. Lorsque l'Ancêtre en a remis les clefs à ton compagnon,

JadThimas a définitivement adhéré à la Pensée de Vorgrar qui s'acharnait depuis longtemps à la séduire et à l'entraîner dans sa logique.

Cette révélation secoua Eldwen.

– JadThimas, notre ennemie ! Il faut lui interdire la route du Nalahir. Je dois prévenir Ardahel et...

– Les événements accomplis ne peuvent être défaits, interrompit Almé. JadThimas se trouve actuellement au Nalahir pour consommer sa vengeance.

– Oh non ! s'écria Eldwen, le cœur serré d'un funeste pressentiment.

– Ne pleure pas le Nalahir. Son existence était déjà devenue un poids pour Ardahel et pour toi. Tu dois faire face à JadThimas, puis tu quitteras ces lieux pour ne jamais y revenir.

– Comment vais-je m'y rendre ? Nous sommes si loin et je n'ai pas les clefs...

– Vraiment ! Tu crois le Nalahir si loin ? Sache que tu te trouves actuellement en ton endroit favori de ce domaine, sur son plus haut sommet.

– Mais comment ! Je ne le reconnais pas ! Au Nalahir, j'ai toujours eu un contact si spécial avec chaque objet que c'était comme si je voyais ce qui m'entoure. Mais il n'y a plus rien.

Almé fut triste et Eldwen le comprit dans sa voix.

– Le Nalahir n'existe plus comme autrefois. JadThimas l'a souillé si profondément...

À cet instant, la jeune femme sut que son entretien avec Almé touchait à sa fin. Elle chercha d'autres questions dans l'espoir de prolonger ce moment si intensément merveilleux. Elle songea à Ogi dont elle attendait depuis si longtemps de connaître l'identité. Elle respecta cependant sa promesse d'attendre que ce soit lui qui se dévoile.

Il ne resta finalement qu'une interrogation qu'Eldwen osa exprimer.

– Est-il nécessaire que je sois aveugle ?

La réponse d'Almé se fit attendre. Déjà, ce silence était éloquent.

– Il est possible pour moi de changer le cours de certains événements. Est-ce souhaitable ?

Eldwen respira profondément. Elle pouvait demander. Elle pouvait changer sa condition pour enfin goûter le plaisir de voir comme autrefois. Elle pouvait espérer être comme Ardahel et tous ses amis. Elle pouvait rêver de les retrouver et d'agir comme eux. Elle pouvait s'imaginer semblable aux autres.

– Être semblable aux autres ? soupira Eldwen. Ce n'est justement pas mon destin, n'est-ce pas ? À quoi servirait un autre bras porteur d'une épée contre Vorgrar ? Mon combat est autre.

– En effet. Il te faudra être forte, car tu seras encore mise à l'épreuve.

– Je le serai, affirma Eldwen. Je te fais serment sur ma vie présente et future d'agir non pour moi, mais pour atteindre le but que tu me fixes.

– Alors, va, Eldwen la Désignée.

Sur ces paroles, Almé sembla être tout entier une lumière qui s'éloigna dans le ciel jusqu'à se confondre avec celle du soleil levant sur le Nalahir.

Eldwen se laissa tomber sur le sol, étourdie par tant d'événements, d'enseignements et de responsabilités. Elle demeura immobile à repenser à tout ce qu'elle venait de vivre, jusqu'à ce qu'elle entende un souffle familier derrière elle. C'était Noiras qui s'approchait. L'aveugle se leva pour aller flatter l'animal. Elle lui parlait à l'oreille, heureuse de cette présence à laquelle elle pouvait confier ses émotions sans contrainte. Longtemps, elle parla juste pour le plaisir de mettre en mots son expérience. Enfin, elle monta sur le cheval et lui indiqua sa destination.

– Maintenant, ami Noiras, conduis-moi au BlancLares.

✧ ✧ ✧

Jamais Eldwen n'avait pu voir de ses yeux la splendeur du Nalahir, et jamais elle ne la verrait. Toutes les constructions et tous les aménagements si habilement et finement réalisés par les Naliens avaient été rasés par le feu, ne laissant intacts ni murs, ni colonnes, ni parterres. Une couche de neige, maculée de rouge par endroits, recouvrait les décombres ainsi que les cadavres des Naliens. La scène était irréelle, sauvage de fureur et d'une infinie tristesse silencieuse. Eldwen erra longuement parmi les ruines, le cœur serré par le silence chargé de folie absurde. Vingt années de souvenirs heureux surgissaient en elle, rendant encore plus accablante l'atmosphère lugubre qui recouvrait désormais le Nalahir.

Le tapis de neige interdisait à l'aveugle d'examiner les objets familiers qui devaient joncher le sol un peu partout. Elle avait perdu cette perception si particulière du Nalahir qui lui permettait auparavant de s'y déplacer aussi aisément que si elle possédait la vue. Toutefois, les lieux lui étaient si familiers qu'elle se rendait partout dans le BlancLares pour découvrir de tous ses autres sens l'étendue des dégâts.

La jeune femme pénétra dans le Grantares, la demeure qu'elle partageait avec Ardahel ainsi que les Naliens attitrés à leur service. L'odeur de la destruction y flottait dans un silence macabre. Debout au centre d'une de ses pièces préférées, Eldwen tentait de reprendre la mesure de cet espace ravagé. Tout à coup, le sentiment d'une présence la fit se retourner. Un Nalien s'approchait sans bruit, un large couteau à la main.

– Qui est là ?

En reconnaissant Eldwen, la colère quitta le regard du Nalien. Il laissa tomber son arme pour courir se blottir contre l'aveugle en pleurant. À sa voix, elle reconnut MainFleurie, un jardinier des plus adroits.

– Oh ! Dame Eldwen, Dame Eldwen ! Pourquoi ? Pourquoi ? Tout le Nalahir dévasté par cette Dame Autegentienne ; tous les Naliens gagnés par le Repos Éternel ; tous les êtres vivants devenus féroces et sauvages. Destruction, destruction, destruction. Pourquoi ? Pourquoi avoir abandonné le Nalahir, Seigneur Ardahel et toi ?

– Que s'est-il passé, MainFleurie ? Raconte-moi.

– Seigneur Ardahel est venu prendre des bagages, en particulier son Glaive étincelant. Dame MeilThimas était accompagnée par une autre Autegentienne, sa mère, Dame JadThimas. Seigneur Ardahel ne pouvait plus s'attarder ; alors, Dame JadThimas a reçu la permission de demeurer quelque temps au Nalahir. Elle devait s'en retourner plus tard avec sa fille, Dame MeilThimas, et l'Ancêtre.

MainFleurie se laissa tomber sur le plancher enneigé. Recroquevillé sur lui-même, le regard perdu dans de douloureux souvenirs, il parlait d'une voix si basse qu'Eldwen dut s'accroupir près de lui.

– Tout se déroula bien durant les premiers jours. Ensuite, des discussions véhémentes éclatèrent entre les deux Dames. L'Ancêtre voulut faire entendre raison à Dame JadThimas. Cela se transforma en une violente querelle. Nous étions tous effrayés, car jamais il n'y avait eu de telles colères au Nalahir. L'Ancêtre, lui si doux et si bon, devint terrible ; il voulut écraser Dame JadThimas...

Le Nalien ne put poursuivre tant la douleur lui tordait le cœur. Eldwen comprit immédiatement la conclusion. Les Autegens ne peuvent être attaqués victorieusement ; ils ont comme défense de retourner les assauts de leurs adversaires contre eux-mêmes. Habilement, JadThimas avait réussi à provoquer la colère du membre de la Race Ancestrale et ainsi le conduire à sa perte, lui qui ne voulait justement pas se mêler aux combats. Lui, l'Ancêtre, qui n'avait d'autre préoccupation que de donner la Vie.

MainFleurie finit par pouvoir continuer son récit.

– Pauvre Ancêtre... Nous avons été dévastés de le voir ainsi, gagné par le Repos Éternel dans une atmosphère de haine, lui qui était tout amour. Nous avons construit un bûcher pour purifier et consumer sa dépouille ainsi qu'il l'avait souhaité pour le jour de son grand départ. Nous avons alors décidé d'abattre cette Dame JadThimas, cette... horrible personne. Mais les Naliens ne savent rien des combats et de la violence. L'Autegentienne nous a fait périr aussi facilement qu'on écarte des mouches impertinentes. J'ai réussi à fuir dans le Nalahir tout en surveillant la Dame. J'aurais désiré être emporté avec les miens, mais j'espérais le retour du Seigneur Ardahel ou le tien afin de faire cesser les agissements de cette...

Le Nalien cherchait des mots inexistants dans sa langue pour qualifier JadThimas. Les Naliens, êtres doux et pacifiques, considéraient avec grand respect toutes les formes de vie, même les plus humbles. MainFleurie ne pouvait trouver comment exprimer son sentiment devant des actes qu'il n'aurait jamais pu concevoir.

– DoigtsVigneux se rendit avertir les Saymails qui se trouvaient loin dans le Nalahir. Guelnou vint et regarda. Il vit Dame JadThimas mettre le feu aux constructions pour se repaître de leur destruction. Le vieux Saymail ignorait quoi faire, car il savait comment les Autegens, s'ils ne connaissent que peu pour attaquer, possèdent des moyens de défense puissants. Dame JadThimas dut pressentir que le bon Guelnou l'observait...

– Que s'est-il passé ? questionna Eldwen avec inquiétude.

– Tu connais les grottes de la Montagne Bleue ? Je ne sais par quel sortilège elle a réussi à conduire tous les Saymails et les derniers Naliens en ces lieux. Elle seule en ressortit, laissant l'entrée bloquée derrière elle par de gros quartiers de roches détachés des pentes de la montagne.

– Dis-moi... MeilThimas, dans tout cela, que faisait-elle ?

– Elle pleurait, elle suppliait Dame JadThimas de cesser, mais des liens invisibles semblaient l'attacher derrière sa mère. Partout elle la suivait sans pouvoir réagir, honteuse mais docile...

– Où se trouvent-elles en ce moment ?

– Elles parcourent le Nalahir. Dame JadThimas fait naître la sauvagerie dans le cœur des êtres vivants. Elle saccage toutes les Sources de Vie ; elle verse des philtres et des poisons dans les ruisseaux ; elle détruit les nids et les tanières... Pour survivre, des animaux...

MainFleurie voulait parler, mais les mots ne sortaient pas de sa bouche devant tant d'horreurs. Ce qu'il avait vu lui paraissait si inconcevable qu'il doutait même que Dame Eldwen puisse croire ses propos.

– Des animaux s'entredévorent pour survivre. Je te l'affirme, j'ai vu des loups détruire la vie des cerfs, des aigles détruire celle des merles... Tous ont peur les uns des autres et ils ne communiquent plus ensemble. Je dis le vrai, je t'assure.

– Hélas, je sais que tu dis vrai, MainFleurie. Je connais cet ordre, celui de Vorgrar...

Eldwen eut un long soupir. Comme elle le faisait souvent, elle rejeta la tête en arrière et passa ses mains aux doigts écartés dans sa longue chevelure, du front vers leur extrémité. MainFleurie la regardait et il prit soudainement conscience d'un changement d'apparence chez la jeune femme.

– Dame Eldwen ! Que t'est-il arrivé ? Tes cheveux sont devenus tout blancs sur le devant !

Nerveusement, l'aveugle repassa ses mains dans ses cheveux, comme pour s'assurer qu'ils étaient normaux. Puis elle sourit au Nalien.

– Je comprends. J'ai été face à une lumière tellement vive qu'elle a décoloré ma chevelure. Ne t'en fais pas pour cela, c'est une conséquence sans importance d'un moment d'une grande valeur pour moi. Maintenant, conduis-moi aux grottes de la Montagne Bleue. Les Saymails n'y sont peut-être que prisonniers.

Eldwen fit monter le Nalien avec elle et Noiras les mena rapidement à l'endroit voulu. MainFleurie décrivit les énormes rochers masquant l'entrée de la caverne ; des blocs immenses que même des Saymails n'auraient pu déplacer.

– Il doit exister une autre entrée, des cheminées d'aération, des failles quelque part. Il faut absolument pénétrer dans ces grottes.

– Je ne connais guère cette région du Nalahir, se désola le Nalien. Aucun jardin ne requiert mes services ici. Je ne suis venu que rarement et j'ignore comment entrer dans les grottes autrement que par cette entrée maintenant condamnée.

– Il faut chercher et trouver. Noiras, grimpe au sommet de la montagne et redescends lentement en faisant de grands cercles. MainFleurie, tu scruteras la neige. S'il monte de la chaleur des cavernes, nous verrons une buée ou du frimas sur le sol. Tu me signaleras tout ce qui te semble anormal.

Une patiente recherche débuta. Parfois, Eldwen cessait de prêter attention aux recherches pour se concentrer sur les présences possibles autour d'elle. Les deux Autegens se trouvaient quelque part au Nalahir et la jeune femme voulait les trouver avant qu'elles ne s'aperçoivent de sa présence.

En mi-hauteur, sur sa pente du Levant, le flanc de la montagne prenait des formes torturées. Arbres et rochers formaient un petit labyrinthe plein de détours et de caches. Les pistes d'un grand puma des neiges s'y perdaient.

– Écartons-nous de cet endroit, supplia le Nalien. Nous risquons de nous faire attaquer.

– Non, je ne crois pas.

Les branches trop basses obligèrent Eldwen et le Nalien à descendre de cheval. Laissant Noiras à l'abri des regards, la jeune femme se fit guider par MainFleurie sur les pistes du puma. Ils trouvèrent l'animal à l'entrée d'une petite grotte bien dissimulée.

« Le souvenir des histoires de chasse de Tocsand m'auront été utiles au moins une fois, songea Eldwen tout en s'approchant du grand félin. »

– Allons, mon beau, ne crains rien. Je ne te veux aucun mal.

Eldwen s'approcha encore plus du puma malgré ses feulements. Elle lui parla doucement jusqu'à ce qu'il s'apaise et se laisse flatter comme autrefois, comme durant le temps heureux du Nalahir.

– Oui, mon gros, tu es gentil. Tu vas nous laisser explorer cette caverne. Est-ce toi qu'Ardahel nommait Gard le Puissant ? Oui, je le vois à ton plaisir d'entendre encore ce nom. Laisse-nous voir où mène ton repaire.

Le puma s'écarta, permettant à Eldwen d'explorer son refuge. Il s'agissait d'un creux dans la roche où débouchaient quelques ouvertures obscures menant au cœur de la montagne. Un peu d'air chaud montait de l'une d'elles, indiquant à Eldwen un trajet possible. Effrayé, le Nalien n'osait avancer. L'aveugle se demandait quoi faire lorsqu'elle pensa au cadeau de Migal la Volupienne. Elle l'avait conservé dans l'une de ses sacoches de voyage suspendues à sa ceinture. Fébrilement, elle trouva le bandeau orné de pièces métalliques et l'attacha autour de sa tête. Aussitôt, elle eut une vision précise des cavernes.

En fait, Eldwen ne voyait pas comme avec des yeux. C'était un peu comme au temps heureux du Nalahir, alors qu'elle avait une connaissance exacte de ce qui l'entourait sans le distinguer de la même manière que ceux qui ont l'usage de leurs yeux. La jeune femme continua donc sa descente, obligée parfois de ramper dans des failles étroites, débouchant ensuite dans des grottes plus vastes. Finalement, elle trouva la grotte principale, théâtre d'un spectacle hallucinant. Tous les Saymails s'y trouvaient, écrasés sous d'énormes rochers détachés des voûtes de la grotte. À travers les blocs rougis de sang, émergeaient pêle-mêle des bras, des jambes ou des torses mutilés.

Cette vision cauchemardesque retourna les entrailles d'Eldwen.

Chapitre seizième

Le châtiment

MeilThimas de Haute-Voix suivait tristement sa mère, incapable de s'opposer à elle, ni de la quitter. Elle subissait le spectacle de la vengeance de JadThimas la Resplendissante en la maudissant et la prenant en pitié tour à tour.

La mère et sa fille se ressemblaient énormément, toutes deux menues comparativement aux gens du Moyen Peuple, le corps gracieux et vigoureux à la fois, à la peau cuivrée. Malgré le froid, elles marchaient pieds nus et portaient des vêtements autegentiens très légers de fin tissu, un voile qui semblait sans couture, percé d'ouvertures pour la tête et pour les bras, descendant jusqu'à terre sans toutefois toucher le sol. Les rebords s'ornaient de pierres précieuses chatoyantes. Toutefois, c'était le tissu lui-même qui captait le regard ; d'un blanc uni, sans motif, illuminé de reflets sans cesse changeants qui s'abritaient dans les replis pour s'en échapper à chaque mouvement. Les deux femmes partageaient les mêmes traits fins dans un visage d'une parfaite symétrie, éclairé par de grands yeux noirs en amande. Seule différence remarquable, la mère avait une longue chevelure argentée tandis que la fille gardait très court sa chevelure brune aux reflets de bronze.

En ce jour, d'autres contrastes surgissaient. Les reflets autegentiens étaient devenus ternes de tristesse dans le vêtement de la fille, sombres de rage dans celui de la mère. De plus, leurs regards n'avaient plus rien en commun, celui de JadThimas vacillant désormais aux frontières de la folie. L'Autegentienne s'esclaffa d'un rire cruel en contemplant son œuvre.

– Cet imbécile d'Ardahel possède maintenant un domaine à sa mesure, n'est-ce pas, ma fille ? Un domaine digne d'un membre des Basses Races.

D'une voix presque étouffée qui retenait mal toute sa peine et son désespoir, MeilThimas tenta de faire face à sa mère.

– Pourquoi m'obliger à te suivre, mère ? Tu me dégoûtes !

Une gifle retentissante renversa MeilThimas.

– Regarde et regarde bien, ma fille. Tu voulais t'unir à ce porc de Tocsand contre ma volonté ; tu as refusé d'être mes yeux et mes oreilles auprès de ton Roi et de ses minables compagnons. Alors, aujourd'hui, tu vas m'obéir. Tu seras là et tu verras ma vengeance lorsque je briserai ces êtres inférieurs. Combien de temps encore crois-tu que j'aurais supporté cette scène ridicule de voir la chair de ma chair, l'esprit de mon esprit, toi, MeilThimas ma chérie, partager la couche de ce lourdaud grisonnant dont les forces déclinent de jour en jour ? Je conçois qu'il t'amusa quelque temps, mais maintenant, la plaisanterie prend un goût putride. Tu me remercieras plus tard, MeilThimas ma fille. Et tu me vénéreras pour cela !

– Ne compte pas là-dessus, ma mère... Mon amère ! Si tu conduis Tocsand à sa perte, tu n'obtiendras jamais mon pardon...

– Petite insolente ! Tu vas aussi apprendre le respect dû à ta mère.

JadThimas fixa sa fille dans les yeux, s'acharnant à briser sa volonté. Soudain, elle eut conscience d'une présence près d'elle. Lentement, l'Autegentienne se tourna jusqu'à se trouver face à face avec Eldwen. L'aveugle était en compagnie de MainFleurie. Surmontant sa frayeur, le Nalien guidait en silence la jeune femme. En les voyant, l'Autegentienne éclata d'un rire acide.

– Dame Eldwen ! Comme nous nous retrouvons ! Ainsi, ce couard d'Ardahel n'a pas eu le courage de venir devant moi. Il dépêche son aveugle d'épouse et cette larve de Nalien...

Eldwen demeura d'un calme absolu, un léger sourire passant même sur son visage.

– Tu fais erreur, JadThimas. Ardahel ne sait pas encore les crimes que tu as commis en son domaine. Je constate en plus que tu te tournes contre ta propre fille. Ce dont j'ai pris connaissance depuis mon retour au Nalahir suffit à prononcer mon jugement. Tu dois maintenant répondre de tout cela, JadThimas.

– Tiens, tiens, la jolie Eldwen est maintenant détentrice du pouvoir de juger et de condamner même une Autegentienne. Comme voilà une prétention fantasque, espèce de petite gueuse ! Tu crois être en mesure de porter la main contre moi, alors que tu n'es même pas une vraie personne, que tu es un être diminué !

JadThimas se faisait la plus insultante possible. Cependant, Eldwen conservait toujours le même calme, un peu détaché et ironique. Elle savait que l'Autegentienne cherchait à la mettre en colère, car c'est alors qu'elle pourrait la frapper.

– Tes injures sont inutiles, JadThimas. Tu ne conduiras pas ma colère à se retourner contre moi. Je connais la force des Autegens qui ne peuvent attaquer directement, mais qui utilisent contre l'agresseur sa propre fureur.

– Alors, tu sais aussi que tu ne peux rien contre moi. Et tu penses me juger ! Tu crois que tu vas me punir, petite sotte ?

– Je ne ferai rien contre toi. Tu vas t'en charger toi-même et choisir ton propre châtiment.

Sur ces paroles, Eldwen tourna le dos à JadThimas. Guidée par le Nalien qui s'efforçait de ne rien montrer de sa peur ni de sa colère, l'aveugle se dirigea droit devant elle, marchant d'un pas assuré sans être trop rapide. Stupéfaite, l'Autegentienne se mit à suivre la jeune femme en s'interrogeant sur le sens de ses paroles.

L'attitude étrange de l'aveugle lui faisant pressentir le danger, MeilThimas tenta de retenir sa mère.

– Ne la suis pas, elle te mènera à ta perte !

– Toi, ordonna JadThimas à sa fille, tu m'attends ici sans bouger.

L'Autegentienne accéléra le pas jusqu'à rejoindre Eldwen.

– Je te savais idiote, Eldwen, mais pas si folle pour venir à ma rencontre, me menacer, et me tourner ainsi le dos !

– Je te l'ai déjà fait savoir, tes insultes ne provoqueront pas ma colère, quoi que tu dises contre moi, Ardahel ou tout autre de mes compagnons.

– Mais comment parlerais-je en tort d'Ardahel ? fit malicieusement JadThimas. Il s'est révélé un amant si extraordinaire, si plein de vigueur...

Eldwen s'arrêta net de marcher. Elle se tourna vers JadThimas qui croyait avoir touché un point sensible qui attiserait la colère de la jeune femme.

– JadThimas, répondit Eldwen d'un air désolé, je te croyais plus rusée et meilleure juge de tes adversaires ! Comment as-tu espéré un seul instant soulever mon courroux avec des insinuations aussi grossières ! Sache que je sais discerner les paroles vraies des fausses aussi aisément que tu différencies le jour de la nuit. Tu ne pourras faire naître la fureur en moi en utilisant des mensonges.

Sur ce, Eldwen continua à marcher droit devant elle, tandis que JadThimas commençait à s'inquiéter. Elle devait forcer Eldwen à s'élever contre elle pour la contrôler et la mener à se détruire elle-même.

– Tu as vu ce que j'ai fait du BlancLares et des autres constructions de ce domaine, s'écria l'Autegentienne.

– Certes, répondit calmement Eldwen. Tu paieras pour cela.

– Et les cadavres des Naliens, vos serviteurs...

– Pour cela aussi, tu paieras, fit encore Eldwen avec assurance.

Cette fois, le trouble gagna l'Autegentienne.

– Il doit bien y avoir quelque chose qui la révoltera et qui lui fera perdre son calme, songea JadThimas. Oui, elle ne pourra rester insensible au sort des Saymails.

JadThimas alla se placer devant l'aveugle, la forçant à s'arrêter. L'air hautain, elle la dévisagea un moment, puis elle parla fermement, d'une voix de défi.

– Tu veux me faire payer, n'est-ce pas ? Dans ce cas, suis-moi que je te fasse vraiment prendre connaissance de mes actes. Je ne voudrais pas acquitter une moindre dette que celle que j'ai envers Ardahel et toi...

L'Autegentienne ordonna à MainFleurie de laisser Eldwen seule avec elle. Ensuite, elle se dirigea vers la Montagne Bleue, guidant la jeune femme devant l'entrée de la grotte.

– Derrière ces rochers se trouvent les cadavres de tous les Saymails qui vivaient encore en Monde d'Ici. Par ma volonté, pas mes actes, ils furent broyés comme des insectes.

– Pour cela, tu paieras chèrement, JadThimas...

Eldwen eut alors une hésitation.

– Pour le moins que cela soit vrai ! ajouta l'aveugle avec un doute dans la voix.

– Mais puisque je te le dis ! Je te le montrerais bien si tu n'étais pas une infirme !

– Nous voilà devant un curieux dilemme. Tu prétends avoir commis un crime dont tu cherches à me convaincre. Il me faudrait le voir pour te croire, mais je suis aveugle !

JadThimas se résolut alors à franchir les limites de ce qui est admis comme acceptable par sa Race. Elle décida de faire appel à toute la science des Autegens en présence d'un membre d'une autre Race, cela pour ses intérêts personnels.

– Tu as besoin de constater par toi-même, n'est-ce pas ? J'en ai le moyen. Suis-moi.

JadThimas entraîna Eldwen un peu plus loin, dans un bosquet d'arbres qui poussaient serrés les uns contre les autres.

– Il y a une sortie dissimulée ici. Il me fallait l'employer pour quitter cet endroit après avoir précipité les Saymails à leur perte. Viens !

– Je vais te suivre, affirma Eldwen. Passe la première.

Une mince faille plongeait dans les entrailles de la montagne, permettant aux deux femmes de s'y glisser. JadThimas passa la première, se dirigeant à tâtons dans l'obscurité. Lorsqu'elle déboucha dans la grotte, l'Autegentienne invita Eldwen à être bien attentive. Comme tous les Autegens, elle avait une sorte de petite trousse attachée à la jambe, juste sous le genou, qui permettait de transporter aisément et discrètement divers produits. Elle releva le bas de son vêtement pour prendre des petits sachets dont elle versa le contenu dans sa main. Malgré les ténèbres, JadThimas choisissait avec assurance les poudres autegentiennes jusqu'à obtenir le mélange désiré.

Certaine de la présence attentive d'Eldwen derrière elle, JadThimas l'interpella.

– Laisse-toi pénétrer de la connaissance exacte de tout ce qui t'entoure. Prends bien ton temps, car la lumière que je vais faire naître en ces lieux brillera à jamais sur ce spectacle. Il s'imposera à ton esprit avec la même acuité que si tu avais l'usage de tes yeux.

JadThimas lança sa poudre dans les airs, faisant éclore des milliers de petits éclats lumineux. En un instant, la caverne s'illumina de vifs reflets orangés qui révélaient toute l'horreur du massacre des Saymails.

L'Autegentienne se retourna pour s'adresser à Eldwen, un sourire cruel déformant son visage. Elle réalisa alors qu'il n'y avait personne derrière elle.

– Eldwen ? Où es-tu ?

D'abord intriguée, JadThimas sentit la panique la gagner. Elle venait de comprendre qu'Eldwen ne l'avait pas suivie dans la grotte. L'Autegentienne était seule face au spectacle insupportable des cadavres tout autour d'elle. À cet instant, un grondement se fit entendre et des blocs de roche s'écroulèrent, obstruant totalement la dernière issue par laquelle il était possible de fuir les lieux.

À l'extérieur de la grotte, MainFleurie pleurait à chaudes larmes. Il venait de commettre un geste qu'il n'aurait jamais imaginé commettre de toute son existence. Il avait utilisé ce que les Naliens nommaient un bâton de tonnerre. C'était un long tube plein d'une huile jaune qui, au contact d'une flamme, produisait une explosion. Les Naliens s'en servaient pour briser de gros morceaux de matière très dure, comme le roc, au cours de leurs travaux d'aménagement du Nalahir. Sur l'ordre d'Eldwen, il avait placé des bâtons de tonnerre de façon à boucher la faille par laquelle JadThimas avait pénétré dans la grotte.

MainFleurie se serra contre l'aveugle en quête de réconfort.

– C'est horrible ! Comment en suis-je venu à faire cela ? Les autres issues sont aussi condamnées ; j'ai enfermé à jamais la Dame Autegentienne dans le sein de la montagne.

Eldwen inspira profondément avant de répondre. Elle mesurait toute la détresse du Nalien et elle savait bien qu'aucun argument ne saurait vraiment le réconforter.

– Pleure, MainFleurie. Ton geste a été aussi difficile qu'il fut nécessaire.

À l'intérieur de la grotte, JadThimas regarda autour d'elle avec terreur. Une malsaine fascination lui interdisait de détacher son regard des cadavres des Saymails. Les idées se bousculaient à toute vitesse en son esprit, l'Autegentienne mesurant l'ampleur de son châtiment. En effet, si les Autegens peuvent se déplacer à leur guise en Monde d'Ici, encore faut-il qu'il y ait une issue. Grottes et cavernes les répugnent pour cela, car si jamais ils se retrouvent prisonniers à l'intérieur, leur science est inutile pour quitter les lieux. Les pierres ne sont pas des adversaires qu'ils peuvent manipuler : elles ne peuvent se mettre en colère pour ainsi alimenter leur puissance.

Pour ajouter à l'horreur de sa situation, JadThimas savait que la lumière orangée qu'elle avait créée pouvait briller durant des siècles en un tel endroit. L'Autegentienne se mit à marcher en rond dans la grotte, espérant en vain repérer une issue possible.

Un cri dément monta finalement à ses lèvres.

– Eldwen ! Non ! Ne m'enferme pas ici ! Pitié, Eldwen, je suis incapable de supporter la vue de ces cadavres.

Personne n'entendait JadThimas qui s'obstinait pourtant à hurler.

– Pitié, Eldwen. Au moins, ne me laisse pas la vie !

Seul l'écho de ses hurlements répondit à JadThimas la Resplendissante.

Malgré ses appréhensions, MeilThimas n'avait effectivement pas bougé de l'endroit où sa mère lui avait ordonné de demeurer. Guidée par MainFleurie, l'aveugle retourna auprès d'elle. Le Nalien, encore ébranlé par les événements et mal à l'aise devant l'évidente détresse de la jeune Autegentienne, s'éloigna rapidement pour laisser les deux femmes ensemble. Aucun mot ne fut échangé entre elles ; cependant, au seul bruit haletant de la respiration de MeilThimas, Eldwen savait la question qui lui brûlait les lèvres.

L'aveugle prit une grande respiration, puis elle donna la réponse redoutée.

– Ta mère expie son crime. Tu n'as plus à la craindre ; elle est désormais impuissante contre qui que se soit.

– J'ai honte d'elle et de moi. Je sais qu'elle subit ce qu'elle mérite, mais je l'ai tant aimée... Quel sort lui as-tu réservé ?

La conversation était pénible, de longs silences succédant aux questions comme aux réponses, chacune prenant le temps de peser ses mots, puis de les laisser s'échapper doucement, un à un, comme un mal nécessaire, comme une douleur inévitable.

– Est-ce que les Autegens peuvent mettre fin eux-mêmes à leurs jours ? finit par demander Eldwen.

– Non. Nous, Autegens, sommes incapables d'un tel geste.

– Alors, le châtiment de JadThimas me semble encore plus sévère. Elle vivra encore longtemps avec son crime le plus hideux exposé devant elle, sans qu'elle puisse en détourner le regard.

Pressée de questions suppliantes par MeilThimas, Eldwen lui raconta en détail ce qui venait de se passer.

– Tu es encore plus cruelle que ma mère, s'emporta MeilThimas. Je ne puis rien imaginer de pire pour une Autegens. Ma mère est prisonnière, impuissante à fuir les lieux. Elle verra les cadavres pourrir, elle subira les odeurs de putréfaction, mais devra quand même se nourrir de cette viande infecte, car elle s'accrochera à la moindre parcelle de vie en elle. Combien de temps durera ce supplice ? N'as-tu donc aucune pitié ?

Eldwen ne broncha pas. Elle laissa éclater la colère de MeilThimas, puis elle répondit avec douceur et fermeté.

– MeilThimas, dis-moi qui a mis en place tous les éléments de ce châtiment ? Qui a conduit les Saymails en ces lieux et fait s'écrouler la voûte sur eux ? Qui s'est rendu de sa propre volonté dans la caverne pour exposer son œuvre ? Qui a utilisé la science de sa Race pour l'éclairer à jamais ? Réponds-moi !

– JadThimas la Resplendissante, ma mère, murmura l'Autegentienne d'une voix éteinte. Elle et elle seule.

– Je n'ai pas fermé les issues de la grotte avec plaisir et son sort me hante l'esprit. Ne crois-tu pas que j'aurais préféré revenir en Nalahir pour tout retrouver comme je l'avais laissé ? Que ferais-tu de moi si je saccageais et profanais ainsi l'Augenterie, ton pays ? Ne trouverais-tu pas juste que je sois punie pour un tel crime ?

– Je sais, Eldwen ! Mais il s'agit de ma mère... Je la connais et je ne peux imaginer que ces méfaits viennent d'elle, de sa volonté. Elle a été souillée !

– Exactement, tu as le mot juste. Une souillure. Voilà ce qui s'est passé et il n'y a que Vorgrar à blâmer pour cela. Tu vois et tu vis dans ta chair ce qui résulte de la pensée de l'Esprit Mauvais, celui que nous combattons. Alors, je te demande de te joindre à nous, d'être active dans ce combat auprès de ton époux, le Roi Tocsand. N'est-ce pas le mieux que tu puisses faire au nom de ta mère ?

L'Autegentienne courba la tête en silence, douloureusement déchirée entre des sentiments contradictoires comme elle n'en avait jamais connus. Elle demeurait ainsi prostrée lorsqu'un grondement sourd retentit. Le sol trembla sous leurs pieds alors qu'une onde de choc secouait le Nalahir. MeilThimas releva la tête juste à temps pour voir le flanc de la Montagne Bleue qui venait de s'affaisser légèrement sur sa base. Un nouvel éboulis venait de se produire ; la grotte qui retenait JadThimas prisonnière venait d'être engloutie dans les entrailles du sol.

Le silence revint, pesant, que MeilThimas rompit enfin, en parlant les dents serrées.

– Ma mère JadThimas la Resplendissante possédait de grands pouvoirs chez les Autegens, assez pour provoquer l'affaissement de la grotte où elle se trouvait. De cette façon, elle vient de mettre fin elle-même au cours de sa vie. Un tel geste constitue l'insulte suprême qui puisse être faite à la face d'Elhuï. Elle ne mérite même plus d'être considérée comme membre de sa propre race !

Une lueur froide de détermination passa dans les yeux de MeilThimas de Haute-Voix.

– Pour qu'elle commette tous ces crimes et qu'ensuite elle s'enlève même la vie, ma mère a eu l'esprit souillé. Très profondément souillé ! Tout cela est la faute de Vorgrar ; il devra en répondre. Je participerai à la lutte pour l'abattre.

Bien qu'il fût le dernier Nalien en Monde d'Ici, MainFleurie refusa de quitter le Nalahir.

– En quel endroit pourrais-je me rendre ? Quelle compagnie pourrait guérir la plaie en moi ? Non, Dame Eldwen, je ne m'en irai pas avec vous. Je vais rester ici et tenter de tout remettre en ordre. Non pas de reconstruire, mais à tout le moins d'effacer les ruines et ensevelir dignement les miens. Peut-être, un jour, reviendrez-vous, Seigneur Ardahel et toi ; vous trouverez cet endroit accueillant. J'aurai refait un jardin à l'endroit où s'élevait le BlancLares et j'aurai planté les fleurs de façon à ce qu'elles dessinent vos visages en couleurs éclatantes à chaque printemps.

– Alors, tu choisiras la plus belle de tes fleurs et tu la nommeras Amour. Tu en placeras tout autour du BlancLares pour rappeler combien Ardahel et moi fûmes heureux en ces lieux. Au revoir, MainFleurie, j'espère que nous reviendrons un jour.

– Adieu, Dame Eldwen. Qu'Elhuï vous garde en sa protection.

Les deux femmes grimpèrent sur leurs montures et quittèrent le Nalahir pour retourner enfin en Pays de Santerre. Toutes deux avaient changé au cours des derniers jours et elles partageaient désormais une même détermination à abattre Vorgrar.

Très loin du Nalahir, très loin du continent du Lentremers, la flotte de Kurak l'Akares avait profité de vents favorables. Les navires pavoisés en rouge et noir de l'armée des Aigles avaient gagné en un temps record les rivages au Couchant des Terres Vertes. Bénéficiant de l'effet de surprise, les combattants s'étaient emparés des villes les plus importantes. Pendant ce temps, l'armée des Lions aux drapeaux rouge et jaune avait fait de semblables conquêtes à la grande île des Bois.

Pour sa part, l'armée des Squales aux couleurs bleu et or avait atteint la très riche Île Verte. Les navires avaient pénétré dans les ports sans rencontrer de résistance et les guerriers avaient remporté victoire après victoire sous le regard satisfait de leur grand commandant Kurak. Grisé par ses succès rapides et faciles, l'Akares planifiait maintenant des expéditions éclair dans les pays qu'il savait moins bien organisés au plan militaire.

La nuit venue, dans la cabine du bateau où Kurak demeurait en permanence, il arrivait souvent à l'Akares de faire part de ses stratégies à Belgaice. La Cahanne partageait sa couche, follement amoureuse, totalement dévouée et férocement jalouse de ses liens avec son maître.

– Tu vois, confia Kurak à sa maîtresse, je commence par soumettre les plus faibles. Ils ne peuvent rien contre mes troupes et les victoires se concluent sans trop d'affrontements. Il suffit pour moi de laisser sur place des dirigeants de confiance avec des Akares aux postes clefs. Je peux enrôler les gens de ces pays pour maintenir et même augmenter la force de mes armées. Ensuite, les plus puissants pays se retrouveront isolés, sans alliés. Je frapperai alors les plus importants. Ainsi, dans chaque région, le plus gros et tous les petits seront sous ma domination. Les pays de force moyenne se livreront d'eux-mêmes pour éviter des combats qu'ils auront la certitude de perdre. Lorsque mes couleurs flotteront de la Terre Abal à la Terre Cahan, il ne restera que les pays du Lentremers à soumettre.

Belgaice se colla langoureusement contre son seigneur, avide d'en savoir plus. Elle se permit cependant d'apporter une objection.

– C'est le continent le plus puissant du Monde d'Ici. Or, les pays du Lentremers auront le temps de préparer leur résistance. Ils doivent même déjà commencer à entendre parler de tes conquêtes.

Kurak eut un geste comme pour balayer l'argument du revers de la main.

– Les deux pays les plus importants à conquérir sont celui de Santerre sur la Mer du Couchant et celui de Gueld sur la Mer du Levant. Ils sont puissants et ils ont à leur tête des Rois avisés ainsi que des chefs de guerre redoutables. Malgré cela, même si je leur laisse le temps de s'organiser, ils seront incapables de me faire face. Car lorsque je ferai voile vers eux, j'aurai sous mes ordres des combattants de partout. Toutes les autres Terres du Monde d'Ici participeront à cette conquête. Je disposerai à ce moment d'encore plus de guerriers que maintenant ! Mes attaques viendront de partout ; mes alliés des Terres Mortes participeront aussi à l'assaut final. Santerre et Gueld résisteront quelques jours, puis ils tomberont. Le reste du Lentremers, je pourrai le cueillir comme un fruit mûr.

Belgaice la Cahanne se fit encore plus désirable pour Kurak. Elle se sentait bien loin du repaire de Vorgrar et moins que jamais liée par sa mission auprès de l'Akares. Pourquoi aurait-elle continué à épier son seigneur au profit du Maître que celui-ci vénérait ? D'ailleurs, Kurak ne lui avait-il pas confié qu'il ne faisait désormais plus qu'un avec Vorgrar ? Dans ce cas, il ne servait à rien d'espionner l'un au profit de l'autre !

– J'ai hâte d'une chose, murmura Belgaice à son amant. J'ai hâte que tes victoires nous conduisent en Terre Cahan, chez moi, dans mon pays. C'est lui que tu cueilleras comme un fruit mûr et dont tu goûteras les saveurs les plus merveilleuses.

– Je t'en ferai la Reine, répondit Kurak. Le plus beau pays aura la plus belle souveraine qui me fera les plus belles offrandes en ce monde...

Les deux amants se mirent à rire, savourant à l'avance leur domination inéluctable sur le Monde d'Ici grâce à l'appui de Vorgrar le Magnifique.

Chapitre dix-septième

Fin d'un temps

Après avoir quitté le Nalahir, Eldwen et MeilThimas ne s'étaient accordé que peu de repos. Malgré leur impatience d'arriver au Temple du Roi et des Sages, elles durent faire halte à l'auberge de Bober. Il était déjà tard le soir et, de plus, leurs montures avaient grandement besoin de repos. Les deux compagnes prirent soin d'entrer discrètement en conservant leurs habits de voyage, les capuchons sur la tête, afin d'éviter d'être reconnues. La salle principale de l'Auberge au Toit Houblonneux était déjà remplie et les conversations allaient bon train. On discutait fort des récentes ordonnances du Roi Tocsand.

Installées dans un coin retiré, les deux femmes tendaient l'oreille pour comprendre ce qui se passait. Lorsqu'un serveur vint s'enquérir de leur commande, MeilThimas le questionna sur les plus récents événements.

– Vous l'ignorez ? Le Roi Tocsand a annoncé que le Pays devait se préparer à la guerre. Il paraît que de grandes armées envahissent les pays à la Mi-Jour du Lentremers. Le Roi et les Sages craignent qu'elles s'en prennent à nous ensuite. Le Roi a donc décrété que tous les adultes en bonne santé doivent préparer leurs armes, puis rendre compte de leur nombre et de leur équipement au responsable de leur communauté. D'ici peu, les armées de Santerre seront levées à nouveau, prêtes à défendre nos terres.

MeilThimas n'insista pas, préférant commander le repas et informer le serveur qu'elles auraient aussi besoin d'une chambre pour la nuit. Les voyageuses demeuraient à l'écart, silencieuses et attentives aux conversations. Les points de vue étaient partagés, certains approuvant cette mobilisation exceptionnelle des forces vives du pays, d'autres la qualifiant de geste prématuré, voire inutile.

Un buveur imposant de taille, à la forte voix, se leva au milieu de la place pour bien se faire entendre de tous les clients de l'auberge.

– Notre Roi baladin se réveille enfin, mes amis ! Les Sages ont certes raison de lui forcer la main pour préparer le pays. Mais que vaudra un troubadour pour nous commander si nous devons vraiment affronter des envahisseurs ?

Cette fois, MeilThimas ne put s'empêcher d'intervenir. Elle défit sa cape, découvrant ainsi ses traits, ce qui provoqua rapidement le silence dans l'auberge bondée de gens. Elle marcha vers celui qui venait de parler, un solide Culter qui la dépassait de plus d'une tête. Sans hésiter, la Autegentienne lui mit les deux mains sur les épaules, l'obligeant à plier les genoux jusqu'à ce que leurs yeux soient à la même hauteur.

Le Culter conserva sa posture ridicule tandis que MeilThimas lui parlait d'une voix forte afin que tous puissent bien l'entendre.

– La chevelure du Roi Tocsand mon époux n'est pas devenue blanche à force de chercher des rimes pour des chants, mais bien à cause des soucis de cette guerre qui se prépare depuis fort longtemps. Combien de nuits avons-nous sacrifiées parce qu'il s'entretenait avec les Sages dans le plus grand secret ? Combien de voyages avons-nous faits sans en profiter parce qu'il veillait à la sécurité du Pays de Santerre ? Combien de soucis et de tourments à chercher le moyen d'esquiver les inévitables affrontements tout en s'efforçant de ne rien laisser paraître aux yeux des espions de l'ennemi ? Combien de ruses pour garder les gens de cette terre prêts à la défendre sans susciter la panique ? Le Roi Tocsand s'est dépensé plus que quiconque en ce pays en sachant très bien le mépris qu'il devait endurer de la part des gens de Santerre. Mais cela, moi MeilThimas, je ne le supporte plus !

L'Autegentienne força le Culter à s'agenouiller devant elle.

– Tu me sembles fort en gueule, l'ami. Alors, je te charge de veiller à rétablir les mérites de ton Roi. Sa valeur au combat est connue dans les Pays du Levant. Les Gens de Gueld, du Kalar Dhun, du Mauser, de Hippar et du Coubaliser le suivraient tous sans hésiter dans des affrontements à dix contre un. Alors vous, Gens de Santerre, accordez votre confiance à Tocsand. Votre Roi Thadé qui l'a désigné comme successeur savait très bien ce qu'il faisait en lui confiant la sécurité et l'avenir de ce pays. As-tu bien compris cela ?

Le Culter osait à peine relever les yeux vers MeilThimas. Il bredouilla sa réponse, à la fois intimidé et séduit par l'aplomb de l'Autegentienne.

– Oui, Dame MeilThimas. Je ne pouvais savoir, il ne faut pas m'en vouloir... Je ferai ainsi que tu le demandes, et avec grand plaisir !

La jeune femme fit se relever le Culter, puis elle lui fit signe de la soutenir afin qu'elle grimpe sur une table proche. Dans un silence complet et respectueux, elle poursuivit sa harangue, vantant le caractère de Tocsand et justifiant ses agissements.

– Désormais, conclut MeilThimas, vous verrez votre Roi et son épouse sous leur véritable visage. Ce qui fut fait, et ce qui sera fait, le sont pour la victoire qui sera la nôtre. Levez bien haut vos verres pour le Pays de Santerre... et tout ce qui sera consommé sera à ma charge !

Une véritable ovation salua les paroles de MeilThimas. Pour la première fois, l'Autegentienne vit un respect sincère dans les regards tournés vers elle. Avant de rejoindre Eldwen à leur table, elle s'adressa une dernière fois au Culter pour lui demander son nom.

– Gared, de la Famille Ogardel, désormais à ton service, Dame MeilThimas.

✧ ✧ ✧

Chaque saison, le Temple du Roi et des Sages présentait un décor somptueux. Toutefois, de l'avis de MeilThimas, rien ne pouvait égaler le spectacle esquissé par les froides journées d'hiver. Les blanches constructions se découpaient alors sur un ciel bleu d'une pureté incomparable. Les toits d'or et les tours d'argent resplendissaient d'un éclat presque insoutenable, transformant le Temple en un mirage lumineux posé sur l'écrin immaculé du paysage recouvert de neige. La rivière Alahid n'était pas encore gelée ; en ce matin au froid piquant, ses eaux bleues et calmes semblaient être un miroir entourant l'île du Temple.

MeilThimas prit le temps de s'arrêter et de décrire la scène à Eldwen. L'émerveillement sincère de la Autegentienne toucha l'aveugle.

– MeilThimas, tu possèdes cette grande qualité de savoir prendre le temps d'apprécier la beauté du monde, cela même dans les moments difficiles. Goûte chaque jour le plaisir de pouvoir contempler de si jolies choses. N'attends jamais d'être privée d'un de tes sens pour l'estimer et mesurer les joies qu'il te procure.

L'Autegentienne répondit avec une fermeté dans la voix qui surprit Eldwen.

– Je sais cela. Je conçois aussi qu'il faille se battre pour préserver non seulement nos sens, mais aussi ce qui les réjouit. Je veux que cette beauté devant nous demeure intacte, que jamais l'Esprit Mauvais ne parvienne à la souiller. Qu'importe ce qu'en penseront ceux de la Race de ma mère, j'estime appartenir désormais à cette terre.

Un moment passa en silence, MeilThimas admirant le Pays de Santerre, Eldwen en goûtant l'air pur et froid. Enfin, les deux femmes lancèrent leurs montures dans un dernier galop jusqu'à l'un des quatre ponts donnant accès à l'île.

Une grande agitation régnait au Temple. Aux ordonnances de Tocsand pour préparer le pays à la guerre s'ajoutait la présence maintenant déclarée du couple royal du Pays de Gueld. Marchands, voyageurs et représentants des pays voisins en profitaient pour venir demander audience à Loruel et Lowen afin d'établir des contacts avec les Gueldans. Ce va-et-vient permit aux deux cavalières d'arriver discrètement et de se rendre directement à leurs appartements respectifs.

Dès qu'elle fut seule, l'Autegentienne fit jouer un mécanisme de sécurité qui interdisait l'entrée d'une petite pièce de rangement où s'entassaient des coffres de toutes les dimensions. MeilThimas en déplaça plusieurs jusqu'à trouver ce qu'elle cherchait, un paquet en long soigneusement emballé dans une grande pièce de tissu matelassé.

Elle l'apporta sur son lit pour l'ouvrir, découvrant ainsi un coffret de bois et de métal richement travaillé. Des motifs géométriques compliqués s'entrecroisaient de telle sorte qu'il était impossible de discerner les joints et les ouvertures de l'assemblage. L'Autegentienne disposa la couverture sur le plancher, déployée avec soin pour qu'elle ne fasse aucun pli. Avec respect, elle mit le coffret à une extrémité, puis elle s'installa à l'autre. Elle laissa tomber ses vêtements de voyage qu'elle repoussa plus loin, s'agenouillant nue sur la couverture.

Un long moment, MeilThimas resta immobile pour méditer et invoquer les ancêtres de sa race. Puis, sa voix s'éleva, d'une gravité inhabituelle pour la jeune femme.

– Pardonnez mon insolence, Anciens des Thimas. Je tire ces armes du repos où elles devraient demeurer éternellement. J'ai confiance que vous approuverez mon combat et que vous m'accorderez votre protection. Je suis nue devant vous, car désormais je ne porterai que ce que vous daignez me confier pour me protéger et pour porter les coups qui méritent de l'être.

Toute l'attitude de la Autegentienne traduisait son humilité et son abandon entre les mains des Anciens de sa Race. Alors, le coffret s'ouvrit de lui-même. MeilThimas le regarda sans oser s'avancer, le souffle court, recroquevillée comme pour tenter de se cacher aux regards d'invisibles présences qui l'examinaient et l'intimidaient. Finalement, elle s'approcha pour prendre le contenu du coffret, toujours courbée telle une esclave devant un maître terrible. Nerveusement, elle enfila les vêtements de guerre des Autegens. D'abord, elle mit une sorte de chemise et de pantalon ajustés, tissés de fils métalliques fins et résistants, qui s'adaptaient parfaitement à son corps. Puis, elle enfila des gants qui couvraient la main tout en laissant les doigts dégagés et qui montaient presque jusqu'au coude. Des chaussettes du même tissu recouvraient les pieds jusqu'au haut des mollets. Lorsque son corps fut enfin couvert au complet, elle sembla se sentir plus à son aise. Elle finit alors de s'habiller avec un vêtement ample, en étoffe autegentienne, blanc mais chatoyant de reflets aux couleurs de l'arc-en-ciel, tombant à mi-cuisse et serré à la taille par un ceinturon de cuir blanc. La tenue guerrière se complétait par un casque en métal argenté, de forme simple. Il recouvrait toute la tête ; les côtés protégeaient les joues et le devant s'effilait en une pointe au-dessus du nez. Les espaces libres pour le regard dessinaient deux yeux furieux.

Avec des gestes de plus en plus assurés, MeilThimas sortit du fond du coffret deux longues épées et leurs fourreaux enveloppés dans un cuir fin. La première était Mailchord, l'arme qu'elle avait déjà confiée à Tocsand pour combattre les Sorvaks. La seconde était FenThas, l'arme des Anciens de la famille Thimas. La poignée faite pour tenir l'arme à deux mains et la lame à double tranchant étaient d'une belle simplicité d'ouvrage, aux lignes pures et d'une couleur presque bleue. L'arme était si longue pour l'Autegentienne qu'elle devait la porter à son dos plutôt qu'à son côté.

La jeune femme regarda longuement les deux armes, presque avec répulsion. Puis elle rangea le coffret vide. Elle se rendit ensuite à la fenêtre regarder l'activité qui se déroulait plus bas dans la grande place du Temple. Immobile, silencieuse, elle attendit l'arrivée de Tocsand, son époux.

Prévenu par les serviteurs du retour de MeilThimas, le Roi s'était empressé de couper au plus court ses rencontres et ses discussions avec les Sages. Il s'était précipité à ses appartements et il entra en trombe dans la pièce où se tenait l'Autegentienne. Tocsand demeura stupéfait de la voir ainsi habillée et armée.

MeilThimas ne lui laissa pas le temps de reprendre son souffle ; elle marcha vers lui en lui tendant l'épée Mailchord.

– Je te confie une seconde fois cette arme. Cependant, cette fois, il ne sera pas le seul glaive de ma Race à s'élever contre les desseins de Vorgrar le Maléfique. Je serai à tes côtés.

Lentement, Tocsand s'avança pour prendre le glaive. Il n'y jeta qu'un bref regard, puis le posa contre le mur. Tendrement, il serra son épouse contre lui. Un long moment, ils s'étreignirent en silence, puis Tocsand se recula pour regarder encore l'Autegentienne. Sa voix n'était alors qu'un murmure.

– Le Roi se réjouit de compter une telle alliée dans ses rangs, mais l'amant s'inquiète de voir sa douce compagne ainsi transformée. Que s'est-il passé durant ton voyage en Nalahir avec ta mère JadThimas pour que tu reviennes si différente ?

– La pensée de Vorgrar a souillé l'esprit de JadThimas et à cause d'elle le Nalahir est dévasté. La Race des Saymails n'existe plus ; un seul Nalien a échappé au Repos Éternel et l'Ancêtre a rejoint ses frœurs en Royaume d'Elhuï. Ma mère a payé pour ses crimes. Je n'ose dire pour elle les paroles rituelles, car je crains que jamais son âme ne trouve le repos...

Des larmes coulèrent sur les joues de MeilThimas. Elle poursuivit, la voix rauque.

– J'ai vu le danger que représente Vorgrar ; je t'aiderai à l'abattre et ainsi à préserver le Pays de Santerre.

Bouleversé par ces nouvelles, le Roi Tocsand ne savait que répondre. Il serra les poings jusqu'à s'en faire mal, puis il pressa encore plus fort sa compagne contre lui, comme s'il voulait s'assurer de sa présence, se réfugier en elle.

– Je t'apporte au moins une bonne nouvelle, ajouta MeilThimas. Eldwen est de retour. Elle se trouve en ses appartements pour l'instant.

– Eldwen ! Enfin ! Est-elle bien saine et sauve ? Où était-elle ?

– Elle se porte très bien. Laissons-lui le temps de retrouver Ardahel, puis nous irons les rejoindre.

Le Prince de Santerre avait été prévenu lui aussi du retour de son épouse. Il se précipita à ses appartements où Eldwen l'attendait. Elle avait quitté ses habits de voyage pour mettre une longue robe blanche, puis elle s'était assise sur le lit. Immobile et silencieuse, perdue dans ses pensées, la jeune femme s'efforçait de calmer le tourbillon de souvenirs qui l'étourdissait maintenant. Elle cherchait les paroles pour expliquer son voyage à Ardahel, pour justifier ses erreurs, pour se faire pardonner ses égarements ou pour s'assurer que son époux n'entretenait aucun ressentiment pour son absence. Elle savait bien qu'Ardahel lui accordait une entière confiance et qu'il ne lui reprocherait rien. Cependant, elle redoutait presque autant qu'elle désirait son arrivée dans la pièce.

Enfin, le bruit de pas et des portes qui s'ouvraient la tira de ses pensées. Elle se leva rapidement, le cœur battant à tout rompre pour recevoir Ardahel dans ses bras. Le Prince n'avait rien dit, se contentant de serrer sa compagne contre lui et de l'embrasser doucement.

– Quel bonheur de te retrouver, murmura Ardahel. Les jours et les nuits n'avaient plus de goût sans toi...

– Jamais je n'ai eu si hâte de retrouver ton étreinte, répondit l'aveugle. Je me suis sentie si seule durant ce voyage.

Ardahel s'écarta un peu, posant les mains de part et d'autre du visage de sa compagne.

– Laisse-moi te regarder. Que s'est-il passé ? Ta chevelure blanchie, tes traits plus marqués qu'auparavant... Mais pourquoi ? Tu trembles !

Eldwen serra encore plus fort son compagnon et colla son visage contre son épaule.

– Ô Ardahel ! Il s'est passé tellement de choses. J'ai rencontré Almé, Enfant d'Elhuï. J'ai goûté une parcelle de ce que tu as vécu dans le Royaume du Dieu Vivant. J'ai vécu et reçu des enseignements extraordinaires. J'ai aussi commis des fautes. Je...

Ardahel mit les doigts sur les lèvres de son épouse, l'obligeant à se taire.

– Prends ton temps, mon bel amour. Tu es ici, avec moi, et c'est tout ce qui compte.

De nouveau, leurs lèvres s'unirent, leurs corps vibrèrent de désir, leurs gestes se firent passionnés. Un fugace instant, Eldwen repensa aux Volupiens en sentant les mains d'Ardahel glisser sur sa peau. Comme les caresses de son époux la comblaient autrement mieux et plus intensément, chargées non seulement de désir, mais pleines d'amour sincère. Tout le reste de la journée, le Monde d'Ici et ses préoccupations cessèrent d'exister pour les deux amants.

Il y avait dans les appartements du Prince de quoi se rassasier amplement en nourriture et en boissons. Les époux firent de la journée une fête intime de retrouvailles, prenant le temps de rire, de s'amuser et de se reposer, gardant pour la soirée et la nuit les récits de tout ce qui s'était déroulé durant les dernières semaines.

La jeune femme raconta en détail son voyage, résumant en quelques mots les moments monotones et pénibles de la route, mais ne cachant rien des expériences vécues et des enseignements retirés. Elle raconta sa rencontre avec Almé et enfin les événements survenus en Nalahir.

Ardahel se désola des actes de JadThimas, mais la destruction de son domaine ne sembla pas l'affecter.

– Le Nalahir commençait à devenir un poids pour moi. Tout comme la Race Ancestrale et les Races Anciennes, y compris les Saymails, le Domaine du Nalahir devait disparaître, car ce temps est fini. Tout cela n'a plus sa place en Monde d'Ici. Il est triste que cela se soit terminé de cette manière sauvage et hargneuse, mais une fin était inévitable. Je m'y étais préparé ; je ressens un peu le même sentiment que lors du départ d'un vieillard que l'on a bien aimé... Sachant qu'il ne pouvait être évité, j'aurais juste souhaité que ce moment soit paisible. Tu sais aussi bien que moi qu'il ne sert à rien de s'attacher au passé du Monde d'Ici. Nous devons regarder devant nous, vers demain.

Ardahel changea de sujet, pressant Eldwen de questions sur ce qu'elle retenait des paroles d'Almé, sur ce qu'elle discernait de leur tâche. Ils parlèrent longtemps, s'interrompant souvent pour s'enlacer, et ils finirent par s'endormir. Enfin, Eldwen avait le cœur léger.

Au matin, pressentant que Tocsand les ferait mander, Ardahel et Eldwen se hâtèrent de s'habiller, puis de prendre un bon repas. Effectivement, un serviteur vint frapper à leur porte, les enjoignant de se rendre le plus tôt possible dans la Haute Salle. Il s'agissait d'une pièce située au sommet de la tour la plus élevée du Palais Royal. C'est en cet endroit que le Roi tenait les réunions les plus importantes – et les plus discrètes – concernant l'avenir du Pays de Santerre. La Salle Haute assurait à ceux qui s'y trouvaient une parfaite intimité, personne ne pouvant y accéder autrement que par un escalier unique dont la porte, au bas des marches, se verrouillait de l'intérieur. La pièce, haute de plafond, aux murs percés de vastes fenêtres, occupait tout l'espace du sommet de la tour, soit un carré de vingt jambés de côté. Quatre foyers, un sur chaque mur, chauffaient la pièce sobrement décorée de grandes étoffes rouges sur les murs blancs. L'ameublement consistait en une table de bois entourée de chaises confortables. En ajoutant des sections gardées en réserve dans un angle de la salle, la table pouvait s'agrandir pour accueillir un plus grand nombre de personnes.

La Salle Haute était aussi un lieu privilégié parce qu'elle se trouvait à l'endroit le plus élevé, ce qui lui conférait une dimension spirituelle unique. Elle était en quelque sorte éloignée des considérations terre à terre du quotidien pour s'approcher de l'infini du ciel.

Ardahel et Eldwen arrivèrent les derniers. Un garde leur confirma qu'ils pouvaient fermer à clef la porte derrière eux et monter rejoindre les autres. Le couple gravit l'escalier en colimaçon et déboucha enfin dans la pièce éclairée avec abondance par le soleil du matin. Dix personnes les attendaient.

Au centre, il y avait Tocsand, vêtu des couleurs royales de Santerre, le blanc et le rouge, et MeilThimas, portant la tenue guerrière des Autegens. Loruel et Lowen, du côté gauche, avaient revêtu leurs tenues royales aux couleurs argent du Pays de Gueld. Puis il y avait le Prince Bouhar, un vieux Baïhar respecté, trapu, les traits carrés, le regard sombre mais franc. Suivaient la Prince Toulame, une Artan forte et intelligente, impressionnante tout autant par sa noblesse d'esprit que d'allure, ainsi que le Prince Tiras, un Frett de belle carrure dont le Roi appréciait le solide bon sens.

À la droite du Roi se tenait le très influent Sage Golbur, à l'âge indéfinissable, sa chevelure et sa courte barbe immaculées soulignant un visage massif à la peau étonnamment rose comme celle des bébés. Dans ses yeux pâles brillait le même regard de sagesse que dans ceux de sa voisine, la Sage Cordal l'Aînée. Sa longue chevelure d'un blanc presque bleu tombait sur ses épaules et jusqu'au milieu du dos. De petites tresses savantes servaient à retenir ses cheveux pour bien dégager sa figure aux traits agréables, bien qu'assez forts et volontaires, soulignés par des rides peu profondes. Ensuite, il y avait Laulane, la sœur du Roi, considérée de fait comme une Sage du Pays de Santerre et portant la bure grise à capuchon traditionnelle, nouée à la taille par une corde blanche. Grande et belle comme toujours, ses longs cheveux noirs encadraient son visage ovale où brillaient intensément ses yeux bruns.

Enfin, près de Laulane, Alios dissimulait toujours son appartenance à la Race Ancestrale sous les traits d'un vieillard encore vigoureux affichant continuellement un malin sourire.

Tous saluèrent Eldwen avec plaisir, Tocsand, Loruel et Lowen s'empressant d'aller lui donner l'accolade en manifestant leur soulagement de la revoir après sa longue et mystérieuse absence. Enfin, chacun reprit sa place et le Roi Tocsand déclara que la réunion débutait. Conformément à la tradition, il demanda à Cordal d'invoquer Elhuï afin que leur jugement soit juste et que leurs décisions s'avèrent les meilleures pour le Pays de Santerre.

– Mes amis, commença Tocsand, nous devons désormais faire face à deux combats. Au plan militaire, tout indique que Kurak, du Peuple Akares, est en voie d'imposer sa domination tout autour du Lentremers. Sa stratégie est simple : il prend le contrôle de l'ensemble des Terres qui nous entourent, puis il attaquera le Lentremers de toutes parts. Cependant, l'Akares n'agit pas de son propre chef. C'est Vorgrar qui le guide, assurément. Voilà donc notre autre combat, le plus important et le plus décisif. En effet, cet affrontement implique les Races Anciennes ainsi que le destin du Monde d'Ici. Ce sont deux combats de nature différente tout en étant intimement liés. Nous devons donc séparer nos actions tout en les coordonnant.

Les discussions s'engagèrent, dirigées par Tocsand qui se révélait être celui possédant la vision la plus globale de la situation. Alors qu'Ardahel et Eldwen se préoccupaient surtout d'abattre Vorgrar, Cordal et Golbur se souciaient d'abord de la sécurité du Pays de Santerre. Loruel et Lowen partageaient les mêmes inquiétudes pour le Pays de Gueld. Alios, simplement présenté comme un puissant Sage et grand ami du regretté Delbon, demeurait encore en retrait, tandis que les autres prenaient la véritable mesure de la situation. Les plans ébauchés tenaient compte d'alliances nécessaires avec les habitants du Magistan pour contrecarrer les actions des Magomiens du Magolande. Même les noms des Alisans Mitras Daimaur et Mitor Dahant furent évoqués, eux qui s'étaient autrefois montrés sympathiques à la cause de la Compagnie Frett conduite par Ardahel.

Il était raisonnable de croire que la menace se préciserait seulement au printemps, voire à l'été. Kurak n'attaquerait pas tant que les Pays de Santerre et de Gueld, ainsi que leurs voisins, seraient en hiver, protégés par le froid et la neige. Il fallait donc profiter des prochaines semaines pour établir ou renforcer les ententes avec tous les royaumes du Lentremers. Il fallait surtout les convaincre d'accepter que ce soit le Pays de Santerre qui coordonne les actions de cette nouvelle alliance. Tocsand œuvrait en ce sens depuis longtemps ; il avait déjà chargé plusieurs Princes et Sages de se rendre dans les pays avoisinants pour amorcer les discussions.

Eldwen écoutait les conversations sans intervenir. Elle s'informait de tout, désireuse de connaître le plus exactement possible la situation et les intentions de chacun. Finalement, elle prit la parole.

– En ce qui regarde les combats contre Kurak, il m'apparaît évident que Tocsand doit diriger l'action au Couchant et que Loruel fasse de même au Levant. Les Sages de Santerre seront certes les plus efficaces pour maintenir les liens que cela implique entre tous ceux qui combattent l'Akares. Ardahel et moi, nous devons nous occuper uniquement de traquer Vorgrar et de le vaincre.

L'aveugle eut alors un discours qui stupéfia tous ceux qui l'entouraient.

– Il importe peu de savoir qui régnera finalement ici ou en Pays du Levant. La domination de Kurak, de Tocsand ou de Loruel est secondaire dans le destin du Moyen Peuple. Ce qui importe vraiment est que Vorgrar soit éliminé du Monde d'Ici et que les Races Anciennes disparaissent du Monde d'Ici. Rappelez-vous comment les Sorvaks se sont fondus avec les Peuples du Levant lorsque le Maître Sorvak cessa de diriger leurs pensées. Il en sera ainsi pour les Sormens, les Scasudens ou les Akares lorsque l'Esprit Mauvais sera abattu. Une fois notre mission accomplie, qu'importera de vivre selon les institutions de Santerre ou celles d'un autre peuple qui aurait imposé sa loi. L'important est la pensée qui les animera. Alios, ici présent, est de la Race de Vorgrar ; ils sont de la même famille. Alios est aussi celui qui m'engendra et celui par qui j'entretiens des liens avec la Seigneur Magomienne Spédom-Sildon. Tout cela, nous l'utiliserons pour engager les Races Anciennes dans notre combat, puis pour les écarter de notre destin.

Un long silence suivit les paroles d'Eldwen. Alios était devenu livide en entendant sa fille faire de telles révélations devant ceux qu'il considérait comme des étrangers. Dans un murmure effrayé, il s'adressa à la jeune femme.

– Comment connais-tu mes liens avec la Magomienne et pourquoi les révéler ainsi à tous ?

Eldwen répondit à haute voix, presque brutalement.

– Je n'ai rien à leur cacher. Le temps des manœuvres secrètes et de l'ignorance chez ceux qui combattent est révolu. Tu n'es plus celui qui décide !

Une étrange atmosphère régnait dans la Salle Haute. Eldwen provoquait des révélations et des réflexions totalement nouvelles chez les Sages et chez ses amis, à tel point que personne n'osait intervenir. L'aveugle continua à s'adresser à Alios, d'une voix moins cassante, mais toujours aussi autoritaire.

– Tu as offert de nous aider, de nous mener à Vorgrar. Je te demande de le faire sans discuter nos choix. Le rôle de la Race Ancestrale en Monde d'Ici est maintenant terminé.

Maître Alios, le puissant Hunil Ahos Nuhel, laissa échapper un long soupir de résignation. Il parla sans contrainte, désormais indifférent à ce que les autres entendent ce qu'il avait toujours jalousement conservé secret.

– Les Saymails ne sont plus, de même en est-il pour les Naliens. L'Ancêtre mon frœur a rejoint le Grand Repos et il n'enfantera plus de nouvelles Races en ce Monde d'Ici. Une première Autegentienne a démérité de son nom en succombant à Vorgrar. Sa fille MeilThimas s'allie aux Basses Races pour lever l'épée. Les Magomiens et les Magistiens risquent de se détruire les uns les autres.

Alios continua en s'adressant à Eldwen.

– Voilà que ma fille me dicte ma conduite, à moi, l'un des plus grands de la Race Ancestrale. Je pressens que les Races Anciennes trouveront leur fin dans les combats qui viennent. Le Monde d'Ici ne sera plus le même, Eldwen. Plus jamais le même !

L'aveugle répondit sans hésitation, sans émotion.

– Je sais. C'est le début de la fin d'un temps en ce Monde...

Épilogue

– Que veux-tu que j'y fasse? laissa tomber Maître Alios en se regardant dans le miroir. Il fallait bien s'y attendre.

Le membre de la Race Ancestrale se tenait seul dans la chambre où il résidait au Palais du Roi de Santerre. Il se regardait dans le miroir et il se parlait à lui-même, s'adressant à son reflet comme s'il pouvait remplacer un instant ses frœurs emportés dans la folie de l'affrontement contre l'Esprit Mauvais.

– Orvak Shen Komi, notre Guide à tous, a choisi une autre route, une autre Pensée. Moi, Hunil Ahos Nuhel, j'ai espéré regrouper mes frœurs pour faire face à Vorgrar. Ils sont tous disparus, l'un après l'autre, vaincus par sa Pensée. Le premier, Shan Tair Cahal qui fut Alahid en ce Pays, a succombé parce que nous espérions encore que notre frœur retrouve le chemin du Bien. Ensuite, Shar Mohos Varkur qui fut le Maître Sorvak au Levant, s'est laissé séduire par Vorgrar jusqu'à sa propre perte. Devant moi, par ma faute, doit-on le dire, Jein Dhar Thaar...

En évoquant celui qui fut l'adversaire le plus acharné de Vorgrar, notamment sous l'identité de Delbon, une infinie tristesse envahit Maître Alios. Il se sentait responsable de son abandon au Repos Éternel.

– Ce cher Jein Dhar Thaar, poursuivit Alios en s'adressant à son reflet avec un air accusateur. Tu l'as poussé à renoncer au combat, tu lui as fait miroiter la récompense bien méritée du Festin d'Elhuï, alors qu'il pourrait se tenir avec toi, plus digne que toi. Jein Dhar Thaar n'aurait pas laissé Eldwen s'imposer ainsi.

Maître Alios s'obligea à terminer son examen de conscience solitaire.

– Que dire de Jeim Mier Pehar, l'Ancêtre, le Doux, le Sage? C'est lui qui s'impliquait le moins dans notre lutte fratricide. C'est lui qui, plus que nous tous, possédait la raison et la vérité. Il semait la vie pendant que nous combattions...

Une douloureuse ironie traversa le regard du membre de la Race Ancestrale.

– Nous combattions ? Peuh... Et avec quel résultat ? Il ne reste plus que deux d'entre nous : Vorgrar, toujours le plus puissant, et moi, l'éternel second. Vorgrar le triomphant et Alios le perdant. Vorgrar le brillant et Alios l'idiot. Seul et démuni, l'Alios!

Ses propres sarcasmes à son endroit ne firent que décourager encore plus Maître Alios. Il regarda encore une fois son reflet dans le miroir à la recherche d'un quelconque réconfortant. Il vit passer autour de lui les images de ses frœurs, puis celle d'Eldwen et enfin, aussi attirante que dangereuse, il imagina un instant la présence de SpédomSildon la Seigneur Magomienne.

Sur la grande place publique du Temple, un jeune Prince et un vieux Prétendant marchaient lentement en se dirigeant vers la Salle des Enseignements. C'était très fréquent comme situation, mais leurs propos n'avaient rien de banal. Ils trahissaient des doutes quant à la justesse des décisions de leur Roi.

– J'ai bien connu le Roi Thadé, soupira le vieux Prétendant, et je vois agir le Roi Tocsand depuis sa nomination. Je ne constate vraiment rien qui justifie qu'il y ait eu un tel chambardement de la Tradition. Depuis qu'il règne, notre Roi Tocsand n'a rien démontré que ses qualités pour composer des poèmes et des ballades!

– Mais nous sommes en paix et le Pays de Santerre est prospère, rétorqua le Prince.

– En paix, oui, mais pour combien de temps encore ? Devant un ennemi de la trempe des Sormens, que vaudront la musique et les chants? Les questions doivent être posées.

– Eh bien, s'exclama bien haut le Prince, si personne ne le fait, je serai celui qui interroge sans crainte notre Roi et qui exprime les préoccupations de tous ceux qui n'osent pas élever la voix !

Le vieux Prétendant s'arrêta et il posa la main sur l'épaule du jeune Prince de Santerre, manifestant sans réserve son approbation.

– Je te le dis sincèrement, en mon nom et au nom de tous les Gens de Santerre, tu feras ainsi ton devoir avec grandeur pour notre pays. Voilà qui est une noble attitude, Prince Jeifil.

– Je me montrerai digne de cette tâche !

Les deux marcheurs changèrent alors de sujet. Ils hâtèrent le pas pour aller se mettre à l'abri car un orage grondait et déjà quelques lourdes gouttes de pluie s'écrasaient lourdement sur les dalles de la place.

Couchés dans le grand lit de leurs appartements du Palais Royal, Ardahel et Eldwen étaient enlacés amoureusement.

Ordinairement, leur silence en était un de ravissement et de bonheur tranquille. Aujourd'hui, l'aveugle avait l'esprit inquiet. Il lui paraissait impossible de chasser ses idées sombres au cœur desquelles se succédaient Alios et Vorgrar. Puis, elle repensa au Nalahir ravagé par la fureur du Mal. Cet endroit avait été son seul véritable chez-soi, le seul lieu où elle avait pu dire avec ferveur qu'elle se considérait chez elle. Il lui semblait soudain évident qu'il n'y aurait plus jamais d'autre endroit qui lui inspirerait ce profond sentiment d'appartenance. Eldwen réalisa qu'elle serait désormais une invitée, une personne de passage, quel que soit l'endroit où elle se trouve. Elle était en sursis.

L'aveugle se blottit avec encore plus d'intensité contre Ardahel.

– C'est toi mon seul pays maintenant, murmura Eldwen.

– Alors, tu habites l'Amour, répondit le Prince en souriant.

– Et c'est un pays immortel, n'est-ce pas?

– Encore plus que le Nalahir!

Eldwen retrouva le sourire à son tour. D'un geste souple, elle bascula pour s'allonger de tout son long sur le corps d'Ardahel, pour sentir sa chaleur, pour le toucher des pieds à la tête, pour que rien ne les sépare que le contact de leur peau.

La fin du Monde d'Ici pouvait bien attendre encore... Elle embrassa son amoureux avec passion.

✧ ✧ ✧

Fin
de l'épisode

À propos du Monde d'Ici

Les Histoires du Pays de Santerre se déroulent en Monde d'Ici. Il est nommé ainsi par distinction avec les Mondes d'Ailleurs qui sont cependant tous l'œuvre du même Dieu créateur Elhuï.

Lorsque arriva le temps de peupler le Monde d'Ici, Elhuï commença par engendrer les six membres de la Race Ancestrale qui avaient pour mission d'enfanter les Races et de les guider dans leur épanouissement. Or, le plus puissant d'entre eux, Orvak Shen Komi, détourna sa Pensée de celle du Dieu Elhuï. La confrontation entre les deux Pensées existantes en Monde d'Ici est à l'origine de tous les conflits qui opposent des individus, des peuples ou des races.

Le peuplement du Monde d'Ici s'est fait en plusieurs vagues successives jusqu'à l'enfantement des Basses Races, nommées aussi le Moyen Peuple.

La Race Ancestrale

Les membres de cette Race sont responsables de la création physique des différentes Races qui peuplent le Monde d'Ici. Ils sont hermaphrodites ; le terme *frœurs* sert à désigner leurs liens à la fois de frères et de sœurs.

Les Races Anciennes

La première vague de peuplement a été celle des Races originelles appelées à disparaître rapidement pour céder la place aux autres Races. Parmi elles, on compte notamment les douze Géants, les Oiseleurs et leurs descendants Gardols, les Facombres, les Gobins et les Saymails.

Les Races Premières

Dans la deuxième vague sont apparues les premières grandes Races à habiter le Monde d'Ici et à le régir. Très diversifiées, on compte notamment parmi elles les Alisans, les Autegentiens, les Belles-Gens, les Magistiens, les Magomiens et les Nains.

Les Basses Races

Troisième et dernière vague de Races qui sont apparues en Monde d'Ici et qui occupent désormais tous les continents. Relativement homogènes quant à leurs caractéristiques et à leur organisation sociale, ces races se désignent sous la grande appellation de Moyen Peuple alors que, par mépris, les races précédentes les qualifient de Basses Races.

La géographie du Monde d'Ici

Le Monde d'Ici est représenté par le Moyen Peuple depuis la Terre Abal au Couchant jusqu'à la Terre Cahan au Levant, et des Terres de Glace à la Mi-Nuit jusqu'aux Terres Blanches à la Mi-Jour. Au-delà de ces contrées, il n'y a que des îles ou des landes désertiques où ne réside aucun peuple.

L'orientation en Monde d'Ici se fait avec quatre points cardinaux faisant référence au soleil et qui sont le Levant, la Mi-Jour, le Couchant et la Mi-Nuit. Les moments de la journée sont aussi désignés avec les mêmes termes, mais ils s'écrivent alors sans majuscules.

Les mesures principales utilisées sont :

- la main, distance du poignet au bout des doigts d'un adulte
- le jambé, distance du large pas d'un adulte
- le miljie, qui vaut mille jambés
- le tail, mesure de courte hauteur équivalant à la hauteur d'un adulte

Ainsi, on calcule la superficie d'une pièce en jambés et celle d'un territoire en miljies. Pour la hauteur d'un édifice, on utilise le tail et pour la taille d'une personne, ce sera une fraction de tail. Lorsque la mesure est très grande, pour la hauteur d'une falaise par exemple, la mesure en miljie peut être préférée.

Le continent du Lentremers est le plus important, tant par la population qui y demeure que par son histoire. C'est du Lentremers que sont originaires tous les peuples vivant en Monde d'Ici. En effet, c'est au cœur de ce continent que réside l'Ancêtre.

Outre les Terres et les continents identifiés sur les cartes, il existe en Monde d'Ici certains lieux accessibles uniquement par des routes secrètes. Il s'agit notamment de :

L'Augenterie – Pays fabuleux des Autegens (ou Autegentiens), impossible à atteindre sans y être conduit par l'un d'eux. C'est là qu'ils compilent le Vérécit, l'histoire complète de tous les habitants du Monde d'Ici.

Le Nalahir – L'un des grands domaines cachés de la Race Ancestrale, vestiges répartis en divers lieux de ce qu'était le Monde d'Ici au début des âges.

Le Taslande – Domaine souterrain du Peuple Fouisseur, les Tanês, parents éloignés des Nains, qui s'étend sous les Montagnes Interdites depuis le Plateau des Alisans jusqu'au Kalar Dhun.

La Race Ancestrale

Les six membres de cette Race sont responsables de la création physique et de l'épanouissement des différentes Races qui peuplent le Monde d'Ici. Êtres hermaphrodites, ce sont des frœurs. Comme leur tâche doit demeurer secrète du Moyen Peuple, ils ont l'habitude de se dévoiler sous une apparence semblable aux membres de cette race.

Orvak Shen Komi – Le plus puissant des membres de la Race Ancestrale et, au début, l'un des plus grands serviteurs du Monde d'Ici. Cet être exceptionnel aurait pu engendrer ce qu'il y a de plus valable. Malheureusement, son désir d'amener les races au plus haut degré de perfection l'a conduit à s'écarter de la Pensée du Dieu Elhuï dont il se crut l'égal. Cela entraîna sa chute, à la suite de laquelle il fut confiné aux Terres Mortes. C'est ainsi qu'il est devenu Vorgrar, l'Esprit Mauvais. Il survécut dans ce pays de glace et il refit ses forces.

Hunil Ahos Nuhel – Deuxième en puissance parmi les membres de la Race Ancestrale, il est connu parmi le Moyen Peuple sous l'identité de Maître Alios. Il mène secrètement le combat contre Vorgrar. Son rôle ne devient évident qu'au fil de l'Eldnade.

Jeim Mier Pehar – C'est à lui que furent remis exclusivement tous les pouvoirs d'enfantement de la Race Ancestrale après la déchéance d'Orvak Shen Komi. L'Ancêtre se tient le plus possible en retrait des conflits entre les membres de sa race.

Shar Mohos Varkur – Responsable de l'épanouissement de nombreuses races, notamment de celles occupant les Pays du Levant. Son attachement très intense aux Sorvaks est utilisé par Vorgrar pour l'entraîner dans sa Pensée et s'en faire un allié contre ses frœurs. Cela l'enferme finalement dans son identité de Maître Sorvak pour se consacrer uniquement à la vengeance de ce peuple refoulé en Terres Mortes.

Shan Tair Cahal – Responsable de l'épanouissement des races résidant notamment en Pays du Couchant. Il est surtout connu sous l'identité d'Alahid, le Roi légendaire du Pays de Santerre. Incapable d'affronter ouvertement son frœur Vorgrar, il enfante Ardahel, le Santerrian, et le confie au couple de bateliers Noak et Irguin.

Jein Dhar Thaar – L'adversaire le plus acharné de Vorgrar, connu sous plusieurs identités, notamment le Sage Delbon en Pays de Santerre, Kaldan l'*Ami-qui-se-cache* chez les Saymails, Nobled chez les Autegentiens et Myset Thag en terre alisane. Il était très lié avec son frœur Shar Mohos Varkur et il tient Vorgrar totalement responsable d'avoir souillé sa pensée.

Les Races Anciennes

Ce sont les Races originelles, les premières à habiter le Monde d'Ici. Parmi elles, on remarque les douze Géants, les Oiseleurs, les Facombres, les Gobins et les Saymails. À l'époque du Santerrian, il ne reste que quelques-unes d'entre elles dont la présence est très discrète. Les Races Anciennes évitent au maximum les contacts avec les races des autres vagues de peuplement.

Les Géants – Ils ont été au nombre de douze. Lors d'une guerre durant les âges anciens, les Géants étaient en litige avec les Saymails pour qui ils avaient creusé le Col d'Otrek. Urgagon le Géant Roux porte la responsabilité d'avoir exterminé les Sayfaimes. La légende raconte qu'ils ont autrefois divisé la grande forêt du Lentremers en deux en poussant l'un contre l'autre les rochers des Terres Mortes et ceux des Terres Brûlées pour en faire les Remparts Vivants qui séparent désormais le Magolande du Magistan. Toutes les Races firent alors une trêve pour anéantir les Géants en les transformant eux-mêmes en montagnes.

Les Oiseleurs – Cette race d'êtres mi-Oiseaux et mi-Gens s'est faite très discrète avec le temps. Des ententes avec les Sages du Pays de Santerre, par le biais de Delbon, en font des gardiens invisibles des frontières du pays ainsi que des messagers fiables par tout le Lentremers. Les nobles de cette race portent le titre d'Oiselien.

Les Gardols – Il s'agit de descendants des Oiseleurs qui ont été souillés par l'Esprit Mauvais. Ils se tiennent ensemble, en un grand voilier, et ils demeurent au-dessus de la forêt du Magolande où ils mangent tous les êtres vivants qu'ils trouvent durant la nuit. Il était donc impossible pour quiconque de voyager durant la nuit en Magolande avant qu'Ardahel ne réussisse à les anéantir.

Les Saymails – Ce peuple pacifique a été décimé par des conflits avec les autres races. Il ne reste plus de Sayfaimes – celles de sexe féminin – et il n'y a donc plus de naissances. Depuis le massacre de leur dernier Roi, Otrek, et de sa fille

Ochen Saymien, Reine-porteuse-du-Destin, les derniers membres sont divisés en deux groupes. Les Saymails Gris qui tombèrent sous la domination des Magomiens, et les Saymails Blancs qui subirent l'esclavage des Magistiens.

Les Races Premières

Ce sont les premières grandes Races à habiter le Monde d'Ici et à le régir. Très diversifiées, on compte parmi elles notamment les Alisans, les Autegentiens, les Belles-Gens, les Magistiens, les Magomiens et les Nains.

Les Alisans – Ce peuple est la seule des races du Monde d'Ici qui n'a pas été engendrée par l'Ancêtre (exception faite de la Race Ancestrale elle-même, évidemment). Le germe en venait d'Orvak Shen Komi. Celui-ci avait cru participer avec éclat aux actes du Dieu Créateur en donnant aux Alisans la beauté, la force et surtout une intelligence telle qu'ils avaient percé une partie des secrets de la Vie et des Énergies constituant le Monde d'Ici. De grands savants faisaient l'orgueil de cette race, mais les Alisans jouèrent avec les Énergies de la Nature sans en comprendre tous les aspects. Mithris Sauragon le Splendide pensa détenir le Secret de la Création ainsi que de l'Énergie Vivante de la moindre particule existante. Malheureusement, il perdit tout contrôle sur les Forces qu'il mettait en action. Libérées brutalement, elles rasèrent Saur-Almeth et transformèrent en quelques secondes le Plateau des Alisans en un désert souillé. Les derniers Alisans étaient dorénavant si laids, eux si beaux auparavant, qu'ils cachèrent leurs corps sous de grands manteaux et sous des masques leur couvrant tout le visage. Une grande honte les saisit en même temps qu'une haine féroce envers Vorgrar, cause de leur éclat, mais aussi de leur déchéance.

Les Autegens – Nommés aussi les Hautes Gens ou les Autegentiens, ils se disent descendants royaux des enfants d'Elhuï. Ils entourent leur indépendance d'une discrétion jalouse, ce qui les pousse à éviter les Basses Races. Ils voisinent les autres Races Anciennes amicalement, sans plus, ou alors dans l'indifférence. Ce sont des êtres inattaquables qui se défendent en retournant toute attaque contre leur agresseur. Ils observent tout ce qui se passe, cela en conservant une totale neutralité. Ils accomplissent leur tâche universelle de consigner dans le Vérécit l'histoire complète de tous les individus, de toutes les Races. Leur pays, l'Augenterie, semble situé hors des limites connues, invisible à qui n'y est point invité. Ils aiment se déplacer en Monde d'Ici, élevant instantanément une coupole protectrice à l'endroit choisi pour camper. Les liens familiaux sont très puissants chez les Autegens et c'est en famille élargie qu'ils voyagent un peu partout en Monde d'Ici.

Les Magomiens – Les habitants du Magolande vivent dans des repaires souterrains dont les accès sont d'énormes mais-arbres aménagés pour permettre de descendre sous terre. Ils ont la particularité de pouvoir s'approprier des années de vie chez les gens des autres races. Ils capturent donc les voyageurs ou leurs ennemis pour en faire des réserves d'une éternelle jeunesse. Leurs liens avec leurs voisins du Magistan sont tendus.

Les Magistiens – Réfugiée dans le Magistan, cette race a développé à de rares sommets l'art de l'illusion et de la magie. Adversaires déclarés des Magomiens, ils vivent cependant très repliés sur eux-mêmes.

Les Nains – Ainsi qu'il est bien connu en Monde d'Ici, les Nains forment un Peuple fort étrange aux liens parfois difficiles à démêler. Tous se réclament d'une même lignée originelle, mais leur appartenance va à leur groupe spécifique qu'ils considèrent comme une race à part entière et distincte. Ainsi, lorsqu'il se dissimulait sous l'identité de Kaldan le Nain, Jein Dhar Thaar prenait l'allure des Conteurs Nains. Les Tzigits représentent la branche des Nains Commerçants. Les grottes du Taslande sont le domaine des Tanês, dit aussi le Peuple Fouisseur. On connaît aussi les Petits-Génies, Natriciens, Sauteurs, Poilus et Nageurs. Selon les légendes, le Peuple Nain devait se diversifier afin de conquérir tout le Monde d'Ici et ainsi préparer la souveraineté des Nains Véritables, les Vrainains, qui demeurent dans la Forêt des Nains en Lentremers. Les Nains vivent un peu en parallèle des autres Gens, partageant pacifiquement les ressources de ce Monde.

Les Naliens – Race enfantée par l'Ancêtre uniquement dans le but de veiller au bon ordre des endroits préservés de l'influence de Vorgrar. Artisans fameux et artistes exceptionnels, il leur revient, et à eux seuls, de servir le Maître du Domaine, de préparer la nourriture, de cueillir fruits et légumes, de construire maisons et dépendances, d'entretenir jardins, haltes et forêts. Les Naliens sont très jaloux de leurs tâches et ils s'affairent constamment, redessinant les jardins jusqu'à la perfection, élevant les édifices avec un art empreint de délicatesse et ne tolérant nulle autre intervention pour la bonne tenue des lieux.

Les Basses Races
(ou Moyen Peuple)

Troisième et dernière vague de Races à apparaître en Monde d'Ici, les Basses Races ont su occuper graduellement tous les continents. Relativement homogènes quant à leurs caractéristiques et à leur organisation sociale, elles forment le Moyen Peuple, réparti en plusieurs pays, notamment au Pays de Santerre et dans les Pays du Levant.

Les Basses Races ne possèdent aucun pouvoir particulier. Elles doivent compter sur leur capacité d'apprendre et d'inventer pour s'imposer comme des Races d'avenir en Monde d'Ici. Lorsque l'Ancêtre rencontre Ardahel, il lui affirme que le Moyen Peuple est l'une de ses belles réussites parce qu'il l'a fait de telle sorte qu'il possède peu de connaissances, mais qu'il cherche continuellement à en découvrir de nouvelles. À tout prendre, l'Ancêtre lui-même estime que cette Race durera plus longtemps que bien d'autres sur lesquelles il s'est attardé de longs siècles.

Le Pays de Santerre

Situé sur la côte du Couchant du Lentremers, le Pays de Santerre est en fait une confédération de quatre régions distinctes à plusieurs points de vue. Les mœurs et les tâches sont spécialisées, ce qui rend les quatre groupes très interdépendants. L'administration politique et religieuse se fait avec une grande autonomie. Toutefois, le pouvoir central s'exerce depuis l'une des régions où les administrations régionale et nationale se confondent.

La Région des Neiges – De la Mi-Nuit jusqu'au Levant du pays, cette région regorge de gibier et de matières premières. Elle est habitée par les Fretts et le siège de l'administration est le Temple du Glacier sous la responsabilité du Sage Blanc.

La Région de la Baie – Au Couchant du pays, cette région habitée par les Baïhars s'avère le haut lieu des activités artistiques et artisanales. Ce fut le premier centre politique du pays. Le Sage Moucidar réside au Temple des Arts.

La Région des Métiers – Située entre les deux précédentes, cette région est spécialisée dans la production des armes et des produits transformés. Depuis le Temple de Bronze, le Sage Féror dirige les Artans.

La Région des Récoltes – À la Mi-Jour, les terres du Pays de Santerre se révèlent particulièrement fertiles. Elles sont mises en valeur par les Culters. Désormais la région la plus importante, on y retrouve le Temple du Roi et des Sages où le Roi et Cordal l'Aînée se partagent les responsabilités politiques et religieuses.

La Forêt des Renards – Cet endroit situé en bordure des Forêts Oubliées est le domaine sacré réservé aux seuls Sages du Pays de Santerre. Il est entouré par les hambras, des arbres protecteurs, et surveillé par les Oiseleurs. Les Sages y séjournent durant de nombreuses années pour parfaire leur formation.

L'organisation politique – Alahid, le premier Roi du Pays de Santerre, suscite chez les Gens de Santerre les vocations de Sages et celles de Princes, parmi lesquels sera choisi le Roi. Celui-ci dirige le pays en étant secondé par le Conseil des dix-sept Princes et le Conseil des seize Sages. Les Prétendants – ceux qui sont en formation afin de pouvoir prétendre un jour au titre de Prince – agissent comme administrateurs itinérants. Ils observent ce qui se passe, recueillent les demandes des gens, transmettent les ordonnances et ils possèdent l'autorité pour entendre et régler certains litiges. Pour leur part, les Princes peuvent rendre des jugements au nom du Roi et le représenter officiellement en Pays de Santerre ou à l'étranger. Ils assurent la cohérence politique dans tout le pays.

Les Pays du Levant

Appellation des pays situés au Levant du Plateau des Alisans. Les peuples de ces pays sont autonomes, mais unis par une origine commune.

Le Kalar Dhun – Pays des Kalardhins, le Pays-de-l'Amitié, c'est un territoire couvert presque entièrement par les Montagnes de la Croisée, quelques vallées fertiles et de très nombreuses grottes. Les Rebelles qui résistent aux Sorvaks y sont regroupés en clans très autonomes.

Le Pays de Mauser – Pays des Mauserans, un peuple d'agriculteurs.

Le Pays de Coubaliser – Pays des Coubalisins, un peuple de chasseurs des plaines.

Le Pays de Hippar – Pays des Hipparans, un peuple d'artisans, de commerçants et d'agriculteurs. Lieu remarquable par sa douceur de vivre.

Le Pays de Gueld – Pays des Gueldans, c'est un territoire composé de la plaine de Gueld au bord de la Mer du Levant et d'une partie des Montagnes de la Croisée où se trouve le Gueldroc, près des grottes de Taluhed. Le Gueldroc est un ensemble de constructions et de fortifications naturelles au cœur duquel s'élève la forteresse du Trône Argenté. Le Roi de Gueld est redevable devant l'Assemblée de Gueld, formée de neuf Sages, vingt-trois Nobles chefs de familles et quinze Chefs de guerre.

Les Terres Mortes – Contrée d'exil des Sorvaks, ce sont de vastes étendues désertiques au climat froid, en partie couvertes de glaciers. Elles sont habitées entre la Ligne des Glaces et le Grand Cap par trois peuples : les Sormens au

Couchant, les Scasudens au centre et les Sorvaks au Levant. La ville fortifiée d'Aklarama, dite Aklarama la Mauvaise ou Algan Gorla, est construite à la limite des terres occupées par les Sorvaks et les Scasudens.

Hors du Lentremers

Le Pays de Akar – Situé en Mer Intérieure de la Riche Terre, Akar occupe toute la superficie d'une vaste île éloignée des grands parcours de navigation. Le pays doit sa prospérité aux Seigneurs du commerce et à leurs flottes de grands navires à cinq voiles. Marins d'expérience, militaires redoutables au besoin, conquérants et pillards à l'occasion, les Akares savent profiter de toutes les occasions pour transporter et échanger les marchandises les plus diverses dans les ports du Monde d'Ici. Officiellement, l'Assemblée des Élus prend les décisions politiques et l'Assemblée des Sages dirige les divers aspects de la vie sociale, religieuse et culturelle. Cependant, les Seigneurs du commerce jouissent d'un grand renom et les plus fameux détiennent le véritable pouvoir.

La Terre Cahan – Vers le Levant, passée la pointe des Terres Brûlées, le monde connu s'arrête à la Terre Cahan. Au-delà, on ne connaît qu'un océan aux quelques îles sauvages. C'est vaste comme un continent, mais habité par un seul peuple. Hormis quelques villes importantes, dont le centre de la royauté à Nahac, les Cahans n'ont pas de lieux fixes de résidence. Une bonne partie de la population vit sur des bateaux, l'autre en chasseurs nomades. Avec près de vingt mille habitants, la ville de Nahac s'impose comme le centre névralgique, administratif, religieux, commerçant, culturel et militaire de la Terre Cahan. C'est là que demeurent le Roi et les grandes familles cahannes enrichies par le commerce.

La Terre Abal – Limite des terres connues vers le Couchant.

Index des principaux personnages du tome 3

La présentation comprend : le nom ; la race ou le peuple ; les particularités notables le cas échéant.

A

Alahid ; Race Ancestrale ; Shan Tair Cahal, premier Roi du Pays de Santerre.

Alios ; Race Ancestrale ; Hunil Ahos Nuhel.

Almé ; présence masculine du Dieu créateur ; dit aussi enfant ou fils d'Elhuï.

Ancêtre ; Race Ancestrale ; Jeim Mier Pehar.

Ardahel ; Gens de Santerre ; dont le nom signifie Présent-des-eaux, fils d'Alahid, porteur du titre de Santerrian, nommé Gueldahel par les Saymails, ce qui signifie Celui-qui-offre-la-liberté.

Ardur ; Gens de Santerre ; vieux Prétendant Culter, frustré de ne jamais avoir été nommé Prince.

B

Belgaice ; Peuple Cahan ; servante de Vorgrar, maîtresse de Kurak.

Bober ; Gens de Santerre ; tenancier de l'Auberge au Toit Houblonneux, point de ralliement pour les informations à transmettre aux Sages.

C

Carel ; Peuple Volupien ; plus jeune enfant de Kadil Orahen.

Cordal ; Gens de Santerre ; dite l'Aînée, membre du Conseil des Sages.

D

Dalfe ; race inconnue ; marcheur sur « le chemin ».

Del Afrenaie ; Peuple Mauseran ; guerrier intègre, chef politique du Pays de Mauser.

Delbon ; Race Ancestrale ; identité de Sage de Santerre de Jein Dhar Thaar.

DoigtsVigneux ; Nalien ; responsable des vignes au Nalahir.

Doldana ; Peuple Larousquais ; dite la généreuse, responsable du Peuple de Larousque, qui remet à Eldwen un baume issu de l'art du camouflage des Anciens Larousquais.

E

Eldguin ; Gens de Santerre ; fille naturelle de Noak et Irguin, jumelle de Noakel.

Eldwen ; Gens de Santerre ; ou Heldhou Hen, est nommée Valedwen par les Saymails, ce qui signifie Celle-dont-le-cœur-voit-sans-les-yeux, instruite par Ogi à qui elle a donné sa vue.

Elhuï ; Dieu créateur et unique.

Emla ; origine inconnue ; guide d'Eldwen auprès d'Almé.

F

Féror ; Gens de Santerre ; Artan membre du Conseil des Sages.

Frados ; Gens de Santerre ; dit le Pisteur, qui sait lire toutes les traces sur le sol, membre de la Compagnie Frett.

G

Golbur ; Gens de Santerre ; Sage Culter demeurant à la résidence des Sages au Temple, membre du Conseil des Sages.

Gouand ; origine inconnue ; ménestrel, troubadour, chantre du Moyen Peuple, auteur des chroniques relatant les Histoires du Pays de Santerre.

Gravelas ; Gens de Santerre ; membre du Conseil des Princes, amie de Jeifil.

Guelnou ; Saymail ; l'Aîné qui réunit les derniers de sa race au service d'Ardahel.

H

Hunil Ahos Nuhel ; Race Ancestrale ; dit Maître Alios.

I

Irguin ; Gens de Santerre ; de la Famille Delande, mère adoptive d'Ardahel, cinquantième descendante d'Eiline.

J

JadThimas la Resplendissante ; Autegentienne ; épouse de GenThimas, qui prend Ardahel en aversion.

Jeifil ; Gens de Santerre ; membre du Conseil des Princes, critique envers Tocsand.

Jeim Mier Pehar ; Race Ancestrale ; dit l'Ancêtre.

Jein Dhar Thaar ; Race Ancestrale ; dit le Sage Delbon, dit le Nain Nobled.

Jontel ; Race Tincre ; mercenaire de Vorgrar qui sème le doute au sujet du Roi Tocsand.

K

Kadil ; Peuple Volupien ; chef de la famille Orahen, père de Migal, Lodas et Carel.

Kurak ; Peuple Akares ; grand Seigneur du commerce, appelé de Vorgrar.

L

Laulane ; Gens de Santerre ; dite la Sagace, celle qui lit dans les yeux, sœur de Tocsand, membre de la Compagnie Frett, appelée à la formation de Sage du Pays de Santerre.

Lodas ; Peuple Volupien ; frère de Migal Orahen.

Loruel ; Peuple Gueldan ; dit Loruel de Nulle-Part, l'Héritier du Trône Argenté du Pays de Gueld, que les Saymails nomment Obran, le Roi-de-Retour.

Lowen ; Peuple Kalardhin, puis Gueldan ; dite l'Aimée parmi son Clan, dite Lowen la Guérisseuse en Kalar Dhun, dite Lowen la Juste comme Reine du Pays de Gueld, sœur de Tornas, épouse de Loruel.

M

MainFleurie ; Nalien ; jardinier au Nalahir, dernier de sa Race.

Meilsand ; demi-Gens de Santerre et demi-Autegentien ; fils de Tocsand et de MeilThimas.

MeilThimas de Haute-Voix ; Autegentienne ; Muse de la musique autegentienne, épouse de Tocsand.

Migal ; Peuple Volupien ; fille de Kadil Orahen, qui donne à Eldwen des moyens de voyager dans les domaines souterrains.

N

Noak le Batelier ; Gens de Santerre ; de la Famille Ober, époux de Irguin, père adoptif d'Ardahel.

Noakel ; Gens de Santerre ; fils naturel de Noak et Irguin, jumeau d'Eldguin.

Nuk ; Saymail Gris ; qui aide Ardahel en Magolande et dernier porteur du titre de Saymien.

O

Ogi ; origine cachée ; maître à penser d'Eldwen lorsqu'elle était restée prisonnière d'un puits profond durant sa jeunesse et à qui elle avait donné sa vue pour le remercier.

Orvak Shen Komi ; Race Ancestrale ; dit Vorgrar, dit l'Esprit Mauvais.

R

Rahilas ; Gens de Santerre ; membre du Conseil des Princes, ami de Jeifil.

Renard ; animal ; le renard apprivoisé d'Eldwen.

S

Sabyl ; Vrainain ; guide d'Eldwen sur « le chemin » avec son âne Guenuche.

Shan Tair Cahal ; Race Ancestrale ; dit le Roi Alahid.

Shar Mohos Varkur ; Race Ancestrale ; dit le Maître Sorvak.

Soule ; Peuple Absent ; jumelle d'Eldwen dans son imagination.

SpédomSildon ; Magomienne ; Seigneur puissante qui fait enlever Eldwen en raison de leur grande ressemblance.

T

Tiras ; Gens de Santerre ; un Frett, Prince du Pays de Santerre.

Tocsand ; Gens de Santerre ; dit le Posé, dit SanOfras par les Saymails, le Roi-allié-loin-de-son-pays, membre de la Compagnie Frett, Roi de Santerre.

Tornas ; Peuple Kalardhin ; fils d'ErDern, qui devient le Roi du Kalar Dhun, frère de Lowen et beau-frère de Loruel.

V

Valissa ; présence féminine du Dieu créateur ; dite aussi enfant ou fille d'Elhuï.

Velsa ; Peuple Larousquais ; joueuse de flûte élève de Sabyl.

Vorgrar ; Race Ancestrale ; Orvak Shen Komi, dit l'Esprit Mauvais.

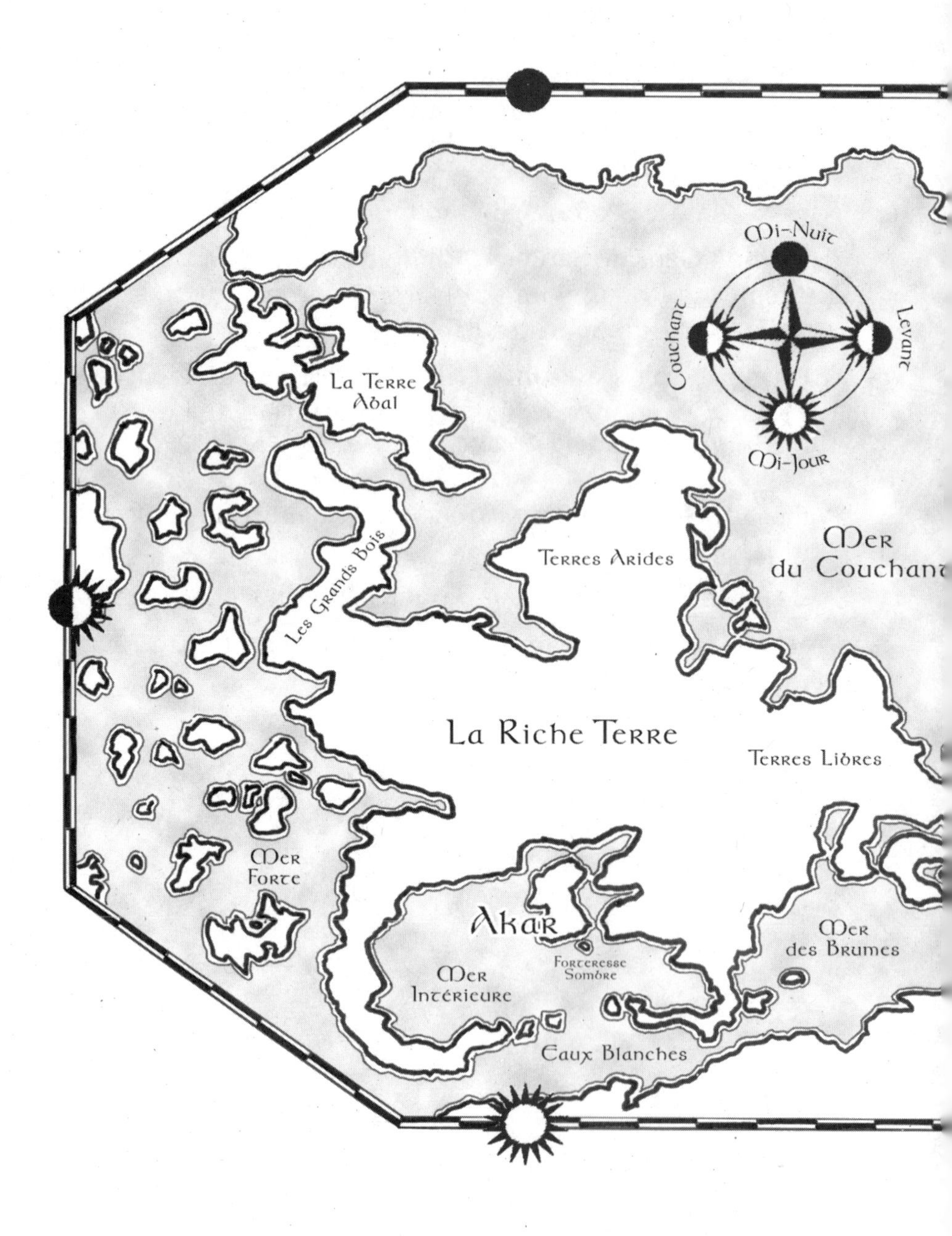

Le Monde d'Ici – Carte des marins de Santerre

L'orientation se fait avec quatre points cardinaux faisant référence au mouvement du soleil et qui sont le Levant, la Mi-Jour, le Couchant et la Mi-Nuit.

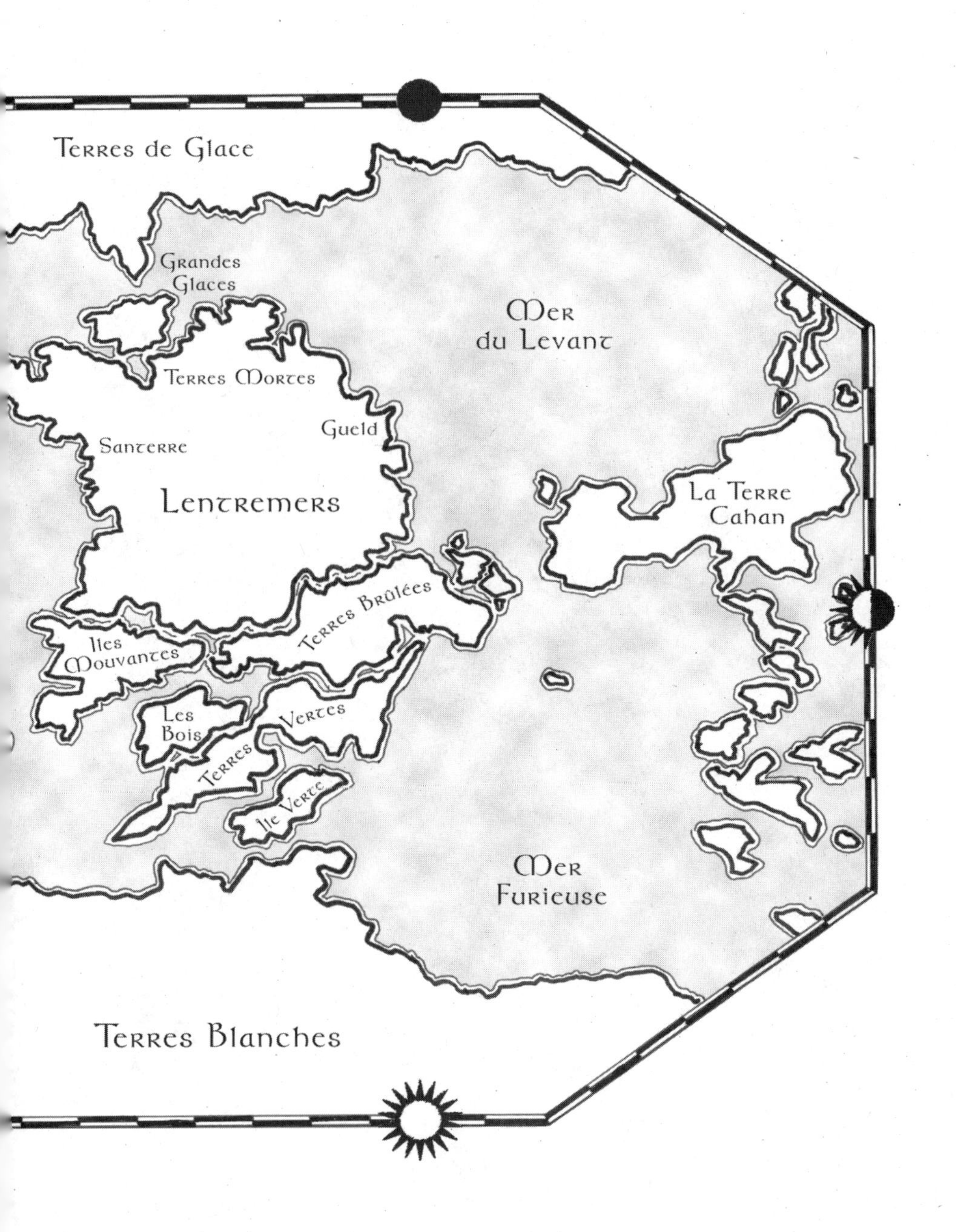

Le Monde d'Ici est représenté par le Moyen Peuple depuis la Terre Abal au Couchant jusqu'à la Terre Cahan au Levant, et des Terres Blanches à la Mi-Jour aux Terres de Glace à la Mi-Nuit. Au-delà de cette représentation, il n'y a que des îles ou des landes inexplorées où ne réside aucun peuple.

Les Terres du Lentremers – Extrait des cartes du Sage Delbon

Le continent du Lentremers est le plus important, tant par la population qui y demeure que par son histoire. Tous les peuples vivant en Monde d'Ici en sont originaires.

Contrée des Sormens
Glacier des Eaux
Pays des Chasseurs
Temple du Glacier
Région des Neiges
Région des Métiers
Temple de Bronze
Rivière des Eaux
Rivière Ingléged
Temple des Arts
Région des Récoltes
Région de la Baie
Temple du Roi et des Sages
Pays des Oiseleurs
Mer du Couchant

**Au cœur
de la Région des Récoltes**

**Le Pays de Santerre
Carte administrative des quatre Régions**

Le plus puissant et le plus important des états situés au Couchant du Lentremers, le Pays de Santerre est en fait une confédération de quatre régions à la fois distinctes et très interdépendantes. Le pouvoir central s'exerce depuis le Temple du Roi et des Sages.

Les Pays du Levant – Extrait des cartes du Sage Delbon

Au Levant du Lentremers, les peuples du Kalar Dhun ainsi que des Pays de Gueld, de Mauser, de Coubaliser et de Hippar sont autonomes, mais unis par une origine commune.

La fabuleuse épopée de L'Eldnade se conclut avec le tome IV.

Les plans de Kurak, un adversaire à la hauteur d'Ardahel le Santerrian, se déroulent exactement selon ses désirs. Il se réserve la conquête du Lentremers comme victoire finale. Bientôt, les deux derniers bastions, les Pays de Santerre et de Gueld, tomberont sous l'emprise des troupes qu'il mène de main de maître. Pour ceux qui se battent encore, l'espoir s'évanouit devant la toute-puissance de Vorgrar. Face à l'Esprit Mauvais, la destinée du Monde d'Ici repose désormais sur Eldwen, une aveugle désemparée qui devra puiser à même les forces vives de son esprit.

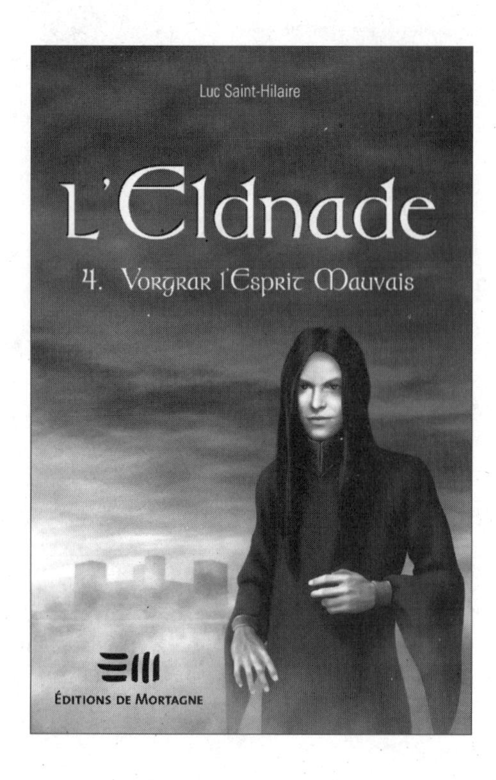